다품

중학 수학 2-1

I 유리수와 순환소수

II 식의 계산

III 일차부등식과 연립일차방정식

IV 함수

구성과 특징

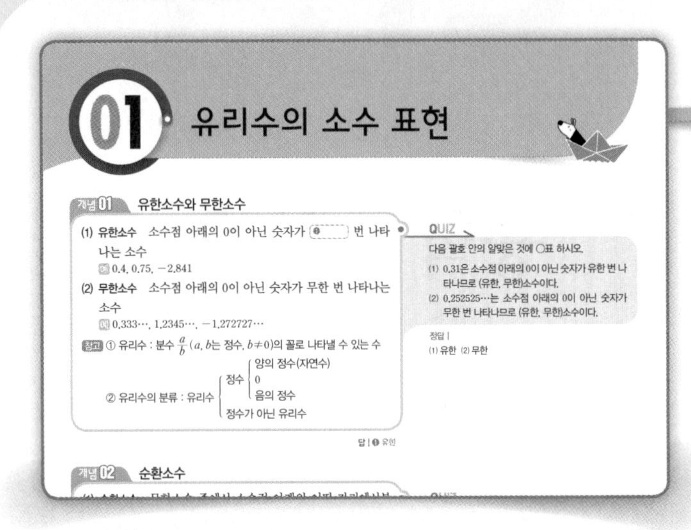

01 유리수의 소수 표현

개념 01 유한소수와 무한소수

(1) **유한소수** 소수점 아래의 0이 아닌 숫자가 (❶) 번 나타나는 소수

예 0.4, 0.75, −2.841

(2) **무한소수** 소수점 아래의 0이 아닌 숫자가 무한 번 나타나는 소수

예 0.333…, 1.2345…, −1.272727…

참고 ① 유리수 : 분수 $\frac{a}{b}$ (a, b는 정수, $b \neq 0$)의 꼴로 나타낼 수 있는 수

② 유리수의 분류 : 유리수 { 정수 { 양의 정수(자연수) / 0 / 음의 정수 } / 정수가 아닌 유리수 }

답 | ❶ 유한

QUIZ

다음 괄호 안의 알맞은 것에 ○표 하시오.

(1) 0.31은 소수점 아래의 0이 아닌 숫자가 유한 번 나타나므로 (유한, 무한)소수이다.

(2) 0.252525…는 소수점 아래의 0이 아닌 숫자가 무한 번 나타나므로 (유한, 무한)소수이다.

정답 | (1) 유한 (2) 무한

개념 02 순환소수

개념 정리

- 단원별로 꼭 알아야 할 개념을 정리하였습니다.
- 빈칸 채우기 등을 통해 스스로 개념을 완성하면서 숙지하도록 하였습니다.

STEP 1 교과서 개념 확인 테스트

01 유한소수와 무한소수

1-1 다음 소수가 유한소수이면 '유', 무한소수이면 '무'를 써넣으시오.

(1) 2.3 ( )
(2) 3.222… ( )
(3) 3.1415411… ( )
(4) 0.4444444 ( )
(5) 1.302765 ( )
(6) 3.141592… ( )

1-2 다음 분수를 소수로 나타낼 때, 유한소수이면 '유', 무한소수이면 '무'를 써넣으시오.

(1) $\frac{2}{3}$ ( ) (2) $\frac{1}{6}$ ( )
(3) $\frac{3}{8}$ ( ) (4) $\frac{5}{11}$ ( )
(5) $\frac{9}{25}$ ( ) (6) $\frac{4}{33}$ ( )

교과서 개념 확인 테스트

- 10종 교과서 예제, 유제, 공통 문제를 수록하였습니다.
- 쌍둥이 구성으로 반복 연습이 가능하도록 하였습니다.

STEP 2 기출 기초 테스트

10종 교과서 공통 문제

유형 01 순환소수의 표현

1-1 다음 보기는 순환소수를 순환마디에 점을 찍어 간단히 나타낸 것이다. 옳은 것을 모두 고르시오.

보기
㉠ $2.152152152\cdots=2.\dot{1}\dot{5}$
㉡ $0.6595959\cdots=0.6\dot{5}\dot{9}$
㉢ $0.365365365\cdots=0.\dot{3}6\dot{5}$
㉣ $4.0666\cdots=4.\dot{0}\dot{6}$
㉤ $1.17242424\cdots=1.1\dot{7}2\dot{4}$

1-2 (10종 교과서 공통) 분수 $\frac{9}{110}$를 순환소수로 나타내면?

① $0.0\dot{8}\dot{1}$ ② $0.\dot{0}8\dot{1}$
③ $0.08\dot{1}\dot{8}$ ④ $0.\dot{0}81\dot{8}$
⑤ $0.081\dot{8}\dot{1}$

기출 기초 테스트

- 10종 교과서 중요 문제를 수록하고, 반복 연습이 가능하도록 하였습니다.

STRUCTURE

“〈다:품〉은 이렇게 구성되어 있습니다.”

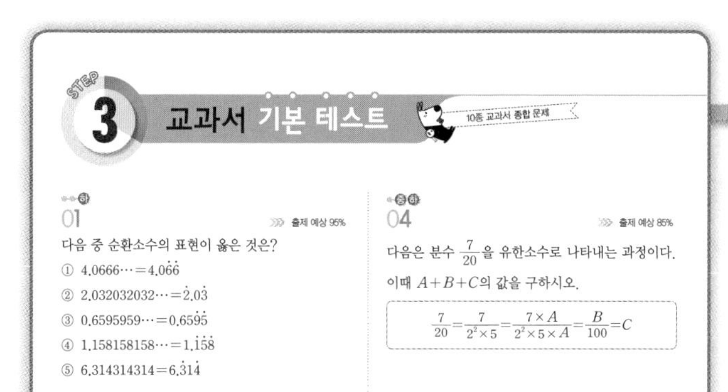

STEP 3 교과서 기본 테스트

10종 교과서 종합 문제

01 하 출제 예상 95%

다음 중 순환소수의 표현이 옳은 것은?

① $4.0666\cdots=4.0\dot{6}\dot{6}$

② $2.032032032\cdots=\dot{2}.0\dot{3}$

③ $0.6595959\cdots=0.65\dot{9}\dot{5}$

④ $1.158158158\cdots=1.\dot{1}5\dot{8}$

⑤ $6.314314314=6.\dot{3}1\dot{4}$

04 중하 출제 예상 85%

다음은 분수 $\frac{7}{20}$을 유한소수로 나타내는 과정이다. 이때 $A+B+C$의 값을 구하시오.

$$\frac{7}{20}=\frac{7}{2^2\times5}=\frac{7\times A}{2^2\times5\times A}=\frac{B}{100}=C$$

교과서 기본 테스트

- 10종 교과서 종합 문제를 수록하여 시험 준비와 내신 대비를 할 수 있도록 하였습니다.

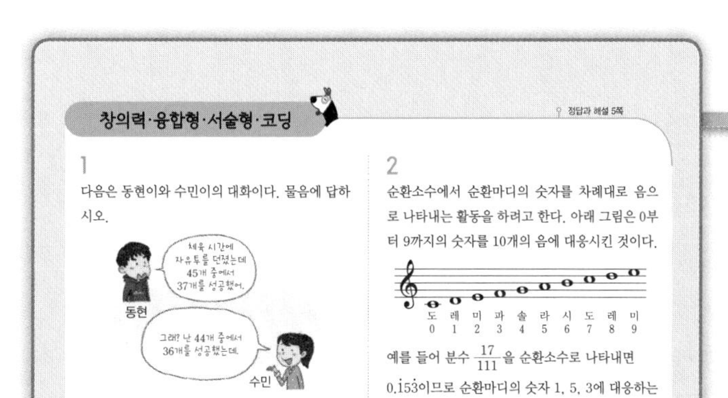

창의력·융합형·서술형·코딩

정답과 해설 5쪽

1

다음은 동현이와 수민이의 대화이다. 물음에 답하시오.

체육 시간에 자유투를 던졌는데 45개 중에서 37개를 성공했어.
동현
그래? 난 44개 중에서 36개를 성공했는데.
수민

(1) 동현이와 수민이의 자유투 성공률을 아래 식을 이용하여 순환소수로 나타내시오.

$$(\text{자유투 성공률})=\frac{(\text{자유투 성공 횟수})}{(\text{자유투 시도 횟수})}$$

2

순환소수에서 순환마디의 숫자를 차례대로 음으로 나타내는 활동을 하려고 한다. 아래 그림은 0부터 9까지의 숫자를 10개의 음에 대응시킨 것이다.

도 레 미 파 솔 라 시 도 레 미
0 1 2 3 4 5 6 7 8 9

예를 들어 분수 $\frac{17}{111}$을 순환소수로 나타내면 $0.\dot{1}5\dot{3}$이므로 순환마디의 숫자 1, 5, 3에 대응하는 음을 차례대로 도돌이표가 그려진 오지선 위에 나타내면 다음 그림과 같다. 물음에 답하시오.

(1) 분수 $\frac{4}{\ }$를 순환소수로 나타내시오.

창의력 · 융합형 · 서술형 · 코딩

- 10종 교과서 창의융합형 문제를 분석하여 수록하였습니다.

나를 일으키는 것

Motivation is what gets you started.
Habit is what keeps you going.
− Jim Rohn

동기부여는 당신을 시작하게 하는 것이다.
습관은 당신을 계속 나아가도록 하는 것이다.
− 짐 론

유리수와 순환소수

유리수의 소수 표현

개념 01 유한소수와 무한소수

(1) **유한소수** 소수점 아래의 0이 아닌 숫자가 ❶ ___ 번 나타나는 소수

예 0.4, 0.75, -2.841

(2) **무한소수** 소수점 아래의 0이 아닌 숫자가 무한 번 나타나는 소수

예 0.333⋯, 1.2345⋯, -1.272727⋯

참고 ① 유리수 : 분수 $\frac{a}{b}$ (a, b는 정수, $b\neq0$)의 꼴로 나타낼 수 있는 수

② 유리수의 분류 : 유리수 { 정수 { 양의 정수(자연수), 0, 음의 정수 }, 정수가 아닌 유리수 }

답 | ❶ 유한

QUIZ

다음 괄호 안의 알맞은 것에 ○표 하시오.

(1) 0.31은 소수점 아래의 0이 아닌 숫자가 유한 번 나타나므로 (유한, 무한)소수이다.

(2) 0.252525⋯는 소수점 아래의 0이 아닌 숫자가 무한 번 나타나므로 (유한, 무한)소수이다.

정답 |

(1) 유한 (2) 무한

개념 02 순환소수

(1) **순환소수** 무한소수 중에서 소수점 아래의 어떤 자리에서부터 일정한 숫자의 배열이 한없이 ❶ ___ 되는 소수

참고 무한소수 중에는 순환하지 않는 무한소수도 있다.

예 0.1010010001⋯, 0.1121231234⋯, $\pi(=3.141592\cdots)$

(2) **순환마디** 순환소수에서 소수점 아래의 숫자의 배열이 되풀이되는 가장 짧은 한 부분

(3) **순환소수의 표현** 순환마디의 ❷ ___ 의 숫자 위에 점을 찍어 나타낸다.

예

순환소수	순환마디	순환소수의 표현
0.777⋯	7	$0.\dot{7}$
2.353535⋯	35	$2.\dot{3}\dot{5}$
-1.031031031⋯	031	$-1.\dot{0}3\dot{1}$

답 | ❶ 되풀이 ❷ 양 끝

QUIZ

다음 괄호 안의 알맞은 것에 ○표 하시오.

(1) 0.222⋯는 (순환소수이다, 순환소수가 아니다).

(2) 0.212121⋯의 순환마디는 (12, 21)이고, 순환마디에 점을 찍어 간단히 나타내면 ($0.\dot{1}\dot{2}$, $0.\dot{2}\dot{1}$)이다.

정답 |

(1) 순환소수이다 (2) 21, $0.\dot{2}\dot{1}$

개념 03 유한소수를 분수로 나타내기

(1) 모든 유한소수는 분모가 ❶ ___ 의 거듭제곱인 분수로 나타낼 수 있다.

예 $0.2=\frac{2}{10}=\frac{1}{5}$

(2) 유한소수를 기약분수로 나타내면 분모의 소인수는 2 또는 ❷ ___ 뿐이다.

예 $0.66=\frac{66}{100}=\frac{33}{50}=\frac{33}{2\times5^2}$ → 분모의 소인수가 2와 5뿐이다.

분모가 10의 거듭제곱인 분수로 나타낼 수 있다. / 분모를 소인수분해하기

답 | ❶ 10 ❷ 5

QUIZ

다음은 유한소수를 분수로 나타내는 과정이다. □ 안에 알맞은 수를 써넣으시오.

(1) $0.5=\frac{5}{10}=\frac{1}{\square}$

(2) $0.15=\frac{15}{\square}=\frac{3}{\square}=\frac{3}{2^2\times\square}$

정답 |

(1) 2 (2) 100, 20, 5

개념 04 분수를 유한소수로 나타내기

분모의 소인수가 2 또는 5뿐인 기약분수는 분자와 분모에 2 또는 5의 거듭제곱을 적당히 곱하여 ❶ ( ) 를 10의 거듭제곱으로 고칠 수 있으므로 유한소수로 나타낼 수 있다.

예 ① $\frac{1}{5}=\frac{1\times2}{5\times2}=\frac{2}{10}=0.2$

② $\frac{3}{20}=\frac{3}{2^2\times5}=\frac{3\times5}{2^2\times5\times5}=\frac{3\times5}{2^2\times5^2}=\frac{15}{100}=0.15$

↳ 5를 곱하여 지수가 2로 같아지도록 한다.

답 | ❶ 분모

QUIZ

다음은 분수를 유한소수로 나타내는 과정이다. □ 안에 알맞은 수를 써넣으시오.

(1) $\frac{1}{8}=\frac{1}{2^3}=\frac{1\times\square}{2^3\times\square}=\frac{125}{1000}=\square$

(2) $\frac{9}{20}=\frac{9}{2^2\times5}=\frac{9\times\square}{2^2\times5\times\square}=\frac{45}{100}=\square$

정답 |
(1) 5^3, 5^3, 0.125 (2) 5, 5, 0.45

개념 05 유한소수와 순환소수의 구별법

정수가 아닌 유리수를 기약분수로 나타낸 후 분모를 소인수분해하였을 때

(1) 분모의 소인수가 ❶ ( ) 또는 5뿐이면 그 유리수는 유한소수로 나타낼 수 있다.

예 $\frac{21}{60}=\frac{7}{20}=\frac{7}{2^2\times5}$

기약분수로 나타내기 / 분모를 소인수분해하기

➡ 분모의 소인수가 2와 5뿐이므로 유한소수로 나타낼 수 있다.

(2) 분모가 2와 5 이외의 소인수를 가지면 그 유리수는 ❷ ( ) 로 나타낼 수 있다.

예 $\frac{35}{42}=\frac{5}{6}=\frac{5}{2\times3}$

기약분수로 나타내기 / 분모를 소인수분해하기

➡ 분모에 2와 5 이외의 소인수 3이 있으므로 순환소수로 나타낼 수 있다.

참고 $\frac{4}{11}$를 소수로 나타내기 위하여 오른쪽과 같이 계속 나누면 소수점 아래 각 자리에서 나머지는 차례로 7, 4, …가 되풀이되어 순환마디가 생긴다. 즉 $\frac{4}{11}$는 다음과 같은 순환소수로 나타낼 수 있다.

$\frac{4}{11}=0.363636\cdots=0.\dot{3}\dot{6}$

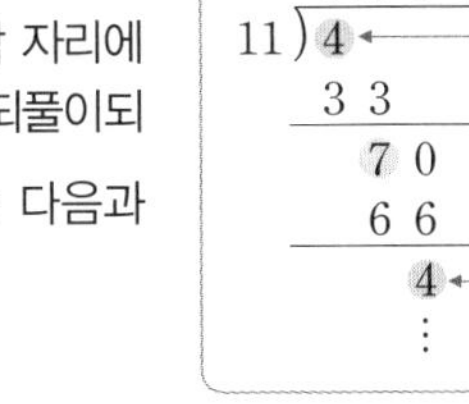

한눈에 보기

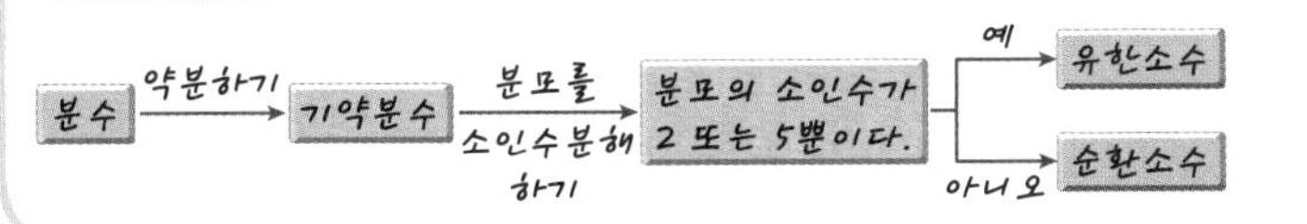

답 | ❶ 2 ❷ 순환소수

QUIZ

다음은 주어진 분수를 유한소수로 나타낼 수 있는지, 순환소수로 나타낼 수 있는지를 판단하는 과정이다. □ 안에 알맞은 것을 써넣으시오.

(1) $\frac{3}{40}=\frac{3}{2^3\times5}$은 분모의 소인수가 □와 □뿐이므로 □로 나타낼 수 있다.

(2) $\frac{1}{24}=\frac{1}{2^3\times3}$은 분모의 소인수 중에 □이 있으므로 □로 나타낼 수 있다.

(3) $\frac{2}{35}=\frac{2}{5\times7}$는 분모의 소인수 중에 □이 있으므로 □로 나타낼 수 있다.

정답 |
(1) 2, 5, 유한소수 (2) 3, 순환소수 (3) 7, 순환소수

교과서 개념 확인 테스트

01 유한소수와 무한소수 개념01

1-1 다음 소수가 유한소수이면 '유', 무한소수이면 '무'를 써넣으시오.

(1) 2.3 ( )

(2) 3.222⋯ ( )

(3) 3.1415411⋯ ( )

(4) 0.4444444 ( )

(5) 1.302765 ( )

(6) 3.141592⋯ ( )

1-2 다음 분수를 소수로 나타낼 때, 유한소수이면 '유', 무한소수이면 '무'를 써넣으시오.

(1) $\frac{2}{3}$ ( ) (2) $\frac{1}{6}$ ( )

(3) $\frac{3}{8}$ ( ) (4) $\frac{5}{11}$ ( )

(5) $\frac{9}{25}$ ( ) (6) $\frac{4}{33}$ ( )

02 순환소수 (1) 개념02

2-1 다음 순환소수의 순환마디를 찾고, 순환마디에 점을 찍어 간단히 나타내시오.

(1) 0.222⋯

(2) 0.545454⋯

(3) 0.2777⋯

(4) 0.251125112511⋯

2-2 다음 순환소수의 순환마디를 찾고, 순환마디에 점을 찍어 간단히 나타내시오.

(1) 0.777⋯

(2) 2.3555⋯

(3) 3.606060⋯

(4) 4.634634634⋯

03 순환소수 (2) 개념02

3-1 다음 분수를 소수로 나타내고, 순환소수로만 나타낼 수 있는 경우에는 그 순환마디를 구하시오.

(1) $\frac{5}{2}$ (2) $\frac{8}{15}$

3-2 다음 분수를 소수로 나타낸 후, 순환마디에 점을 찍어 간단히 나타내시오.

(1) $\frac{4}{3}$ (2) $\frac{2}{15}$

(3) $\frac{49}{33}$ (4) $\frac{8}{37}$

04 유한소수를 분수로 나타내기 개념 03

4-1 다음 유한소수를 기약분수로 나타내고, 분모의 소인수를 구하시오.

(1) 0.5　　(2) 0.42

(3) 0.64　　(4) 0.125

4-2 다음 유한소수를 기약분수로 나타내고, 분모의 소인수를 구하시오.

(1) 0.8　　(2) 0.35

(3) 0.625　　(4) 0.056

05 분수를 유한소수로 나타내기 개념 04

5-1 다음은 분수의 분모를 10의 거듭제곱으로 고쳐서 유한소수로 나타내는 과정이다. □ 안에 알맞은 수를 써넣으시오.

(1) $\frac{3}{2}=\frac{3\times\square}{2\times5}=\frac{\square}{10}=\square$

(2) $\frac{7}{25}=\frac{7}{5^2}=\frac{7\times\square}{5^2\times\square}=\frac{\square}{100}=\square$

5-2 다음은 분수의 분모를 10의 거듭제곱으로 고쳐서 유한소수로 나타내는 과정이다. □ 안에 알맞은 수를 써넣으시오.

(1) $\frac{5}{4}=\frac{5}{2^2}=\frac{5\times\square}{2^2\times\square}=\frac{125}{\square}=\square$

(2) $\frac{3}{40}=\frac{3}{2^{\square}\times5}=\frac{3\times\square}{2^{\square}\times5\times\square}=\frac{\square}{1000}$
$=\square$

06 유한소수와 순환소수의 구별법 개념 05

6-1 다음 분수를 소수로 나타낼 때, 유한소수로 나타낼 수 있는 것에는 ○표, 유한소수로 나타낼 수 없는 것에는 ×표를 하시오.

(1) $\frac{3}{2\times5}$ (　　)

(2) $\frac{13}{2^2\times3^2}$ (　　)

(3) $\frac{3}{14}$ (　　)

(4) $\frac{7}{20}$ (　　)

6-2 다음 보기의 분수 중 순환소수로만 나타낼 수 있는 것은 모두 몇 개인지 구하시오.

보기

ㄱ $\frac{7}{4}$　ㄴ $\frac{4}{5}$　ㄷ $\frac{13}{15}$

ㄹ $\frac{22}{55}$　ㅁ $\frac{5}{140}$　ㅂ $\frac{6}{150}$

기출 기초 테스트

10종 교과서 공통 문제

유형 01 순환소수의 표현

1-1 다음 보기는 순환소수를 순환마디에 점을 찍어 간단히 나타낸 것이다. 옳은 것을 모두 고르시오.

보기
- ㉠ $2.152152152\cdots=2.\dot{1}\dot{5}$
- ㉡ $0.6595959\cdots=0.6\dot{5}\dot{9}$
- ㉢ $0.365365365\cdots=0.\dot{3}6\dot{5}$
- ㉣ $4.0666\cdots=4.\dot{0}\dot{6}$
- ㉤ $1.17242424\cdots=1.1\dot{7}2\dot{4}$

(10종 교과서 공통)

1-2 분수 $\frac{9}{110}$를 순환소수로 나타내면?

① $0.0\dot{8}\dot{1}$　② $0.\dot{0}8\dot{1}$　③ $0.08\dot{1}\dot{8}$　④ $0.0\dot{8}1\dot{8}$　⑤ $0.081\dot{8}\dot{1}$

유형 02 순환소수의 소수점 아래 n번째 자리의 숫자

2-1 다음 보기의 순환소수 중에서 소수점 아래 100번째 자리의 숫자가 가장 큰 것을 고르시오.

보기
- ㉠ $0.\dot{5}$　㉡ $0.\dot{7}\dot{3}$　㉢ $0.\dot{7}1\dot{4}$

(10종 교과서 공통)

2-2 순환소수 $0.3\dot{7}\dot{1}$에서 소수점 아래 40번째 자리의 숫자를 구하시오.

유형 03 유한소수로 나타낼 수 있는 분수

3-1 다음 분수 중 유한소수로 나타낼 수 있는 것은?

① $\frac{1}{27}$　② $\frac{12}{45}$　③ $\frac{7}{12}$　④ $\frac{78}{3\times5^2\times13}$　⑤ $\frac{2}{2\times3\times5^2}$

(10종 교과서 공통)

3-2 다음 분수 중 유한소수로 나타낼 수 없는 것은?

① $\frac{1}{4}$　② $\frac{21}{30}$　③ $\frac{5}{48}$　④ $\frac{6}{2\times3\times5^2}$　⑤ $\frac{84}{2^2\times5\times7}$

유형 04 유한소수가 되도록 하는 미지수의 값 구하기 (1)

10종 교과서 공통

4-1 분수 $\frac{x}{2^2 \times 3^2 \times 5}$를 소수로 나타내면 유한소수가 될 때, x의 값이 될 수 있는 가장 작은 자연수를 구하시오.

4-2 분수 $\frac{5}{70}$에 어떤 자연수를 곱하여 유한소수로 나타내려고 할 때, 곱할 수 있는 가장 작은 자연수를 구하시오.

유형 05 유한소수가 되도록 하는 미지수의 값 구하기 (2)

10종 교과서 공통

5-1 분수 $\frac{3}{2 \times a}$을 소수로 나타내면 유한소수가 될 때, 다음 중 a의 값이 될 수 없는 것은?

① 3 ② 4 ③ 5
④ 6 ⑤ 9

5-2 분수 $\frac{15}{x}$를 소수로 나타내면 유한소수가 될 때, 다음 중 x의 값이 될 수 없는 것은?

① 30 ② 21 ③ 12
④ 10 ⑤ 6

유형 06 유한소수가 되도록 하는 미지수의 값을 찾고 기약분수로 나타내기

10종 교과서 공통

6-1 분수 $\frac{x}{90}$를 소수로 나타내면 유한소수가 되고, 기약분수로 나타내면 $\frac{1}{y}$이 된다. x가 $10<x<30$인 자연수일 때, x, y의 값을 각각 구하시오.

✓ ① 90을 소인수분해하여 $\frac{x}{90}$가 유한소수로 나타내어지도록 하는 x의 값을 구한다.
② ①에서 구한 x의 값을 이용하여 y의 값을 구한다.

6-2 분수 $\frac{a}{175}$를 소수로 나타내면 유한소수가 되고, 기약분수로 나타내면 $\frac{1}{b}$이 된다. a가 $1<a<15$인 자연수일 때, $a+b$의 값을 구하시오.

교과서 기본 테스트

하

01

출제 예상 95%

다음 중 순환소수의 표현이 옳은 것은?

① $4.0666\cdots=4.0\dot{6}\dot{6}$

② $2.032032032\cdots=\dot{2}.0\dot{3}$

③ $0.6595959\cdots=0.65\dot{9}\dot{5}$

④ $1.158158158\cdots=1.\dot{1}5\dot{8}$

⑤ $6.314314314=6.\dot{3}1\dot{4}$

중하

02

출제 예상 85%

두 분수 $\frac{2}{9}$와 $\frac{16}{11}$을 소수로 나타내었을 때, 순환마디를 이루는 숫자의 개수를 각각 a, b라 하자. 이때 $a+b$의 값을 구하시오.

중

03

출제 예상 95%

분수 $\frac{2}{13}$를 소수로 나타낼 때, 소수점 아래 75번째 자리의 숫자를 구하시오.

중하

04

출제 예상 85%

다음은 분수 $\frac{7}{20}$을 유한소수로 나타내는 과정이다. 이때 $A+B+C$의 값을 구하시오.

$$\frac{7}{20}=\frac{7}{2^2\times5}=\frac{7\times A}{2^2\times5\times A}=\frac{B}{100}=C$$

중

05

출제 예상 80%

분수 $\frac{13}{20}$을 $\frac{a}{10^n}$ 꼴로 고쳐서 유한소수로 나타낼 때, $a+n$의 최솟값을 구하시오. (단, a, n은 자연수)

중

06

출제 예상 80%

다음 보기에서 옳은 것을 모두 고르시오.

보기

ㄱ. 분모가 2와 5 이외의 소인수를 가지는 기약분수는 유한소수로 나타낼 수 없다.

ㄴ. 무한소수 중에는 순환소수가 아닌 것이 있다.

ㄷ. 분모의 소인수가 2뿐인 기약분수는 유한소수로 나타낼 수 없다.

중

07

출제 예상 95%

다음 분수를 소수로 나타내었을 때, 유한소수의 개수를 a, 무한소수의 개수를 b라 하자. 이때 $a-b$의 값을 구하시오.

$\frac{1}{4}$, $\frac{4}{7}$, $\frac{5}{6}$, $\frac{13}{26}$, $\frac{5}{30}$

중

08

출제 예상 95%

다음 분수 중 유한소수로 나타낼 수 있는 것은?

① $\frac{2}{9}$　② $\frac{5}{14}$　③ $\frac{7}{50}$

④ $\frac{1}{2\times3}$　⑤ $\frac{33}{2\times3^2}$

중

09

출제 예상 95%

다음 보기의 분수 중에서 유한소수로 나타낼 수 없는 것을 모두 고르시오.

보기

ㄱ. $\frac{11}{40}$　ㄴ. $\frac{6}{45}$

ㄷ. $\frac{21}{125}$　ㄹ. $\frac{6}{3\times5^2\times7}$

ㅁ. $\frac{35}{2^3\times5\times7}$　ㅂ. $\frac{30}{2^4\times3^2\times5}$

상중

10

까다로운 문제

출제 예상 80%

수직선 위에서 두 수 0, 1을 나타내는 두 점 사이의 거리를 12등분 하면 11개의 점이 생기는데, 이 점에 대응하는 유리수 중에서 유한소수로 나타낼 수 있는 것은 모두 몇 개인지 구하시오.

중

11

출제 예상 90%

분수 $\frac{a}{36}$를 소수로 나타내면 유한소수가 될 때, 30보다 작은 자연수 a는 모두 몇 개인지 구하시오.

중

12

출제 예상 95%

$\frac{21}{72}\times x$를 소수로 나타내면 유한소수가 될 때, x의 값이 될 수 있는 가장 작은 자연수를 구하시오.

중

13

출제 예상 80%

다음 두 조건을 만족시키는 A의 값을 구하시오.

> (가) A는 11의 배수이고 두 자리의 자연수이다.
> (나) 분수 $\frac{A}{280}$는 유한소수로 나타낼 수 있다.

중

14

출제 예상 95%

분수 $\frac{65}{2^2\times5\times a}$를 소수로 나타내면 유한소수가 될 때, 다음 중 a의 값이 될 수 없는 것은?

① 4 ② 10 ③ 13
④ 15 ⑤ 26

상 중

15 까다로운 문제

출제 예상 90%

분수 $\frac{a}{450}$를 소수로 나타내면 유한소수가 되고, 기약분수로 나타내면 $\frac{6}{b}$이 된다. a가 $100<a<110$인 자연수일 때, $a-b$의 값을 구하시오.

과정을 평가하는 서술형입니다.

중

16

출제 예상 95%

분수 $\frac{4}{13}$를 소수로 나타낼 때, 소수점 아래 50번째 자리의 숫자를 구하려고 한다. 다음 물음에 답하시오.

(1) 순환마디를 구하시오.

(2) 소수점 아래 50번째 자리의 숫자를 구하시오.

중

17

출제 예상 95%

두 분수 $\frac{5}{12}$와 $\frac{3}{130}$에 각각 자연수 a를 곱하면 모두 유한소수로 나타낼 수 있을 때, 곱할 수 있는 가장 작은 자연수 a의 값을 구하려고 한다. 다음 물음에 답하시오.

(1) $\frac{5}{12}$에 곱해야 할 자연수 a의 조건을 구하시오.

(2) $\frac{3}{130}$에 곱해야 할 자연수 a의 조건을 구하시오.

(3) (1), (2)를 모두 만족시키는 가장 작은 자연수 a의 값을 구하시오.

창의력·융합형·서술형·코딩

정답과 해설 5쪽

1

다음은 동현이와 수민이의 대화이다. 물음에 답하시오.

체육 시간에
자유투를 던졌는데
45개 중에서
37개를 성공했어.
동현
그래? 난 44개 중에서
36개를 성공했는데.
수민

(1) 동현이와 수민이의 자유투 성공률을 아래 식을 이용하여 순환소수로 나타내시오.

$$(\text{자유투 성공률})=\frac{(\text{자유투 성공 횟수})}{(\text{자유투 시도 횟수})}$$

(2) 동현이와 수민이 중 자유투 성공률이 더 높은 사람은 누구인지 말하시오.

2

순환소수에서 순환마디의 숫자를 차례대로 음으로 나타내는 활동을 하려고 한다. 아래 그림은 0부터 9까지의 숫자를 10개의 음에 대응시킨 것이다.

예를 들어 분수 $\frac{17}{111}$을 순환소수로 나타내면 $0.\dot{1}5\dot{3}$이므로 순환마디의 숫자 1, 5, 3에 대응하는 음을 차례대로 도돌이표가 그려진 오지선 위에 나타내면 다음 그림과 같다. 물음에 답하시오.

(1) 분수 $\frac{4}{7}$를 순환소수로 나타내시오.

(2) (1)의 순환마디의 숫자를 차례대로 아래의 도돌이표가 그려진 오지선 위에 음으로 나타내시오.

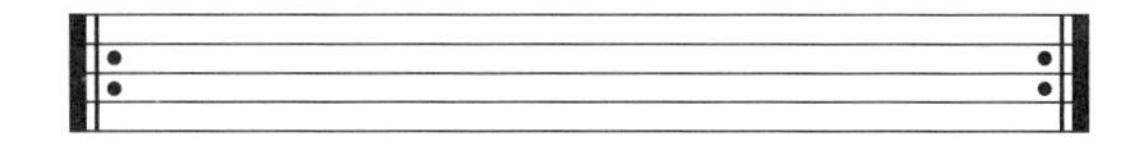

순환소수의 분수 표현

개념 01 순환소수를 분수로 나타내기 – 등식의 성질 이용

순환소수는 다음과 같은 순서로 분수로 나타낸다.

1단계 순환소수를 x로 놓는다.

2단계 등식의 양변에 ❶ ☐ 의 거듭제곱을 곱한다.

3단계 두 식을 변끼리 빼서 x의 값을 구한다.

참고 첫 번째 순환마디의 앞뒤로 소수점이 오도록 x에 10의 거듭제곱을 곱한다.

예 (1) 순환소수 $0.\dot{2}$를 분수로 나타내어 보자.

$x=0.\dot{2}=0.222\cdots$

$10x=2.222\cdots$

$-)\ x=0.222\cdots$

$9x=2$

$\therefore x=\frac{2}{9}$

(2) 순환소수 $0.2\dot{3}$을 분수로 나타내어 보자.

$x=0.2\dot{3}=0.2333\cdots$

$100x=23.333\cdots$

$-)\ 10x=2.333\cdots$

$90x=21$

$\therefore x=\frac{21}{90}=\frac{7}{30}$

답 | ❶ 10

QUIZ

다음은 순환소수 $0.\dot{6}$을 기약분수로 나타내는 과정이다. ☐ 안에 알맞은 수를 써넣으시오.

$0.\dot{6}$을 x라 하면 $x=0.666\cdots$

$\square x=6.666\cdots$

$-)\ x=0.666\cdots$

$\square x=\square$

$\therefore x=\frac{\square}{9}=\square$

정답 | $10,\ 9,\ 6,\ 6,\ \frac{2}{3}$

개념 02 순환소수를 분수로 나타내기 – 공식 이용

(1) **분모** 순환마디의 숫자의 개수만큼 ❶ ☐ 를 쓰고, 그 뒤에 소수점 아래에서 순환하지 않는 숫자의 개수만큼 ❷ ☐ 을 쓴다.

(2) **분자** (전체의 수)−(순환하지 않는 수)

예 $0.\dot{2}3\dot{5}=\frac{235}{999}$, $2.4\dot{3}\dot{5}=\frac{2435-24}{990}=\frac{2411}{990}$

답 | ❶ 9 ❷ 0

QUIZ

다음은 순환소수를 기약분수로 나타내는 과정이다. ☐ 안에 알맞은 수를 써넣으시오.

(1) $0.\dot{5}4\dot{6}=\frac{\square}{999}=\square$

(2) $1.2\dot{3}\dot{6}=\frac{1236-\square}{\square}=\square$

정답 | (1) $546,\ \frac{182}{333}$ (2) $12,\ 990,\ \frac{68}{55}$

개념 03 유리수와 소수의 관계

(1) 정수가 아닌 유리수는 유한소수 또는 순환소수로 나타낼 수 있다.

(2) 유한소수와 순환소수는 모두 유리수이다.

소수
- ❶ ☐ 소수 ─ 유리수
- 무한소수
  - ❷ ☐ 소수 ─ 유리수
  - 순환하지 않는 무한소수 ─ 유리수가 아니다.

답 | ❶ 유한 ❷ 순환

QUIZ

다음 중 옳은 것에는 ○표, 옳지 않은 것에는 ×표를 하시오.

(1) 모든 순환소수는 분수로 나타낼 수 있다. ( )

(2) 모든 무한소수는 유리수이다. ( )

(3) 정수가 아닌 유리수는 모두 유한소수로 나타낼 수 있다. ( )

정답 | (1) ○ (2) × (3) ×

교과서 개념 확인 테스트

정답과 해설 5쪽

01 순환소수를 분수로 나타내기 – 등식의 성질 이용 개념 01

1-1 다음은 순환소수 $1.\dot{1}\dot{3}$을 기약분수로 나타내는 과정이다. 밑줄 친 부분에 알맞은 수나 식을 써넣으시오.

> $1.\dot{1}\dot{3}$을 x라 하면
> ____________________ …… ㉠
> ㉠의 양변에 100을 곱하면
> ____________________ …… ㉡
> ㉡에서 ㉠을 변끼리 빼면
> ____________________
> $\therefore x=$ ________

1-2 등식의 성질을 이용하여 다음 순환소수를 기약분수로 나타내시오.

(1) $0.\dot{5}$ (2) $0.\dot{3}\dot{6}$

(3) $1.\dot{2}4\dot{3}$ (4) $0.4\dot{7}$

(5) $1.1\dot{6}$ (6) $0.5\dot{2}\dot{1}$

02 순환소수를 분수로 나타내기 – 공식 이용 개념 02

2-1 다음은 주어진 순환소수를 분수로 나타내는 과정이다. □ 안에 알맞은 수를 써넣으시오.

(1) $0.\dot{7}=\dfrac{7}{\square}$

(2) $0.1\dot{2}=\dfrac{12-\square}{\square}=\dfrac{\square}{\square}$

2-2 공식을 이용하여 다음 순환소수를 기약분수로 나타내시오.

(1) $0.\dot{3}$ (2) $0.\dot{0}\dot{7}$

(3) $1.\dot{4}$ (4) $0.4\dot{3}$

(5) $0.5\dot{3}\dot{2}$ (6) $0.14\dot{6}$

03 유리수와 소수의 관계 개념 03

3-1 다음 중 유리수가 아닌 것은?

① $-\dfrac{2}{9}$ ② $0.\dot{4}$

③ 0 ④ 0.121212⋯

⑤ 0.101001000⋯

3-2 다음 보기 중 유리수는 모두 몇 개인지 구하시오.

보기

㉠ 3.14	㉡ −2.5	㉢ 1.1121231⋯
㉣ π	㉤ $2.\dot{1}\dot{6}$	㉥ $-\dfrac{2}{3}$

교과서 계산 문제 집중 연습

정답과 해설 6쪽

1. 등식의 성질을 이용하여 다음 순환소수를 기약분수로 나타내시오.

(1) $0.\dot{3}\dot{5}$

(2) $2.\dot{1}\dot{3}$

(3) $0.\dot{7}6\dot{2}$

(4) $0.1\dot{8}$

(5) $1.0\dot{7}$

(6) $1.0\dot{2}\dot{6}$

(7) $0.13\dot{7}$

(8) $1.19\dot{5}$

2. 공식을 이용하여 다음 순환소수를 기약분수로 나타내시오.

(1) $0.\dot{4}$

(2) $0.\dot{6}\dot{1}$

(3) $0.\dot{1}0\dot{8}$

(4) $1.\dot{5}$

(5) $2.\dot{7}\dot{8}$

(6) $1.\dot{8}2\dot{9}$

(7) $0.5\dot{6}$

(8) $4.5\dot{6}$

(9) $0.0\dot{4}\dot{5}$

(10) $2.5\dot{8}\dot{3}$

(11) $0.82\dot{4}$

(12) $1.24\dot{9}$

기출 기초 테스트

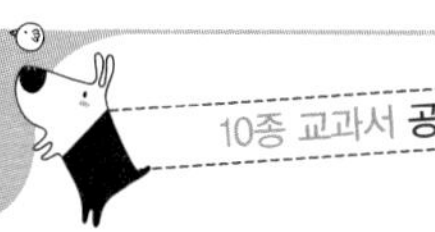

정답과 해설 6쪽

유형 01 순환소수를 분수로 나타내기 – 등식의 성질 이용

1-1 다음 중 순환소수 $x=1.\dot{3}\dot{6}$을 분수로 나타낼 때, 가장 편리한 식은?

① $10x-x$　② $100x-x$　③ $100x-10x$　④ $1000x-x$　⑤ $1000x-100x$

(10종 교과서 공통)

1-2 다음 순환소수를 분수로 나타낼 때, 가장 편리한 식을 보기에서 고르시오.

보기
ㄱ $100x-10x$　ㄴ $1000x-x$
ㄷ $1000x-10x$　ㄹ $1000x-100x$

(1) $x=0.2\dot{7}$　(2) $x=2.17\dot{5}$

(3) $x=1.0\dot{2}\dot{8}$　(4) $x=0.\dot{1}2\dot{5}$

유형 02 순환소수를 분수로 나타내기 – 공식 이용 (1)

2-1 다음 중 순환소수를 분수로 나타낸 것으로 옳지 않은 것은?

① $0.\dot{2}\dot{1}=\frac{7}{33}$　② $0.\dot{4}0\dot{7}=\frac{11}{27}$　③ $0.1\dot{7}=\frac{17}{90}$　④ $2.\dot{0}\dot{2}=\frac{200}{99}$　⑤ $0.0\dot{3}=\frac{1}{30}$

(10종 교과서 공통)

2-2 다음 중 순환소수를 분수로 나타내는 과정으로 옳지 않은 것은?

① $0.\dot{3}=\frac{3}{9}$

② $0.\dot{4}\dot{8}=\frac{48}{99}$

③ $0.2\dot{6}=\frac{26-2}{90}$

④ $0.1\dot{2}\dot{7}=\frac{127-1}{990}$

⑤ $1.3\dot{2}\dot{5}=\frac{1325-13}{9900}$

유형 03 순환소수를 분수로 나타내기 – 공식 이용 (2)

3-1 분수 $\frac{x}{18}$를 소수로 나타내면 $0.3\dot{8}$일 때, 자연수 x의 값을 구하시오.

(천재, 동아(박), 지학사 유사)

3-2 분수 $\frac{a}{30}$를 소수로 나타내면 $0.5\dot{6}$일 때, 자연수 a의 값을 구하시오.

정답과 해설 7쪽

유형 04 (순환소수)×a가 자연수가 되도록 하는 미지수의 값 구하기

4-1 순환소수 $0.2\dot{7}$에 어떤 자연수 x를 곱하면 유한소수가 될 때, 가장 작은 자연수 x의 값을 구하시오.

✓ 기약분수의 분모의 소인수가 2 또는 5뿐이면 유한소수로 나타낼 수 있다.

(천재(이), 동아(강), 지학사 유사)

4-2 순환소수 $1.2\dot{3}$에 a를 곱하면 그 결과가 유한소수가 될 때, a의 값이 될 수 있는 가장 작은 자연수를 구하시오.

유형 05 순환소수로 잘못 나타낸 기약분수

5-1 어떤 기약분수를 소수로 나타내는데 진희는 분모를 잘못 보아 0.4로 나타내었고, 현수는 분자를 잘못 보아 $0.\dot{5}$로 나타내었다. 이때 처음 기약분수를 순환소수로 나타내시오.

✓ 분모를 잘못 보았다. ➡ 분자를 제대로 보았다.
분자를 잘못 보았다. ➡ 분모를 제대로 보았다.

(10종 교과서 공통)

5-2 어떤 기약분수를 소수로 나타내는데 수민이는 분모를 잘못 보아 $0.1\dot{4}$로 나타내었고, 준이는 분자를 잘못 보아 $0.\dot{1}\dot{7}$로 나타내었다. 이때 처음 기약분수를 순환소수로 나타내시오.

유형 06 유리수와 소수의 관계

6-1 다음 중 유리수가 아닌 것을 모두 고르면? (정답 2개)

① 3.141592
② $-\frac{4}{7}$
③ 3.010010001⋯
④ $2.\dot{9}\dot{4}$
⑤ 0.212212221⋯

(10종 교과서 공통)

6-2 다음 중 옳은 것은?

① 유리수는 유한소수이다.
② 모든 순환소수는 무한소수이다.
③ 순환하지 않는 무한소수는 유리수이다.
④ 정수가 아닌 유리수는 모두 유한소수로 나타낼 수 있다.
⑤ 순환소수 중에는 분수로 나타낼 수 없는 것도 있다.

STEP 3 교과서 기본 테스트

정답과 해설 8쪽

하

01

출제 예상 90%

다음 중 순환소수 $x=1.\dot{2}8\dot{6}$을 분수로 나타낼 때, 가장 편리한 식은?

① $10x-x$ ② $100x-x$

③ $100x-10x$ ④ $1000x-10x$

⑤ $1000x-100x$

중하

02

출제 예상 95%

다음 중 순환소수를 분수로 나타낸 것으로 옳지 <u>않은</u> 것은?

① $0.\dot{3}\dot{2}=\frac{32}{99}$ ② $0.4\dot{6}=\frac{7}{15}$

③ $0.5\dot{1}=\frac{17}{33}$ ④ $2.\dot{3}\dot{4}=\frac{232}{99}$

⑤ $1.02\dot{6}=\frac{77}{75}$

중하

03

출제 예상 90%

다음 중 $x=0.2050505\cdots$에 대한 설명으로 옳지 <u>않은</u> 것은?

① $x=0.2\dot{0}\dot{5}$로 나타낸다.

② 유리수이다.

③ 순환마디는 5이다.

④ 분수로 나타내면 $x=\frac{203}{990}$이다.

⑤ 분수로 나타낼 때 가장 편리한 식은 $1000x-10x$이다.

중

04

출제 예상 90%

분수 $\frac{a}{36}$를 소수로 나타내면 $0.13\dot{8}$일 때, 자연수 a의 값을 구하시오.

중

05

출제 예상 90%

순환소수 $0.\dot{6}$의 역수를 a, 순환소수 $0.1\dot{9}$의 역수를 b라 할 때, ab의 값을 구하시오.

중

06

출제 예상 85%

순환소수 $0.58\dot{3}$에 어떤 자연수 x를 곱하면 유한소수가 될 때, x의 값이 될 수 있는 가장 큰 두 자리의 자연수를 구하시오.

상중

07 까다로운 문제

출제 예상 80%

어떤 자연수에 $0.\dot{2}$를 곱해야 할 것을 잘못하여 0.2를 곱하였더니 원래의 답보다 1만큼 작았다. 이때 어떤 자연수를 구하시오.

정답과 해설 8쪽

중

08

출제 예상 80%

다음 중 두 수의 대소 관계가 옳은 것은?

① $1.\dot{8}>1.9$　② $3.\dot{6}=3.6$

③ $4.5\dot{7}>4.\dot{5}\dot{7}$　④ $2.6>2.\dot{6}\dot{0}$

⑤ $0.\dot{2}<0.2\dot{1}$

중

09

출제 예상 85%

등식 $\frac{2}{5}=x+0.0\dot{1}$을 만족시키는 x의 값을 구하시오.

✓ 순환소수를 분수로 나타낸 후 방정식을 풀어 x의 값을 구한다.

중

10

출제 예상 90%

다음 보기 중 옳은 것을 모두 고른 것은?

보기

ㄱ 모든 무한소수는 분수로 나타낼 수 있다.
ㄴ 모든 순환소수는 분수로 나타낼 수 있다.
ㄷ 모든 유리수는 정수 또는 유한소수로 나타낼 수 있다.
ㄹ 정수가 아닌 유리수는 유한소수 또는 순환소수로 나타낼 수 있다.
ㅁ 분모의 소인수가 2 또는 5뿐인 기약분수는 유한소수로 나타낼 수 있다.

① ㄱ, ㄷ, ㄹ　② ㄱ, ㄷ, ㅁ

③ ㄴ, ㄷ, ㄹ　④ ㄴ, ㄹ, ㅁ

⑤ ㄷ, ㄹ, ㅁ

과정을 평가하는 서술형입니다.

하

11

출제 예상 95%

다음은 순환소수 $0.\dot{3}\dot{7}$을 분수로 나타내는 과정이다. (가)~(라) 안에 알맞은 수를 써넣으시오.

$0.\dot{3}\dot{7}$을 x라 하면
$x=0.373737\cdots$ …… ㉠
㉠의 양변에 (가) 을 곱하면
(가) $x=37.373737\cdots$ …… ㉡
㉡에서 ㉠을 변끼리 빼면
(나) $x=$ (다)　$\therefore x=$ (라)

중

12

출제 예상 80%

기약분수 $\frac{b}{a}$를 소수로 나타내면 $0.\dot{5}\dot{4}$일 때, $\frac{a}{b}$를 순환소수로 나타내시오.

중

13

출제 예상 90%

어떤 기약분수를 소수로 나타내는데 윤호는 분자를 잘못 보아 $0.\dot{5}\dot{6}$으로 나타내었고, 지선이는 분모를 잘못 보아 $0.5\dot{8}$로 나타내었다. 다음 물음에 답하시오.

(1) 윤호가 잘못 본 기약분수를 구하시오.

(2) 지선이가 잘못 본 기약분수를 구하시오.

(3) 처음 기약분수를 구하시오.

(4) 처음 기약분수를 순환소수로 나타내시오.

1

다음을 읽고, 물음에 답하시오.

(1) $0.\dot{4}$를 다음 수직선 위에 나타내시오.

0 —————————— 1

(2) $0.\dot{3}$을 다음 수직선 위에 나타내시오.

0 —————————— 1

2

다음은 네 학생들의 대화이다. 각각의 설명이 옳은지, 옳지 않은지를 판단하고, 그 판단의 근거를 설명하시오.

> 승빈 : 모든 순환소수는 유리수야.
> 하윤 : 무한소수는 모두 순환소수야.
> 성호 : 모든 순환소수는 무한소수야.
> 아름 : 기약분수를 소수로 나타내면 모두 유한소수야.

[승빈]
판단 : ______________________
근거 : ______________________

[하윤]
판단 : ______________________
근거 : ______________________

[성호]
판단 : ______________________
근거 : ______________________

[아름]
판단 : ______________________
근거 : ______________________

내가 알고 있는 것

If my mind can conceive it,
and my heart can believe it,
I know I can achieve it.
– Jesse Jackson

나의 머리가 생각해 낼 수 있고,
나의 마음이 그것을 믿을 수 있다면,
나는 이를 성취할 수 있다는 것을 알고 있다.
– 제시 잭슨

식의 계산

단항식의 계산

개념 01 지수법칙

(1) m, n이 자연수일 때, $a^m \times a^n = a^{m+n}$

예 $7^2 \times 7^3 = 7^{2+3} = 7^5$, $a^3 \times a^2 = a^{3+2} = a^5$

(2) m, n이 자연수일 때, $(a^m)^n = a^{mn}$

예 $(2^3)^4 = 2^{3\times4} = 2^{12}$, $(x^5)^3 = x^{5\times3} = x^{15}$

(3) $a \neq 0$이고 m, n이 자연수일 때

① $m > n$이면 $a^m \div a^n = a^{m-n}$

② $m = n$이면 $a^m \div a^n =$ ❶ [ ]

③ $m < n$이면 $a^m \div a^n = \frac{1}{a^{n-m}}$

(4) m이 자연수일 때

① $(ab)^m = a^m b^m$　　② $\left(\frac{a}{b}\right)^m = \frac{a^m}{b^m}$ (단, $b \neq 0$)

예 $(4a)^3 = 4^3 \times a^3 = 64a^3$, $\left(\frac{a}{2}\right)^4 = \frac{a^4}{2^4} = \frac{a^4}{16}$

주의 $(3a)^2 = 3a^2$ (×), $(3a)^2 = 3^2 \times a^2 = 9a^2$ (○)

참고 $(-a)^n = \{(-1)\times a\}^n = (-1)^n a^n$이므로

$(-a)^n = \begin{cases} a^n & (n\text{이 짝수}) \\ -a^n & (n\text{이 홀수}) \end{cases}$

답 | ❶ 1

QUIZ

다음 괄호 안의 알맞은 것에 ○표 하시오.

(1) $x^2 \times x^4 = (x^6, x^8)$

(2) $(x^2)^3 = (x^5, x^6)$

(3) $x^6 \div x^3 = (x^2, x^3)$

(4) $x^5 \div x^5 = (1, x)$

(5) $x^3 \div x^6 = \left(\frac{1}{x^2}, \frac{1}{x^3}\right)$

(6) $(a^3b^2)^5 = (a^8b^{10}, a^{15}b^{10})$

(7) $\left(\frac{b}{a^2}\right)^4 = \left(\frac{b^4}{a^8}, \frac{b^4}{a^2}\right)$

정답 |

(1) x^6 (2) x^6 (3) x^3 (4) 1 (5) $\frac{1}{x^3}$ (6) $a^{15}b^{10}$ (7) $\frac{b^4}{a^8}$

개념 02 단항식의 곱셈

단항식의 곱셈은 계수는 ❶ [ ]끼리, 문자는 ❷ [ ]끼리 곱하여 계산한다.

예 $-3a \times 2ab$

$= -3 \times a \times 2 \times a \times b$

$= -3 \times 2 \times a \times a \times b$

$= (-3 \times 2) \times (a \times a) \times b$

$= -6a^2b$

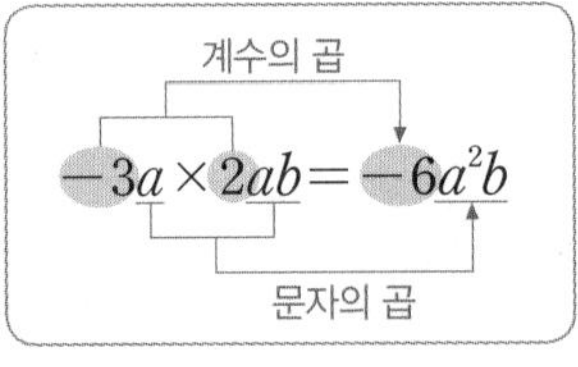

답 | ❶ 계수 ❷ 문자

QUIZ

다음 □ 안에 알맞은 것을 써넣으시오.

(1) $5a \times 2b = \square ab$

(2) $2x^2y \times 4xy = 2 \times x^2 \times y \times 4 \times x \times y$

$= 2 \times \square \times x^2 \times x \times y \times y$

$= \square$

정답 |

(1) 10 (2) 4, $8x^3y^2$

개념 03 단항식의 나눗셈

단항식의 나눗셈은 다음과 같은 방법으로 계산한다.

방법1 역수를 이용하여 나눗셈을 곱셈으로 바꾸어 계수는 계수끼리, 문자는 문자끼리 계산한다.

예 $15ab \div 3a = 15ab \times \frac{1}{3a} = 15 \times \frac{1}{3} \times a \times b \times \frac{1}{a} = 5b$

방법2 ❶ [ ] 꼴로 나타낸 후 계산한다.

예 $15ab \div 3a = \frac{15ab}{3a} = 5b$

답 | ❶ 분수

QUIZ

다음 □ 안에 알맞은 것을 써넣으시오.

(1) $18ab \div \frac{3}{2}a = 18 \times \square \times a \times b \times \frac{1}{a}$

$= \square$

(2) $12xy \div 6y = \frac{12xy}{\square} = \square$

정답 |

(1) $\frac{2}{3}$, $12b$ (2) $6y$, $2x$

교과서 개념 확인 테스트

정답과 해설 9쪽

01 지수법칙 (1), (2) 개념 01

1-1 다음 식을 간단히 하시오.

(1) $a^3\times a^2\times a^5$　(2) $x^4\times y^2\times x^5\times y^3$

(3) $(a^3)^5$　(4) $(a^2)^3\times a^4$

(5) $(x^2)^4\times x^2\times (y^4)^3$

1-2 다음 식을 간단히 하시오.

(1) $5^4\times 5$　(2) $x^3\times x^6\times x$

(3) $a^5\times a^3\times b^2$　(4) $(a^3)^2\times (a^4)^5$

(5) $(x^3)^4\times (y^2)^3\times x^5$

02 지수법칙 (3) 개념 01

2-1 다음 식을 간단히 하시오.

(1) $a^7\div a^2$　(2) $(x^9)^2\div (x^3)^2$

(3) $a^{16}\div (a^8)^2$　(4) $(x^2)^5\div (x^4)^3$

2-2 다음 식을 간단히 하시오.

(1) $3^8\div 3^6$　(2) $(a^2)^4\div a^3$

(3) $(x^2)^3\div (x^3)^4$　(4) $(x^7)^2\div (x^3)^3\div x^6$

03 지수법칙 (4) 개념 01

3-1 다음 식을 간단히 하시오.

(1) $(-2x)^2$　(2) $(xy^2)^3$

(3) $\left(\dfrac{y}{x^3}\right)^4$　(4) $\left(\dfrac{-4x^4}{5y^2}\right)^2$

3-2 다음 식을 간단히 하시오.

(1) $(x^2y)^4$　(2) $(2a^2b^3)^3$

(3) $\left(\dfrac{2x}{y}\right)^3$　(4) $\left(-\dfrac{ab^2}{3}\right)^4$

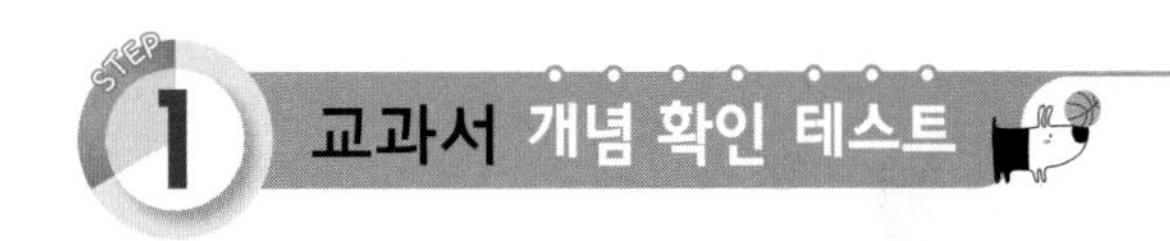

정답과 해설 10쪽

04 단항식의 곱셈 개념 02

4-1 다음을 계산하시오.

(1) $-4a\times 3b$ (2) $-4x^3\times\frac{3}{2}x^4$

(3) $7x^3y\times(x^3y^2)^2$ (4) $(-3ab)\times(-2b)^3$

4-2 다음을 계산하시오.

(1) $4ab\times(-2a)$ (2) $-3x^2\times(2x)^3$

(3) $5x^2y\times(x^2y^3)^2$ (4) $(3xy)^3\times(-x^3y)^2$

05 단항식의 나눗셈 개념 03

5-1 다음을 계산하시오.

(1) $8a^3\div 2a$ (2) $(3xy)^3\div 3x^2y$

(3) $2a^5b^3\div(-ab)^3$ (4) $(2xy)^2\div\frac{x^3y}{4}$

5-2 다음을 계산하시오.

(1) $35a^5\div 7a^3$ (2) $(-5xy)^2\div 5xy$

(3) $xy^2\div\frac{2}{3}y$ (4) $(-2a^4b^3)^3\div\frac{1}{3}a^5b$

06 단항식의 곱셈과 나눗셈 개념 02 + 개념 03

6-1 다음을 계산하시오.

(1) $9a^3b\div\frac{3}{4}b^4\times ab^3$

(2) $2a^4\times\frac{1}{3}a^2\div 6a^4$

(3) $(-10x^3y)^2\div(2xy^2)^3\div 5x^5y^3$

6-2 다음을 계산하시오.

(1) $6ab^4\div(-2b^2)\times\frac{1}{3}a^2$

(2) $(3x^2y)^3\times(-2xy^3)^2\div 9xy$

(3) $x^2y\div 3y^2\div\frac{2}{3}x$

기출 기초 테스트

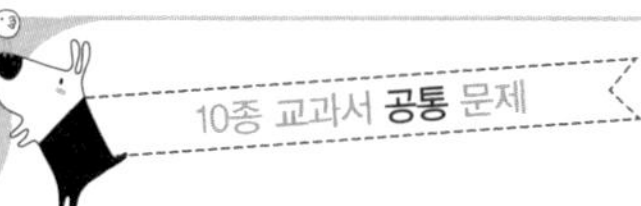

정답과 해설 11쪽

유형 01 지수법칙 (1), (2)

1-1 다음 보기에서 식을 간단히 한 결과가 옳은 것을 고르시오.

보기
- ㉠ $5^3\times5^4=5^{3+4}=5^7$
- ㉡ $x\times x^2\times x^5=x^{0+2+5}=x^7$
- ㉢ $(x^3)^3=x^{3^3}=x^{27}$
- ㉣ $x^3\times(x^2)^4=x^3\times x^8=x^{3\times8}=x^{24}$

10종 교과서 공통

1-2 다음 중 옳은 것은?

① $a^2\times a^5=a^{10}$
② $a^3+a^3=a^6$
③ $(x^3)^2=x^9$
④ $(a^3)^4=a^7$
⑤ $(a^2)^4\times a=a^9$

유형 02 지수법칙 (3), (4)

2-1 다음 보기에서 식을 간단히 한 결과가 옳은 것을 고르시오.

보기
- ㉠ $x^{10}\div x^2=x^{10\div2}=x^5$
- ㉡ $(-x^4)^3=(-1)^3\times x^{4\times3}=-x^{12}$
- ㉢ $(x^2y^3)^2=x^{2+2}\times y^{3+2}=x^4y^5$
- ㉣ $\left(-\dfrac{y^2}{2x}\right)^3=-\dfrac{y^{2\times3}}{2\times x^3}=-\dfrac{y^6}{2x^3}$

10종 교과서 공통

2-2 다음 중 옳은 것은?

① $a^3\div a^3=0$
② $a^8\div a^2=a^4$
③ $a^3\div a^7=\dfrac{1}{a^4}$
④ $(3xy^2)^3=3x^3y^6$
⑤ $\left(-\dfrac{x^2}{y^5}\right)^3=\dfrac{x^6}{y^{15}}$

유형 03 지수법칙에서 미지수의 값 구하기 (1)

3-1 다음 □ 안에 알맞은 수를 써넣으시오.

(1) $x^2\times x^{\square}=x^{14}$

(2) $x^6\times x^5\times x^{\square}=x^{16}$

(3) $(x^{\square})^2=x^{28}$

(4) $(3^2)^4\times3^{\square}=3^{12}$

10종 교과서 공통

3-2 다음 □ 안에 알맞은 수를 써넣으시오.

(1) $2^{\square}\times2^2=2^6$

(2) $(x^3)^{\square}\times x^6=x^{15}$

(3) $x^5\times(x^2)^{\square}\times x^3=x^{20}$

(4) $(5^4)^{\square}\times(5^2)^5=5^{18}$

유형 04 지수법칙에서 미지수의 값 구하기 (2)

10종 교과서 공통

4-1 다음 □, ■ 안에 알맞은 수를 각각 써넣으시오.

(1) $a^5 \times a^{\square} \div a^6 = a^3$

(2) $(a^2)^3 \div a^{\square} = \dfrac{1}{a^4}$

(3) $(-2x^4)^{\square} = ■ x^{12}$

(4) $\left(\dfrac{3x^{\square}}{y^2}\right)^2 = \dfrac{9x^8}{y^{■}}$

4-2 다음 □, ■ 안에 알맞은 수를 각각 써넣으시오.

(1) $a^4 \div a \div a^{\square} = \dfrac{1}{a^3}$

(2) $(x^4)^4 \div (x^{\square})^2 = x^6$

(3) $(3ab^4)^{\square} = 9a^2b^{■}$

(4) $\left(\dfrac{x^{\square}}{y^2}\right)^3 = \dfrac{x^{21}}{y^{■}}$

유형 05 지수법칙의 응용 (1)

천재(류), 동아(강), 미래엔, 좋은책 유사

5-1 다음 두 조건을 만족시키는 자연수 a, b에 대하여 $a+b$의 값을 구하시오.

> (가) $3^3+3^3+3^3=3^a$
> (나) $3^3 \times 3^3 \times 3^3 = 3^b$

✓ $\underbrace{a^m+a^m+a^m+\cdots+a^m}_{a\text{개}} = a \times a^m = a^{m+1}$

5-2 다음 식을 간단히 하시오.

> $6^4+6^4+6^4+6^4+6^4+6^4$

유형 06 지수법칙의 응용 (2)

천재(류), 동아(강), 비상 유사

6-1 $8^3 \times 4^2 = 2^x$을 만족시키는 자연수 x의 값을 구하시오.

6-2 $16^a \times 32 \div 4^4 = 2^5$일 때, 자연수 a의 값을 구하시오.

유형 07 지수법칙의 응용 (3)

7-1 $3^3=A$라 할 때, 9^6을 A를 사용하여 나타내면?

① $3A^2$ ② $9A^2$ ③ A^3
④ A^4 ⑤ A^5

✓ $a^m=A$이면 $a^{mn}=(a^m)^n=A^n$

(10종 교과서 공통)

7-2 $2^5=A$라 할 때, 8^{10}을 A를 사용하여 나타내면?

① A^2 ② A^3 ③ A^4
④ A^5 ⑤ A^6

유형 08 지수법칙을 이용하여 자릿수 구하기

8-1 $2^{12}\times5^{10}$은 몇 자리 자연수인지 구하시오.

✓ $2^m\times5^n$을 $a\times10^k$ (a, k는 자연수)의 꼴로 나타낸다.

(10종 교과서 공통)

8-2 $2^9\times5^6$은 몇 자리 자연수인지 구하시오.

유형 09 단항식의 곱셈, 나눗셈

9-1 다음 중 계산 결과가 옳지 않은 것은?

① $3x\times(-5y)=-15xy$
② $4x^3\times5xy^2=20x^4y^2$
③ $(-2x)^3\times(-4xy)=-32x^4y$
④ $6ab^2\div3ab=2b$
⑤ $18a^4\div(-6a^3)=-3a$

(10종 교과서 공통)

9-2 다음 중 계산 결과가 옳지 않은 것은?

① $2a^3\times3a^2=6a^5$
② $5a^2b\times(-3ab^2)=-15a^3b^3$
③ $4a^3\div2a^2=2a$
④ $-a^3b\div\frac{1}{2}ab=-2a^2$
⑤ $(-ab^2)^3\div a^2b^2=-ab^3$

유형 10 단항식의 곱셈과 나눗셈의 혼합 계산 (1)

10-1 $(-3x^4y^3)^2 \div \frac{4}{3}y \times \left(\frac{2y^2}{3x^3}\right)^3$을 계산하시오.

10종 교과서 공통

10-2 $18b^3 \times \frac{1}{2}a^2b^3 \div ab^2$을 계산하시오.

유형 11 단항식의 곱셈과 나눗셈의 혼합 계산 (2)

11-1 다음은 $3x^2y \div A \times (-2xy)^3 = 24x^3y$일 때, A를 구하는 과정이다. □ 안에 알맞은 식을 써넣으시오.

> $3x^2y \div A \times (-2xy)^3 = 24x^3y$에서
> $A = 3x^2y \times (-2xy)^3 \div 24x^3y$
> $= 3x^2y \times (\square) \times \frac{1}{24x^3y}$
> $= \square$

천재, 동아, 비상, 좋은책 유사

11-2 다음 □ 안에 알맞은 식을 구하시오.

> $3xy^2 \times \square \div (-2x^3y) = 6xy$

유형 12 도형에서 단항식의 계산

12-1 오른쪽 그림과 같이 밑면의 가로의 길이가 $2a$, 세로의 길이가 $5b$인 직육면체의 부피가 $15a^2b$일 때, 이 직육면체의 높이를 구하시오.

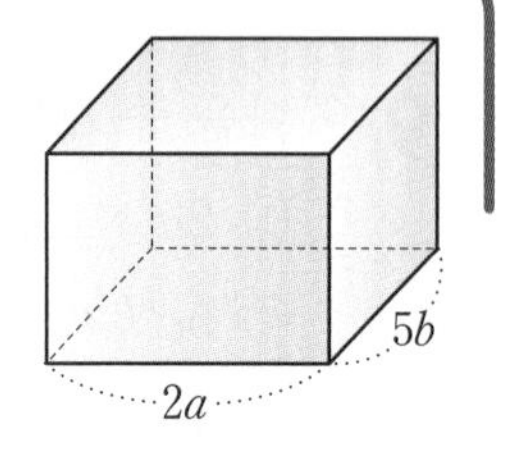

✓ (직육면체의 부피)=(밑넓이)×(높이)

10종 교과서 공통

12-2 오른쪽 그림과 같이 밑변의 길이가 $6ab$인 삼각형의 넓이가 $12ab^3$일 때, 이 삼각형의 높이를 구하시오.

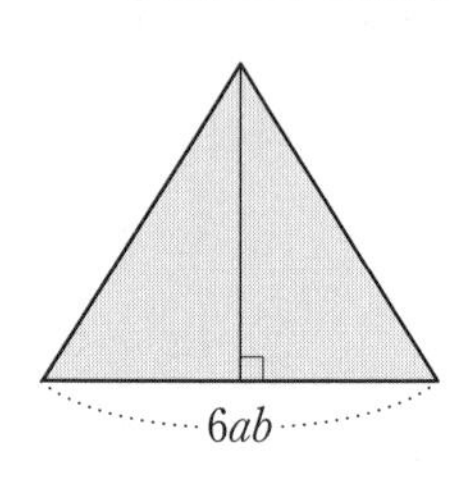

STEP

3 교과서 기본 테스트

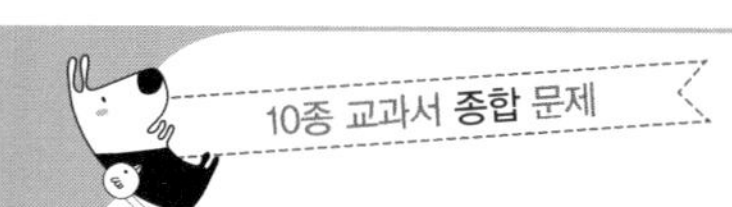

정답과 해설 13쪽

하

01

출제 예상 95%

다음 중 옳은 것은?

① $x^2 \times x^8 = x^{16}$ ② $(x^3)^3 = x^6$

③ $x^5 \div x^3 = x^2$ ④ $(3x^2)^3 = 3x^6$

⑤ $\left(-\frac{x}{2}\right)^4 = -\frac{x^4}{16}$

하

02

출제 예상 80%

$(x^2)^3 \div x^6$을 간단히 하면?

① 0 ② 1 ③ x

④ $\frac{1}{x}$ ⑤ x^2

중하

03

출제 예상 90%

$\left(\frac{2x^2}{y^3}\right)^3 = \frac{ax^b}{y^c}$일 때, $a+b-c$의 값을 구하시오.

(단, a, b, c는 자연수)

중하

04

출제 예상 85%

다음 중 □ 안에 들어갈 수가 가장 작은 것은?

① $x^3 \times x^{\square} = x^6$ ② $(x^{\square})^4 = x^8$

③ $x^{\square} \div x^4 = 1$ ④ $x^6 \div x^9 = \frac{1}{x^{\square}}$

⑤ $(x^3y^{\square})^2 = x^6y^2$

중

05

출제 예상 90%

$(x^4)^3 \div x^{\square} \times x^2 = x^{10}$일 때, □ 안에 알맞은 수는?

① 2 ② 3 ③ 4

④ 5 ⑤ 6

중

06

출제 예상 80%

다음 조건을 모두 만족시키는 자연수 a, b, c에 대하여 $a+b+c$의 값은?

(가) $3^{n+2} = 3^n \times a$
(나) $16^2 = 2^b$
(다) $2^2 \times 2^5 \times 2 = 2^c$

① 18 ② 21 ③ 25

④ 27 ⑤ 31

교과서 기본 테스트

상 중

07 까다로운 문제

>>> 출제 예상 85%

$5^4+5^4+5^4+5^4+5^4=5^a$, $9^3+9^3+9^3=3^b$일 때, $a+b$의 값을 구하시오. (단, a, b는 자연수)

중

08

>>> 출제 예상 90%

$5^3=A$라 할 때, $\frac{1}{25^3}$을 A를 사용하여 나타내면?

① $\frac{1}{5A}$　② $\frac{1}{2A}$　③ $\frac{1}{A}$
④ $\frac{1}{A^2}$　⑤ $\frac{1}{A^5}$

중

09

>>> 출제 예상 95%

$2^8\times3^2\times5^{11}$은 몇 자리 자연수인지 구하시오.

중

10

>>> 출제 예상 90%

$(a^2b^4)^2\times(a^4b)^3\div(ab^2)^2=a^mb^n$일 때, $m+n$의 값을 구하시오. (단, m, n은 자연수)

중

11

>>> 출제 예상 90%

다음 중 옳은 것은?

① $(a^5)^3\times(ab^2)^6\div a^6=a^{21}b^{12}$
② $(a^3b)^2\div a^2b^3\times\left(\frac{b}{a^2}\right)^2=\frac{b}{a^2}$
③ $(-3x^2)^2\times(2x)^2=-\frac{9x^4}{4}$
④ $-2x^2y\div(2xy)^2=2x^2y$
⑤ $-6a^2b\div3ab\times2ab^2=-4a^2b^2$

중

12

>>> 출제 예상 90%

$(4x^5y)^2\div\square\times(-3x^2y^4)=8x^4y^3$일 때, □ 안에 알맞은 식은?

① $-6x^8y^3$　② $-6x^6y^2$　③ $-4x^6y^3$
④ $4x^6y^3$　⑤ $6x^8y^2$

상 중

13

출제 예상 80%

다음 계산 과정을 보고, 물음에 답하시오.

(가) $\xrightarrow{\div \frac{5}{2}y}$ (나) $\xrightarrow{\times 3xy}$ (다) $\xrightarrow{\div (6xy)^2}$ x

(1) (다)에 알맞은 식을 구하시오.

(2) (나)에 알맞은 식을 구하시오.

(3) (가)에 알맞은 식을 구하시오.

중

14

출제 예상 80%

다음 그림에서 정사각형의 넓이와 삼각형의 넓이가 서로 같을 때, 삼각형의 높이를 구하시오.

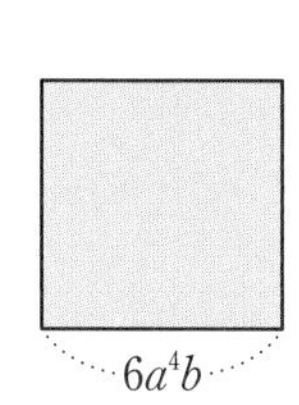

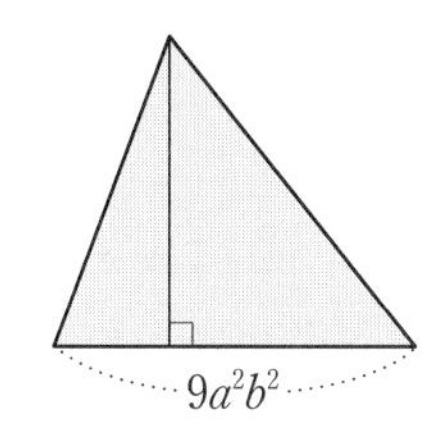

중

15

출제 예상 90%

오른쪽 그림과 같이 밑면의 반지름의 길이가 $3a^2b$인 원뿔의 부피가 $18\pi a^5b^7$일 때, 높이 h를 구하시오.

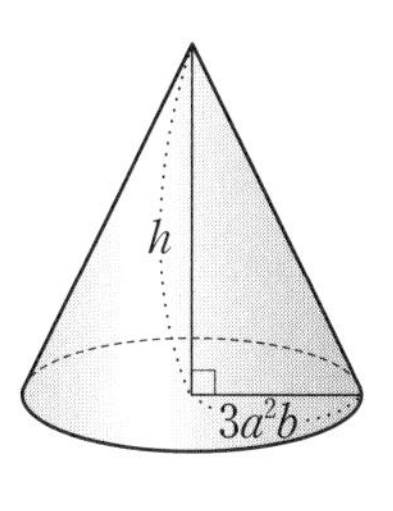

✓ (원뿔의 부피)$=\frac{1}{3}\times$(밑넓이)$\times$(높이)

과정을 평가하는 서술형입니다.

중

16

출제 예상 80%

$\left(\frac{3}{2^a}\right)^4=\frac{3^4}{2^{12}}$, $\left(\frac{2^a}{7^2}\right)^5=\frac{2^c}{7^b}$이 성립할 때, 자연수 a, b, c의 값을 각각 구하시오.

상 중

17

출제 예상 85%

$8^3\times 12^5\div 9^2=2^a\times 3^b$일 때, $a+b$의 값을 구하시오.
(단, a, b는 자연수)

중

18

출제 예상 85%

어떤 식을 $7a^2b^3$으로 나누어야 할 것을 잘못하여 곱하였더니 $98a^3b^5$이 되었다. 이때 바르게 계산한 식을 구하시오.

창의력·융합형·서술형·코딩

1

다음의 예시된 문제를 보고, 아래의 문제를 해결하시오.

예시

지구에서 금성까지의 거리는 4.5×10^7 km이다. 빛의 속도인 초속 3.0×10^5 km로 지구에서 금성까지 날아간다면 지구에서 금성까지 가는 데 몇 초가 걸리는지 구하시오.

|풀이|

지구에서 금성까지의 거리는 4.5×10^7 km이고, 빛의 속도는 초속 3.0×10^5 km이므로

$$(4.5\times10^7)\div(3.0\times10^5)=\frac{4.5\times10^7}{3.0\times10^5}=1.5\times10^2=150(\text{초})$$

따라서 지구에서 금성까지 150초가 걸린다.

지구에서 태양까지의 거리를 1.5×10^8 km라 할 때, 현재 우리가 보고 있는 태양의 빛은 몇 초 전에 태양을 출발한 것인지 구하시오.

(단, 빛의 속도는 초속 3.0×10^5 km이다.)

2

다음은 기원전 1800년경 이집트의 수학자 아메스가 쓴 세계에서 가장 오래된 수학책인 "파피루스"에 실려 있는 문제이다. 물음에 답하시오.

세 집의 각 처마마다 세 마리의 고양이가 살고 있고, 각각의 고양이는 쥐 세 마리를 붙들고 있다. 또 각각의 쥐는 보리 이삭 세 개를 붙들고 있고, 각각의 이삭에는 세 알의 보리 낱알이 달려 있다.

(1) 고양이의 수와 쥐의 수를 각각 3의 거듭제곱 꼴로 나타내시오.

(2) 보리 이삭의 수와 보리 낱알의 수를 각각 3의 거듭제곱 꼴로 나타내시오.

(3) 보리 낱알을 쥐에게 똑같이 나누어 준다면 몇 알씩 나누어 주어야 하는지 구하시오.

3

다음 표는 컴퓨터가 처리하는 정보의 양을 나타내는 단위 사이의 관계를 나타낸 것이다. 물음에 답하시오.

1 B	1 KiB	1 MiB	1 GiB
2^3 Bit	2^{10} B	2^{10} KiB	2^{10} MiB

(1) 용량이 512 MiB인 동영상 8편의 전체 용량은 몇 MiB인지 구하려고 한다. □ 안에 알맞은 수를 써넣으시오.

> $512\times8=2^{\square}\times2^{\square}=2^{\square}$ (MiB)
> 따라서 용량이 512 MiB인 동영상 8편의 전체 용량은 $2^{\square}$ MiB이다.

(2) 용량이 512 MiB인 동영상 8편의 전체 용량은 몇 GiB인지 구하려고 한다. □ 안에 알맞은 수를 써넣으시오.

> 2^{10} MiB는 1 GiB이므로
> $2^{\square}$ (MiB) $=2^{\square}\times2^{10}$ (MiB)
> $=\square\times2^{10}$ (MiB)
> $=\square$ (GiB)
> 따라서 용량이 512 MiB인 동영상 8편의 전체 용량은 □ GiB이다.

4

다음 그림과 같은 두 원기둥 (가), (나)가 있다. (가)와 (나)의 밑면의 반지름의 길이는 각각 r, $2r$이고, 높이는 각각 $3a$, $2a$일 때, (나)의 부피는 (가)의 부피의 몇 배인지 구하시오.

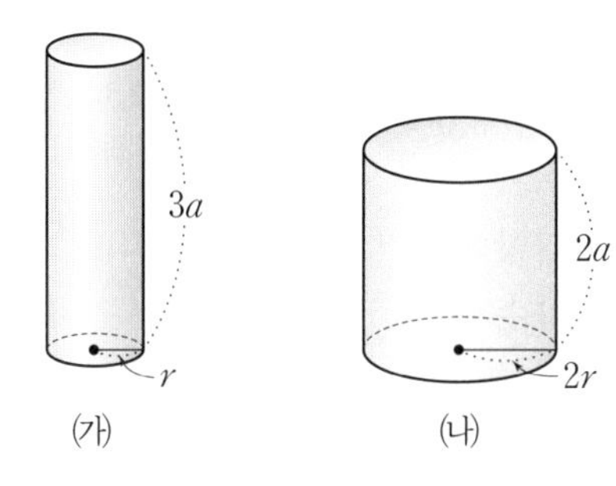

04 다항식의 계산

개념 01 다항식의 덧셈과 뺄셈

(1) **다항식의 덧셈과 뺄셈** 괄호가 있으면 먼저 괄호를 풀고, 동류항끼리 모아서 계산한다.

예 $(2a+3b)+(4a+2b)$
$=2a+3b+4a+2b$ (괄호를 푼다.)
$=2a+4a+3b+2b$ (동류항끼리 모은다.)
$=6a+5b$ (동류항끼리 계산한다.)

(2) **이차식** 다항식의 각 항의 차수 중 가장 큰 차수가 ❶ ( ) 인 다항식

$3x^2+4x-2$ (2차항, 1차항, 상수항) ➡ x에 대한 이차식

(3) **이차식의 덧셈과 뺄셈** 괄호가 있으면 먼저 괄호를 풀고, ❷ ( ) 끼리 모아서 계산한다.

예 $(3x^2-2x-1)-(2x^2-4x+4)$
$=3x^2-2x-1-2x^2+4x-4$ (괄호를 푼다.)
$=3x^2-2x^2-2x+4x-1-4$ (동류항끼리 모은다.)
$=x^2+2x-5$ (동류항끼리 계산한다.)

답 | ❶ 2 ❷ 동류항

QUIZ

다음 □ 안에 알맞은 것을 써넣으시오.

(1) $2a$, $4a$와 같이 문자와 차수가 각각 같은 항을 □이라 한다.

(2) $(3a+2b)-(2a-4b)$
$=3a+2b-2a+\square$
$=a+\square$

(3) $(5x^2-3x-2)+(-2x^2-2x+7)$
$=5x^2-3x-2-2x^2-2x+7$
$=\square x^2-5x+\square$

정답 |
(1) 동류항 (2) $4b$, $6b$ (3) 3, 5

개념 02 다항식과 단항식의 곱셈과 나눗셈

(1) **(단항식)×(다항식)** ❶ ( ) 을 이용하여 단항식을 다항식의 각 항에 곱하여 계산한다.

(2) **전개** 단항식과 다항식의 곱을 하나의 다항식으로 나타내는 것

(3) **전개식** 전개하여 얻은 다항식

예 $2a(a+2b)=2a\times a+2a\times 2b$ (전개)
$=2a^2+4ab$ (전개식)

참고 분배법칙 $a(b+c)=ab+ac$, $(a+b)c=ac+bc$

(4) **(다항식)÷(단항식)** 역수를 이용하여 나눗셈을 ❷ ( ) 으로 바꾸거나 분수 꼴로 바꾸어 계산한다.

방법1
$(4a^2x+6ay)\div 2a$
$=(4a^2x+6ay)\times\dfrac{1}{2a}$
$=4a^2x\times\dfrac{1}{2a}+6ay\times\dfrac{1}{2a}$
$=2ax+3y$

방법2
$(4a^2x+6ay)\div 2a$
$=\dfrac{4a^2x+6ay}{2a}$
$=\dfrac{4a^2x}{2a}+\dfrac{6ay}{2a}$
$=2ax+3y$

답 | ❶ 분배법칙 ❷ 곱셈

QUIZ

1. 다음 괄호 안의 알맞은 것에 ○표 하시오.

(1) $-2a(a-4b)=(-2a^2-4b,\ -2a^2+8ab)$

(2) $\dfrac{8x^2+4xy}{2x}=(4x+2y,\ 4x+4xy)$

2. 다음 중 바르게 푼 사람은 누구인지 말하시오.

희원 : $(2a^2+ab)\div\left(-\dfrac{2}{3}a\right)$
$=(2a^2+ab)\times\left(-\dfrac{3}{2}a\right)$
$=-3a^3-\dfrac{3}{2}a^2b$

현은 : $(2a^2+ab)\div\left(-\dfrac{2}{3}a\right)$
$=(2a^2+ab)\times\left(-\dfrac{3}{2a}\right)$
$=-3a-\dfrac{3}{2}b$

정답 |
1. (1) $-2a^2+8ab$ (2) $4x+2y$
2. 현은

교과서 개념 확인 테스트

정답과 해설 15쪽

01 다항식의 덧셈과 뺄셈 개념 01

1-1 다음을 계산하시오.

(1) $(3a-2b)+(a-b)$

(2) $(4x-2y-3)+(-3x+y-1)$

(3) $2(a-2b)-(3a-5b)$

(4) $(5x-3y-4)-(3x-2y-1)$

1-2 다음을 계산하시오.

(1) $(a+5b)+(2a-3b)$

(2) $(2x-3y+1)+(-2x+5y-3)$

(3) $(a-4b)-2(3a+4b)$

(4) $2(-x+3y-2)-(x-3y+2)$

02 이차식의 덧셈과 뺄셈 개념 01

2-1 다음을 계산하시오.

(1) $(5x^2-3x-2)+(-2x^2-2x+7)$

(2) $(3x^2-4x+1)-(-x^2-3x+2)$

(3) $3(x-2x^2)-2(2x^2+3x+4)$

2-2 다음을 계산하시오.

(1) $(3x^2+x-5)+(-3x^2-5x+1)$

(2) $(4x^2-3x+2)-(-2x^2-x+6)$

(3) $(1-x-2x^2)-4(x^2+4x-2)$

03 단항식과 다항식의 곱셈 (1) 개념 02

3-1 다음 식을 전개하시오.

(1) $2x(-x+3)$

(2) $(xy+5x)\times(-2x)$

(3) $a(3a^2+a-4)$

(4) $-x(-x+2y-1)$

3-2 다음 식을 전개하시오.

(1) $-4x(x-2y)$

(2) $(2x-y)\times(-3x)$

(3) $(15x-9y)\times\frac{2}{3}x$

(4) $-5x^2(2y-4y^2+3)$

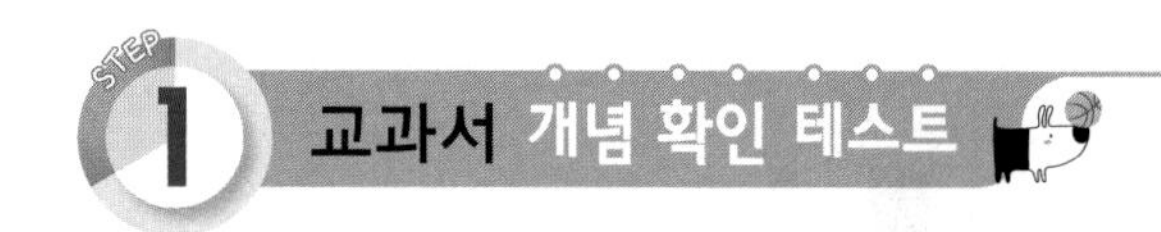

정답과 해설 16쪽

04 단항식과 다항식의 곱셈 (2) 개념 02

4-1 다음을 계산하시오.

(1) $2a(a+2)+a(2a-3)$

(2) $3x(2x-y)-x(3x-4y)$

(3) $2x(3x-y)-4y(-x+3y)$

4-2 다음을 계산하시오.

(1) $3a(2a-1)+a(a+5)$

(2) $x(3x-2y)-2x(x-3y)$

(3) $5x(x+y)-3x(x-6y)$

05 다항식과 단항식의 나눗셈 개념 02

5-1 다음을 계산하시오.

(1) $(8x^2+6xy-4x)\div(-2x)$

(2) $(18x^4y^2-9x^2y)\div 3xy$

(3) $(2x^2y^2-3xy^2)\div\frac{1}{3}xy$

5-2 다음을 계산하시오.

(1) $(4x^2y-6xy^2)\div(-2xy)$

(2) $(-8x^2+24xy)\div(-4x)$

(3) $(5x^2-25xy+20x)\div\left(-\frac{5}{2}x\right)$

06 다항식과 단항식의 사칙계산의 혼합 개념 02

6-1 다음을 계산하시오.

(1) $a(5a-b)-(10a^2b-6ab^2)\div 2b$

(2) $2x(x+y)+(4x^2y^2+x^3y)\div xy$

✓ 거듭제곱 ➡ 괄호 ➡ 곱셈, 나눗셈 ➡ 덧셈, 뺄셈의 순서로 계산한다.

6-2 다음을 계산하시오.

(1) $(8xy^2-4xy)\div(xy)^2\times 3x^2y$

(2) $(3x^2+5xy)\div x+(-5x^2+25xy)\div(-5x)$

기출 기초 테스트

10종 교과서 공통 문제

정답과 해설 17쪽

유형 01 다항식의 덧셈과 뺄셈

1-1 다음 중 옳지 않은 것은?

① $(5a+3b)+(2a-2b)=7a+b$

② $(2x+5y)+(x-9y)=3x-4y$

③ $(2x+7y)+(-x+8y)=x+15y$

④ $(3a-2b)-(6a+4b)=-3a-6b$

⑤ $(7a+2b)-(-4a+5b)=3a-3b$

10종 교과서 공통

1-2 다음 중 옳지 않은 것은?

① $(3a-4b)+(a-b)=4a-5b$

② $(4a+3b)-(-2a+4b)=6a-b$

③ $(3a+b)-(4a-2b)=-a+3b$

④ $(a-3b+1)-(2a-b+2)$
$=-a-4b-1$

⑤ $(-x+3y)+2(2x-y)=3x+y$

유형 02 여러 가지 괄호가 있는 식의 계산

2-1 다음을 계산하시오.

(1) $3a-\{b-4a+2(a-b)\}$

(2) $5x-3y-[x-\{2x-2y-(x-y)\}]$

✓ 안쪽의 괄호부터 (소괄호) → {중괄호} → [대괄호]의 순서대로 괄호를 풀어서 계산한다.

10종 교과서 공통

2-2 다음을 계산하시오.

(1) $5a-2b+\{3a-2(a-2b)\}$

(2) $a-[b-\{3a+(-a+2b)\}+3a]$

유형 03 다항식의 덧셈과 뺄셈 – 다항식 구하기

3-1 다음 A, B에 알맞은 식을 각각 구하시오.

(가) $A-(-x^2+3)=2x^2-1$
(나) $2x^2-x-5+B=3x^2-x+3$

동아(강), 미래엔, 좋은책 유사

3-2 다음 □ 안에 알맞은 식을 구하시오.

$3x+4y-8-\square=2x-4y-5$

유형 04 바르게 계산한 식 구하기

4-1 어떤 식에 $2x^2+3x-1$을 더해야 할 것을 잘못하여 뺐더니 $-7x^2+x-3$이 되었다. 바르게 계산한 식을 구하시오.

✓ (어떤 식)$-A=B$이면 (어떤 식)$=B+A$

(10종 교과서 공통)

4-2 x^2+x-2에서 어떤 식을 빼야 할 것을 잘못하여 더했더니 $2x^2-3x-5$가 되었다. 바르게 계산한 식이 ax^2+bx+c일 때, 상수 a, b, c에 대하여 $a+b+c$의 값을 구하시오.

유형 05 식의 대입

5-1 $A=3x-y$, $B=-2x+4y-5$일 때, $A-2B+5$를 x, y의 식으로 나타내시오.

(미래엔, 좋은책 유사)

5-2 $A=x-2y$, $B=2x+4y$일 때, $2A-(B-A)$를 x, y의 식으로 나타내시오.

유형 06 다항식과 단항식의 곱셈, 나눗셈

6-1 다음 중 옳은 것을 모두 고르면? (정답 2개)

① $3a(2a+b)=6a^2+ab$

② $-3xy(x^2-2y)=-3x^3y-6xy^2$

③ $(9a^2-15a)\div 3a=3a-5$

④ $(10x^2y^2+5xy)\div 5xy=2xy+1$

⑤ $(6a^2b^5-3a^6b^7)\div\left(-\frac{1}{3}ab\right)$
$=-2ab^4+a^5b^6$

(10종 교과서 공통)

6-2 다음 중 옳은 것을 모두 고르면? (정답 2개)

① $x(x-6y)=x^2-6y$

② $a(3a^2+a-4)=3a^3+a^2-4a$

③ $2b(4a^2b^2+5a^2b-6ab^2)$
$=8a^2b^3+10a^2b^2+12ab^3$

④ $(24a^2-8a)\div(-4a)=-6a-2$

⑤ $(7x^2-28xy-14x)\div\left(-\frac{7}{2}x\right)$
$=-2x+8y+4$

유형 07 다항식과 단항식의 사칙계산의 혼합

7-1 다음을 계산하시오.

(1) $\dfrac{12x^2-8xy}{4x}-\dfrac{-12x^2y+9xy^2}{3xy}$

(2) $(14x^2-6xy)\div 2x-(9x^2y-6x)\times\dfrac{1}{3x}$

10종 교과서 공통

7-2 다음을 계산하시오.

(1) $\dfrac{6x^2-12xy}{3x}-\dfrac{20xy+15y^2}{5y}$

(2) $(12xy^2-18x^2y)\div 6xy-5(-x+3y)$

유형 08 다항식과 단항식의 곱셈, 나눗셈 – 다항식 구하기

8-1 다항식 A에 $\dfrac{1}{4}ab$를 곱한 결과가 $a^2b-\dfrac{1}{2}ab^2+2ab$일 때, 다항식 A를 구하시오.

동아, 미래엔, 좋은책, 지학사 유사

8-2 $(6a^2b^2-10a^4)\div$ ☐ $=2a^2$일 때, ☐ 안에 알맞은 식을 구하시오.

유형 09 도형에서 다항식의 계산

9-1 오른쪽 그림과 같이 밑면의 가로의 길이가 a, 세로의 길이가 $2b$, 높이가 $4ab-3a$인 직육면체의 부피를 구하시오.

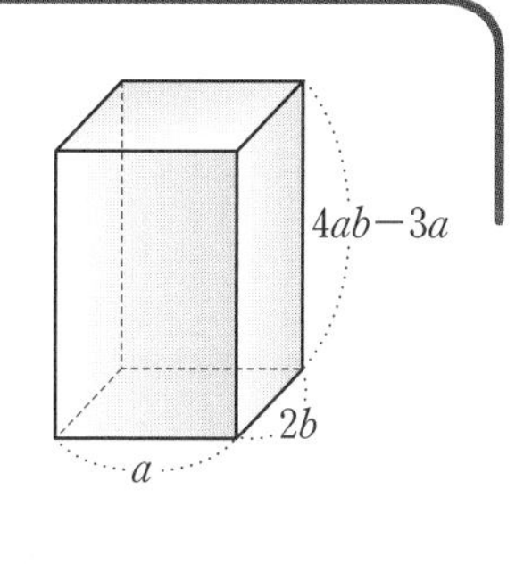

10종 교과서 공통

9-2 오른쪽 그림과 같은 사다리꼴의 넓이를 구하시오.

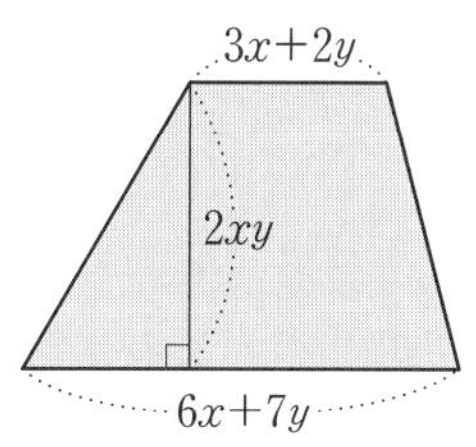

✓ (사다리꼴의 넓이)
$=\dfrac{1}{2}\times$ {(윗변의 길이)+(아랫변의 길이)} × (높이)

교과서 기본 테스트

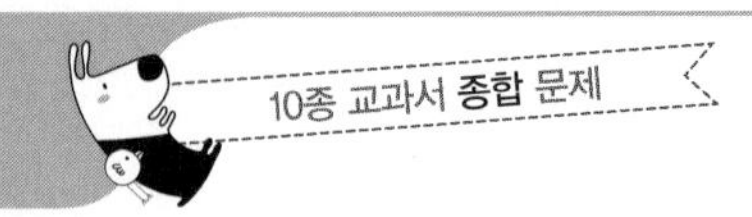

하

01

출제 예상 95%

$5(x+2y)-3(-2x+y)$를 계산하면?

① $-x+7y$ ② $-x+13y$
③ $3x-y$ ④ $11x+7y$
⑤ $11x+13y$

하

02

출제 예상 85%

다음을 계산하시오.

$$(3x^2+6x+4)-2(2x^2+4x+3)$$

중하

03

출제 예상 95%

다음 중 옳지 않은 것은?

① $(3a-b)+(a+2b)=4a+b$
② $(3a+2b)-(a-3b)=2a+5b$
③ $(8x^2+12xy)\div 2x=4x+6y$
④ $-3x(2x+y-4)=-6x^2+3xy-12x$
⑤ $(2x^2+2x+1)+(3x^2-5x+2)=5x^2-3x+3$

중

04

출제 예상 95%

$x-[7y-3x-\{2x-(x-3y)\}]=ax+by$일 때, ab의 값을 구하시오. (단, a, b는 상수)

중

05

출제 예상 90%

다음 두 조건을 만족시키는 두 다항식 A, B에 대하여 $A+B$를 계산하시오.

(가) A에서 $3x^2-2$를 빼면 $2x^2-5x$이다.
(나) A에 x^2+4x+2를 더하면 B이다.

중

06

출제 예상 90%

다음을 읽고, 물음에 답하시오.

어떤 식에서 $5x^2+7x-5$를 빼야 할 것을 잘못하여 더하였더니 $3x^2+x-2$가 되었다.

(1) 어떤 식을 구하시오.

(2) 바르게 계산한 식을 구하시오.

중

07

출제 예상 90%

$A=2x+3y-1$, $B=-3x+2y+4$일 때, $-2A+B$를 x, y의 식으로 나타내시오.

하

08

출제 예상 80%

$-4x^2(y-3y^2+5)$를 전개하면?

① $4x^2y-12x^2y^2-20x^2$

② $-4x^2y-12x^2y^2-20x^2$

③ $-4x^2y-12x^2y^2+20x^2$

④ $-4x^2y+12x^2y^2-20x^2$

⑤ $-4x^2y+12x^2y^2+20x^2$

중하

09

출제 예상 90%

$3x(2x-y+6)-x(x-2)$를 계산하였을 때, x^2의 계수와 x의 계수의 합은?

① 18 ② 20 ③ 22

④ 24 ⑤ 25

중

10

출제 예상 95%

$3x(x-2xy)-\dfrac{x^2y-5x^2y^2}{y}$을 계산하면?

① x^2-x^2y ② $2x^2-x^2y$

③ $3x^2-5x^2y$ ④ $3x^2+5x^2y^2$

⑤ $2x^2-6x^2y+5x^2y^2$

중

11

출제 예상 90%

다음 식에 대하여 물음에 답하시오.

$$(12x^2-8xy)\div 2x-(15xy-18y^2)\times\frac{1}{3y}$$

(1) 위의 식을 계산하시오.

(2) (1)의 결과에서 x의 계수와 y의 계수의 곱을 구하시오.

중

12

출제 예상 90%

어떤 다항식에 $-\frac{1}{3}xy$를 곱해야 할 것을 잘못하여 나누었더니 $9x-6y$가 되었다. 이때 바르게 계산한 식을 구하시오.

중

13

출제 예상 85%

가로의 길이가 $\frac{3}{4}xy$인 직사각형의 넓이가 $15x^2y^4-12xy^3$일 때, 이 직사각형의 세로의 길이를 구하시오.

중

14

출제 예상 85%

다음 그림과 같이 높이가 $3x$인 직육면체의 부피가 $3x^3+6x^2-30x$일 때, 이 직육면체의 밑면의 넓이를 구하시오.

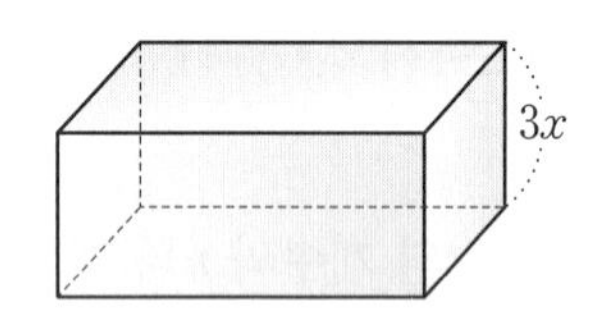

상 중

15

출제 예상 80%

$x=2$, $y=-1$일 때, 다음 식의 값을 구하시오.

$$3x(-3y+2)+(15x^2-10x^2y)\div(-5x)$$

과정을 평가하는 서술형입니다.

중

16

출제 예상 80%

다음 그림과 같은 전개도를 이용하여 직육면체를 만들었을 때, 서로 마주 보는 면에 적혀 있는 두 다항식의 합이 모두 같다고 한다. 이때 다항식 A를 구하시오.

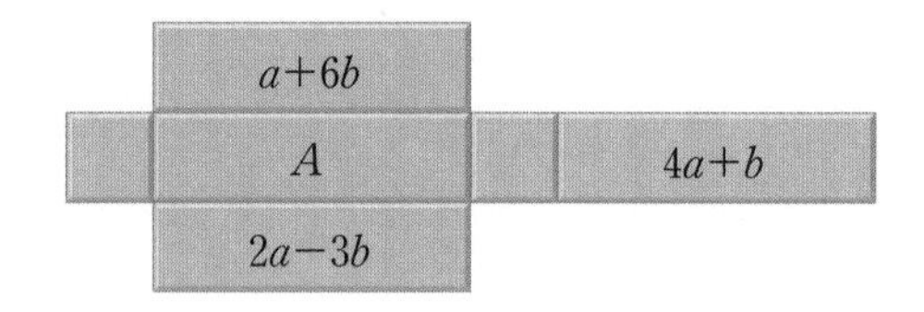

상 중

17

출제 예상 85%

다음 그림에서 색칠한 부분의 넓이를 구하려고 한다. 물음에 답하시오.

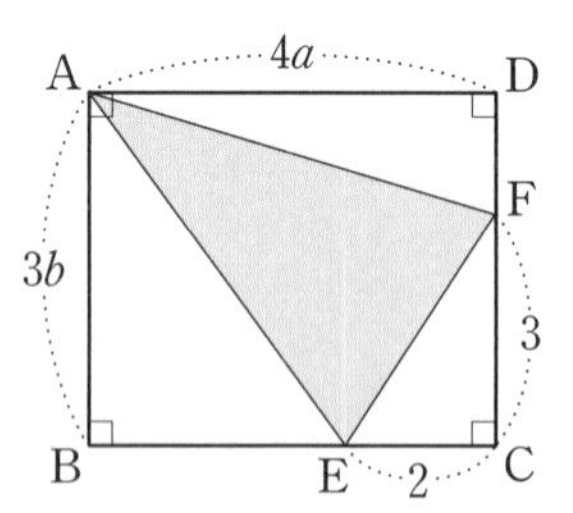

(1) 삼각형 ABE의 넓이를 a, b의 식으로 나타내시오.

(2) 삼각형 DAF의 넓이를 a, b의 식으로 나타내시오.

(3) 삼각형 AEF의 넓이를 a, b의 식으로 나타내시오.

창의력·융합형·서술형·코딩

정답과 해설 20쪽

1

다음 그림과 같이 윗줄의 좌우로 이웃한 두 칸의 다항식을 더한 결과를 아랫줄의 칸에 나타낼 때, 다항식 B를 구하시오.

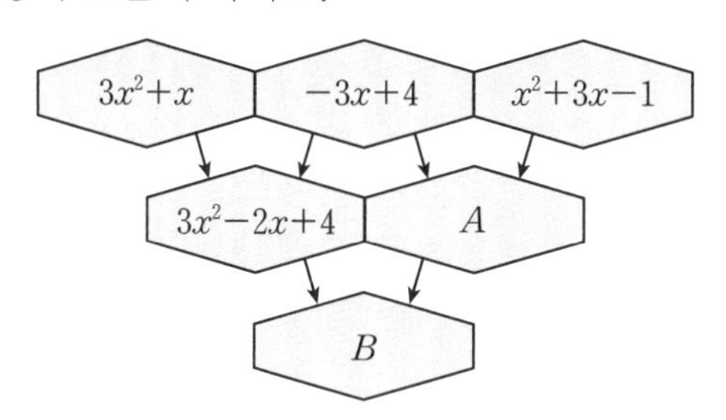

2

어느 놀이공원의 입장료는 다음과 같다.

	성인	청소년	어린이
입장료(원)	a	b	$\frac{a}{2}$

지난 한 달 동안의 입장객 수가 다음 표와 같을 때, 한 달 동안 1인당 입장료의 평균을 구하시오.

	성인	청소년	어린이
입장객 수(명)	n	$2n$	$3n$

3

다음 민경, 가희, 지훈 세 학생의 풀이가 틀린 이유를 각각 말하고, 바르게 고치시오.

민경 : $(4a+5b)+(a-3b)$
$=9ab-2ab$
$=7ab$

가희 : $2x^2+3x-5-(x^2-2x+2)$
$=2x^2+3x-5-x^2-2x+2$
$=x^2+x-3$

지훈 : $-(6xy^2+10x^4y)\div 2xy$
$=-\frac{6xy^2+10x^4y}{2xy}$
$=-3y+5x^3$

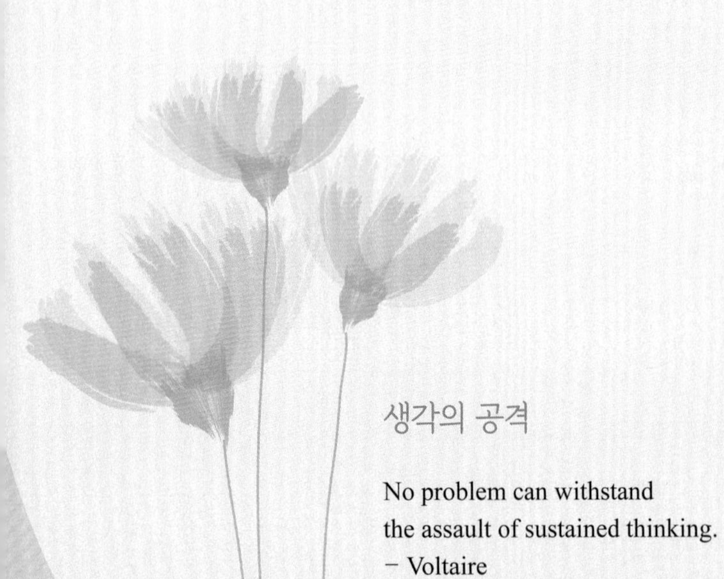

생각의 공격

No problem can withstand
the assault of sustained thinking.
− Voltaire

어떤 문제도 지속적인 생각의
공격을 버텨내지 못한다.
− 볼테르

일차부등식과 연립일차방정식

일차부등식

개념 01 부등식과 그 해

(1) **부등식** 부등호 $<$, $>$, $\leq$, $\geq$를 사용하여 수 또는 식의 대소 관계를 나타낸 식

예 $3x-2\geq5$, $x<2x-1$ ➡ 부등식이다.
$2x-4$, $x+1=100$ ➡ 부등식이 아니다.

부등호
$x+3\geq6$
좌변 우변
양변

(2) **부등식의 해** 부등식을 ❶ ____이 되게 하는 미지수의 값

(3) **부등식을 푼다** 부등식의 해를 모두 구하는 것

예 x의 값이 -1, 0, 1, 2일 때, 부등식 $x+4\leq5$의 해를 구해 보자.

x	좌변	대소 비교	우변	참, 거짓
-1	$-1+4=3$	$<$	5	참
0	$0+4=4$	$<$	5	참
1	$1+4=5$	$=$	5	참
2	$2+4=6$	$>$	5	거짓

따라서 부등식 $x+4\leq5$의 해는 -1, 0, 1이다.

참고 부등식의 표현

$a<b$	$a>b$	$a\leq b$	$a\geq b$
a는 b보다 작다. a는 b 미만이다.	a는 b보다 크다. a는 b 초과이다.	a는 b보다 작거나 같다. a는 b보다 크지 않다. a는 b 이하이다.	a는 b보다 크거나 같다. a는 b보다 작지 않다. a는 b 이상이다.

답 | ❶ 참

QUIZ

1. 다음 괄호 안의 알맞은 것에 ○표 하시오.
(1) 등호를 사용하여 수 또는 식이 서로 같음을 나타낸 식을 (등식, 부등식)이라 한다.
(2) 부등호를 사용하여 수 또는 식의 대소 관계를 나타낸 식을 (등식, 부등식)이라 한다.

2. 다음은 x의 값이 3, 4, 5일 때, 부등식 $2x-3>5$의 해를 구하는 과정이다. 괄호 안의 알맞은 것에 ○표 하고, ☐ 안에 알맞은 수를 써넣으시오.

부등식 $2x-3>5$에 대하여
$x=3$일 때, $2\times3-3>5$이므로 (참, 거짓)이다.
$x=4$일 때, $2\times4-3>5$이므로 (참, 거짓)이다.
$x=5$일 때, $2\times5-3>5$이므로 (참, 거짓)이다.
따라서 부등식의 해는 ☐이다.

정답 |
1. (1) 등식 (2) 부등식
2. 거짓, 거짓, 참, 5

개념 02 부등식의 성질

(1) 부등식의 양변에 같은 수를 더하거나 양변에서 같은 수를 빼어도 부등호의 방향은 바뀌지 않는다.
➡ $a<b$이면 $a+c<b+c$, $a-c<b-c$

(2) 부등식의 양변에 같은 양수를 곱하거나 양변을 같은 양수로 나누어도 부등호의 방향은 바뀌지 않는다.
➡ $a<b$, $c>0$이면 $ac<bc$, $\frac{a}{c}<\frac{b}{c}$

(3) 부등식의 양변에 같은 음수를 곱하거나 양변을 같은 음수로 나누면 부등호의 방향이 ❶ ____.
➡ $a<b$, $c<0$이면 $ac>bc$, $\frac{a}{c}>\frac{b}{c}$

참고 부등호 $<$를 $\leq$로, $>$를 $\geq$로 바꾸어도 부등식의 성질은 성립한다.

답 | ❶ 바뀐다

QUIZ

$a<b$일 때, 다음 ☐ 안에 알맞은 부등호를 써넣으시오.

(1) $a+3$ ☐ $b+3$ (2) $a-1$ ☐ $b-1$

(3) $-a$ ☐ $-b$ (4) $\frac{a}{2}$ ☐ $\frac{b}{2}$

정답 |
(1) $<$ (2) $<$ (3) $>$ (4) $<$

개념 03 부등식의 성질을 이용한 부등식의 풀이

(1) 부등식의 성질을 이용하여 주어진 부등식을

$x<$(수), $x>$(수), $x\le$(수), $x\ge$(수)

중 어느 하나의 꼴로 바꾸어 해를 구한다.

(2) 부등식의 해를 수직선 위에 나타내기

① $x<a$ ② $x>a$

③ $x\le a$ ④ $x\ge a$

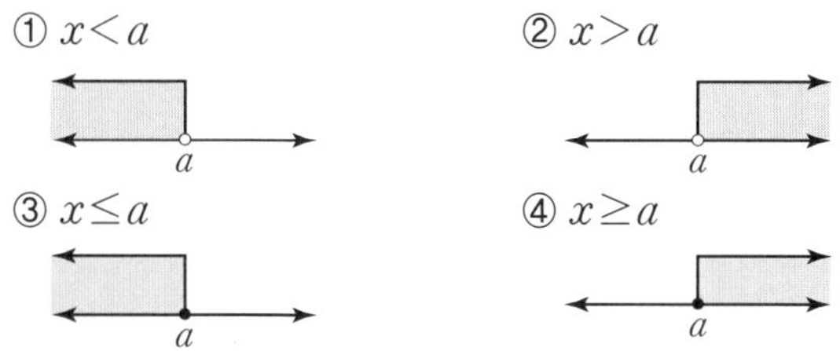

참고 수직선에서 '●'는 그에 대응하는 수가 해에 포함되고, '○'는 그에 대응하는 수가 해에 포함되지 않음을 뜻한다.

QUIZ

다음 □ 안에 알맞은 부등호를 써넣으시오.

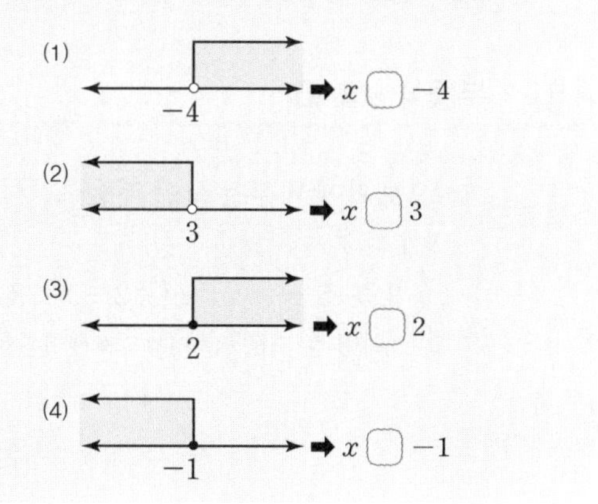

정답 |
(1) $>$ (2) $<$ (3) $\ge$ (4) $\le$

개념 04 일차부등식의 풀이

(1) 일차부등식 부등식의 우변에 있는 모든 항을 좌변으로 이항하여 정리한 식이

(일차식)<0, (일차식)>0, (일차식)≤ 0, (일차식)≥ 0

중 어느 하나의 꼴로 나타나는 부등식

(2) 일차부등식의 풀이

1단계 x를 포함한 항은 ❶ 으로, 상수항은 우변으로 이항한다.

2단계 양변을 정리하여 $ax<b$, $ax>b$, $ax\le b$, $ax\ge b$ 중 어느 하나의 꼴로 나타낸다. (단, $a\ne 0$)

3단계 양변을 x의 계수 a로 나눈다. 이때 x의 계수가 ❷ 이면 부등호의 방향이 바뀐다.

예
$-5x-9<x+3$ — x를 좌변으로, -9를 우변으로 이항한다.
$-5x-x<3+9$ — 양변을 정리한다.
$-6x<12$ — 양변을 -6으로 나눈다. 이때 부등호의 방향이 바뀐다.
$\therefore x>-2$

(3) 괄호가 있는 일차부등식의 풀이 ❸ 을 이용하여 괄호를 풀어 정리한 후 푼다.

참고 분배법칙 : $a(b+c)=ab+ac$

(4) 계수가 소수인 일차부등식의 풀이 부등식의 양변에 10, 100, 1000, …을 곱하여 계수를 정수로 바꾼 후 푼다.

주의 $0.3x-1<0.2x \xrightarrow{\times 10} 3x-1<2x$ (×), $3x-10<2x$ (○)

(5) 계수가 분수인 일차부등식의 풀이 부등식의 양변에 분모의 ❹ 를 곱하여 계수를 정수로 바꾼 후 푼다.

주의 $\frac{1}{2}x-1\ge\frac{1}{3}x \xrightarrow{\times 6} 3x-1\ge 2x$ (×), $3x-6\ge 2x$ (○)

답 | ❶ 좌변 ❷ 음수 ❸ 분배법칙 ❹ 최소공배수

QUIZ

1. 다음 괄호 안의 알맞은 것에 ○표 하시오.
(1) $x+2x>x-2$는 일차부등식(이다, 이 아니다).
(2) $3x-1<3x$는 일차부등식(이다, 이 아니다).

2. 다음 중 일차부등식의 풀이가 옳은 것을 고르시오.

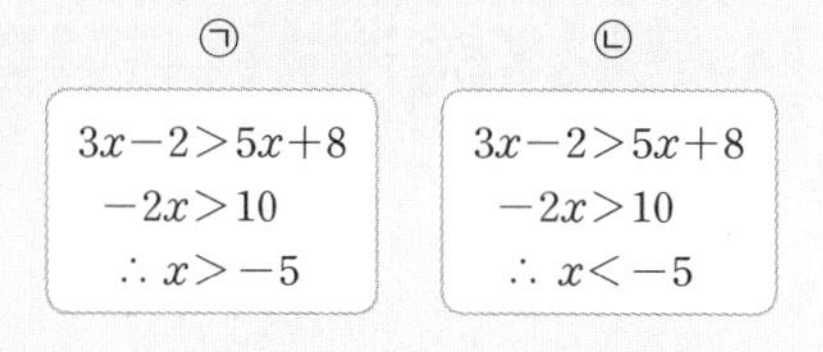

3. 다음은 일차부등식을 푸는 과정이다. □ 안에 알맞은 수를 써넣으시오.

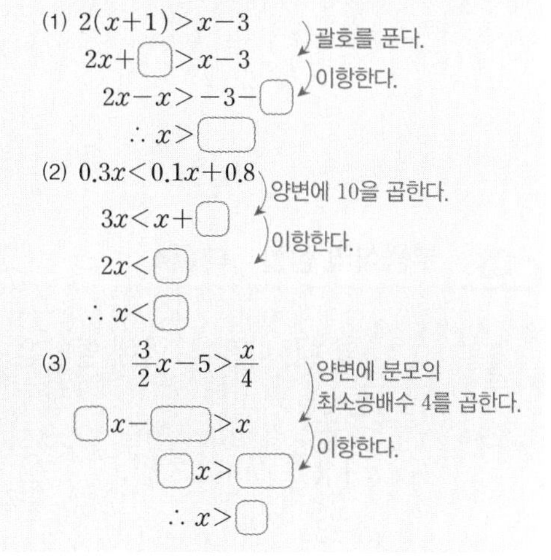

(1) 2(x+1)>x−3
괄호를 푼다.
2x+□>x−3
이항한다.
2x−x>−3−□
∴ x>□
(2) 0.3x<0.1x+0.8
양변에 10을 곱한다.
3x<x+□
이항한다.
2x<□
∴ x<□
(3) 3/2x−5>x/4
양변에 분모의 최소공배수 4를 곱한다.
□x−□>x
이항한다.
□x>□
∴ x>□

정답 |
1. (1) 이다 (2) 이 아니다
2. ㉡
3. (1) 2, 2, −5 (2) 8, 8, 4 (3) 6, 20, 5, 20, 4

STEP 1 교과서 개념 확인 테스트

01 부등식 개념 01

1-1 다음 보기에서 부등식인 것을 모두 고르시오.

보기
ㄱ $3x-5$　　ㄴ $2-x<3x$
ㄷ $x+1=-4$　　ㄹ $2x+5\le x+1$

1-2 다음 중 부등식이 아닌 것을 모두 고르면? (정답 2개)

① $x+3<-6$　② $2x-1$
③ $2-7<-1$　④ $6-3x=2x-1$
⑤ $x^2+3x+1\ge x^2-2x+5$

02 부등식의 해 개념 01

2-1 다음 부등식 중 $x=3$일 때 참이 되는 것에는 ○표, 거짓이 되는 것에는 ×표를 하시오.

(1) $2x-2>4$ (　　)
(2) $-x+6\le 1$ (　　)
(3) $-4x+7\ge -5$ (　　)
(4) $9-4x<2$ (　　)

2-2 x의 값이 -1, 0, 1, 2, 3일 때, 부등식 $5x-3>2$의 해를 모두 구하시오.

03 부등식의 성질 개념 02

3-1 $a>b$일 때, 다음 □ 안에 알맞은 부등호를 써넣으시오.

(1) $a+4$ □ $b+4$
(2) $a-3$ □ $b-3$
(3) $a\times\frac{1}{5}$ □ $b\times\frac{1}{5}$
(4) $a\div(-2)$ □ $b\div(-2)$

3-2 $a<b$일 때, 다음 □ 안에 알맞은 부등호를 써넣으시오.

(1) $3a-2$ □ $3b-2$
(2) $-a+2$ □ $-b+2$
(3) $\frac{a}{4}-3$ □ $\frac{b}{4}-3$
(4) $-\frac{2}{3}a+1$ □ $-\frac{2}{3}b+1$

04 부등식의 성질을 이용한 부등식의 풀이 개념 03

4-1 부등식의 성질을 이용하여 다음 부등식을 풀고, 그 해를 오른쪽 수직선 위에 나타내시오.

(1) $\frac{1}{4}x \geq 1$

1 2 3 4 5

(2) $-2x < -6$

1 2 3 4 5

4-2 부등식의 성질을 이용하여 다음 부등식을 풀고, 그 해를 수직선 위에 나타내시오.

(1) $x+1 \leq -2$ (2) $4x-2 > 6$

(3) $-7x+5 \geq -9$ (4) $2-x < 2x-1$

05 일차부등식 개념 04

5-1 다음 중 일차부등식인 것에는 ○표, 일차부등식이 아닌 것에는 ×표를 하시오.

(1) $3x+1 \leq -2$ ( )

(2) $2x+3 \geq x-1$ ( )

(3) $2x-1 < 3+2x$ ( )

(4) $x^2-x > 2$ ( )

5-2 다음 보기에서 일차부등식인 것을 모두 고르시오.

보기

㉠ $2x-5 > 3$ ㉡ $x^2+4x < x^2-1$

㉢ $3x+2 \leq 3x-5$ ㉣ $x^2 \geq x-3$

06 일차부등식의 풀이 개념 04

6-1 다음 일차부등식을 푸시오.

(1) $2x-5 < -x+1$

(2) $3x-2 \leq 5x-10$

(3) $1-4x > -8-x$

(4) $x+1 \leq -2x-5$

6-2 다음 일차부등식을 푸시오.

(1) $-3x+11 \geq 4x-3$

(2) $x+8 < 2x+4$

(3) $5x-31 < x+5$

(4) $2x-3 \geq 5x+6$

07 괄호가 있는 일차부등식의 풀이 개념 04

7-1 다음 일차부등식을 푸시오.

(1) $3(x-1)<x+9$

(2) $x+8>-2(x-1)$

(3) $-(x-3)\leq 3(x-2)$

(4) $4-(5+3x)\leq -2(x-2)$

7-2 다음 일차부등식을 푸시오.

(1) $-(4x+2)<2(x+5)$

(2) $3-4(x+1)>5(x-2)$

(3) $2(3x-6)\leq 8-(x-5)$

(4) $5(1-x)\geq -(x+4)$

08 계수가 소수인 일차부등식의 풀이 개념 04

8-1 다음 일차부등식을 푸시오.

(1) $0.2x+1\leq 0.1x+0.8$

(2) $-0.4x+1.2<0.1x-1.3$

(3) $0.3x+0.2>x-1.2$

(4) $0.2x+0.06\geq 0.4x-0.24$

8-2 다음 일차부등식을 푸시오.

(1) $1-0.4x<0.2$

(2) $0.1x+0.2\geq 1-0.3x$

(3) $0.7x+1\geq 0.8x-0.6$

(4) $0.16x-0.05>0.05x+0.72$

09 계수가 분수인 일차부등식의 풀이 개념 04

9-1 다음 일차부등식을 푸시오.

(1) $\frac{x}{4}-\frac{x+2}{3}>1$

(2) $\frac{1}{2}x\leq x+\frac{3}{5}$

(3) $\frac{x-3}{5}\geq \frac{2x+1}{3}$

(4) $\frac{x}{4}-3<\frac{5}{6}x+\frac{1}{2}$

9-2 다음 일차부등식을 푸시오.

(1) $x+1>\frac{x-1}{2}$

(2) $\frac{1}{3}x-\frac{1}{2}\geq \frac{1}{6}x$

(3) $\frac{1}{5}x-\frac{x-3}{4}\geq 1$

(4) $\frac{1}{3}x-\frac{1}{2}<\frac{3}{4}x+\frac{1}{3}$

기출 기초 테스트

10종 교과서 공통 문제

정답과 해설 23쪽

유형 01 문장을 부등식으로 나타내기

1-1 다음 문장을 부등식으로 바르게 나타낸 것은?

> 어떤 수 x에 3을 더한 수는 어떤 수 x의 6배에서 4를 뺀 것보다 크지 않다.

① $x+3<6x-4$ ② $x+3\le 6x-4$
③ $x+3>6x-4$ ④ $x+3\ge 6x-4$
⑤ $x+3\le 6(x-4)$

10종 교과서 공통

1-2 다음 보기에서 문장을 부등식으로 나타낸 것으로 옳지 않은 것을 모두 고르시오.

보기
㉠ 냉장고에서 냉장실의 온도 x ℃는 9 ℃ 이하이다.
➡ $x\le 9$
㉡ 책값 x원과 배송료 3000원을 합하였더니 20000원보다 작지 않다.
➡ $x+3000\le 20000$
㉢ 한 개의 무게가 2 kg인 물건 x개를 무게가 3 kg인 상자에 담았더니 전체 무게가 40 kg이 넘었다.
➡ $2x+3\ge 40$

유형 02 부등식의 해

2-1 다음 보기에서 [ ] 안의 수가 주어진 부등식의 해인 것을 모두 고르시오.

보기
㉠ $3x-4<8$ [4]
㉡ $3-x\ge 2$ [-2]
㉢ $6x+4\le 5x+3$ [0]
㉣ $2x-1>x-2$ [1]

10종 교과서 공통

2-2 다음 부등식 중 $x=2$가 해인 것은?

① $3x-2>4x$ ② $-x-2>0$
③ $2x+1\le 4$ ④ $x+1\ge 4$
⑤ $1-x\le x-3$

유형 03 부등식의 성질

3-1 $a<b$일 때, 다음 중 옳은 것은?

① $\frac{a}{3}>\frac{b}{3}$
② $-2a<-2b$
③ $3a+2>3b+2$
④ $4a-2>4b-2$
⑤ $2-(-a)<2-(-b)$

10종 교과서 공통

3-2 $a\le b$일 때, 다음 중 □ 안에 들어갈 부등호의 방향이 나머지 넷과 다른 하나는?

① $a+2$ □ $b+2$
② $a-3$ □ $b-3$
③ $2a-1$ □ $2b-1$
④ $-5a$ □ $-5b$
⑤ $\frac{2}{3}a+7$ □ $\frac{2}{3}b+7$

STEP 2 기출 기초 테스트

유형 04 일차부등식

4-1 다음 중 일차부등식인 것은?

① $x^2-x>2x$ ② $3x-1>1-3x$
③ $3x+4$ ④ $x(x+1)\geq x-5$
⑤ $x+3=7$

(10종 교과서 공통)

4-2 다음 보기 중 일차부등식인 것은 모두 몇 개인지 구하시오.

보기
㉠ $x+4=2$
㉡ $2x-x^2>2x+1$
㉢ $-3x+4\leq 5$
㉣ $4-x\geq 3-x$
㉤ $2x^2+3<x(1+2x)$
㉥ $x+2>2$

유형 05 일차부등식의 풀이

5-1 다음 일차부등식 중 해가 $x>-3$인 것은?

① $4x<2x-6$
② $2x-3<3(x-1)$
③ $5-\frac{x}{4}<4$
④ $0.5x-1.2<0.8x-0.3$
⑤ $\frac{1}{5}(3x+2)>0.4x+1$

(10종 교과서 공통)

5-2 다음 일차부등식 중 해가 나머지 넷과 <u>다른</u> 하나는?

① $3x+2>2x$
② $x-8<3x-4$
③ $-4(x+1)>-5x-6$
④ $\frac{4-x}{5}<0.2(x+8)$
⑤ $0.07x<0.12x+1$

유형 06 x의 계수가 미지수인 일차부등식의 풀이

6-1 $a<0$일 때, x에 대한 일차부등식 $-1+ax\geq 0$을 푸시오.

✓ 일차부등식 $ax>b(a\neq 0)$의 해는
(i) $a>0$이면 $x>\frac{b}{a}$
(ii) $a<0$이면 $x<\frac{b}{a}$

(천재(류), 금성, 동아(강) 유사)

6-2 $a<0$일 때, x에 대한 일차부등식 $ax+3>6$을 푸시오.

정답과 해설 23쪽

유형 07 일차부등식의 해가 주어진 경우

7-1 일차부등식 $2x-1>a$의 해를 수직선 위에 나타내면 오른쪽 그림과 같을 때, 상수 a의 값을 구하시오.

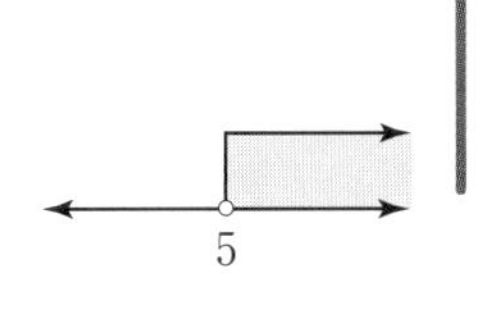

10종 교과서 공통

7-2 일차부등식 $\frac{x}{3}-\frac{x-1}{2}\geq a$의 해가 $x\leq-3$일 때, 상수 a의 값을 구하시오.

유형 08 해가 서로 같은 일차부등식

8-1 두 일차부등식 $x\geq a-3$, $x-1\leq 4(x+2)$의 해가 서로 같을 때, 상수 a의 값을 구하시오.

10종 교과서 공통

8-2 다음 두 일차부등식의 해가 서로 같을 때, 상수 a의 값을 구하시오.

$$7x+8>5x-2,\ ax-4<x-3$$

유형 09 자연수인 해의 개수가 주어진 경우

9-1 다음은 일차부등식 $x-a\leq 7$을 만족시키는 자연수 x가 3개일 때, 상수 a의 값의 범위를 구하는 과정이다. 물음에 답하시오.

(1) 주어진 부등식을 $x\leq$ □ 와 같이 나타낼 때, □ 안에 알맞은 식을 구하시오.

(2) □ 안의 식의 위치를 다음 수직선 위에 나타내시오.

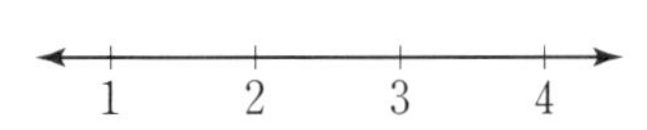

(3) 상수 a의 값의 범위를 구하시오.

10종 교과서 공통

9-2 일차부등식 $3x+2a>7x$를 만족시키는 자연수 x가 2개일 때, 상수 a의 값의 범위를 구하시오.

교과서 기본 테스트

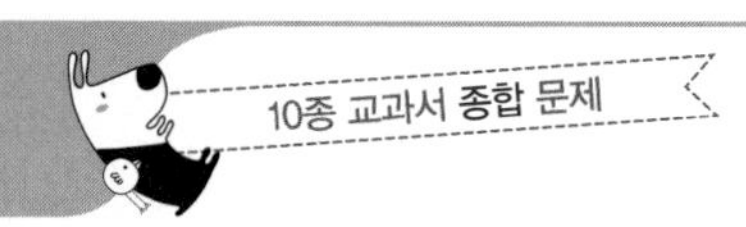

하

01

출제 예상 85%

다음 중 부등식인 것을 모두 고르면? (정답 2개)

① $x-5$
② $4+6=10$
③ $\frac{1}{3}a-5>0$
④ $2x=7-5x$
⑤ $1+7\leq 11-3$

중

02

출제 예상 90%

다음 중 문장을 부등식으로 나타낸 것으로 옳은 것은?

① 하루에 20쪽씩 읽어 324쪽의 책을 다 읽으려면 x일 이상 걸린다. ➡ $20x\leq 324$
② 2000원짜리 공책 한 권의 가격은 200원짜리 연필 x자루의 가격보다 더 비싸다. ➡ $2000>200x$
③ 내 몸무게 x kg의 3배는 100 kg보다 가볍다. ➡ $3x>100$
④ 어떤 수 x의 2배에 3을 더한 수는 x에 8을 더한 수보다 작지 않다. ➡ $2x+3\leq x+8$
⑤ 한 변의 길이가 x cm인 정사각형의 둘레의 길이는 40 cm를 넘지 않는다. ➡ $4x<40$

중하

03

출제 예상 95%

다음 부등식 중 $x=-2$를 해로 갖지 않는 것을 모두 고르면? (정답 2개)

① $2x+5\leq 1$
② $-x+2>5$
③ $x+1<0$
④ $4-3x>10$
⑤ $3x+2\leq -2$

중

04

출제 예상 90%

$5a+3\leq 5b+3$일 때, 다음 중 옳지 않은 것은?

① $a-2\leq b-2$
② $5a+1\leq 5b+1$
③ $\frac{a}{4}-1\geq \frac{b}{4}-1$
④ $-2a+1\geq -2b+1$
⑤ $-\frac{a+1}{3}\geq -\frac{b+1}{3}$

중

05

출제 예상 90%

$x>-1$이고 $A=3x-2$일 때, A의 값의 범위를 구하시오.

중하

06

출제 예상 95%

다음 중 일차부등식인 것은?

① $-1<5$
② $x^2+2\leq 0$
③ $x-3<4x+7$
④ $x^2+2x-3\geq 0$
⑤ $2(x-1)<2x$

중

07

출제 예상 85%

다음 일차부등식 중 그 해를 수직선 위에 나타내었을 때 오른쪽 그림과 같은 것은?

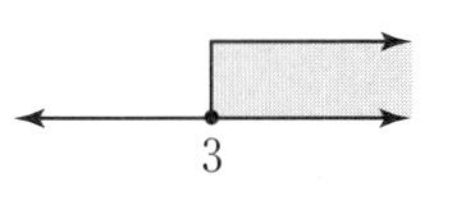

① $2x \le 6$　　② $-2x+1 \le 7$

③ $x+1 \ge 2x-2$　　④ $-5x \le -2x+9$

⑤ $6x-14 \ge -5+3x$

중하

08

출제 예상 90%

다음 중 일차부등식 $3x+4>-2(x+3)$의 해가 아닌 것은?

① -2　　② -1　　③ 0

④ 1　　⑤ 2

중

09

출제 예상 90%

다음은 일차부등식 $\frac{x}{3}-1<\frac{x}{2}$의 해를 구하는 과정이다. 처음으로 틀린 부분을 찾고, 옳은 답을 구하시오.

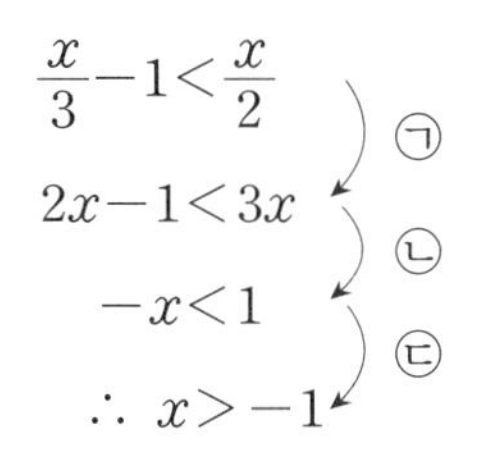

중

10

출제 예상 90%

다음 중 부등식 $\frac{1}{4}x-0.3>0.2x-\frac{1}{5}$의 해를 수직선 위에 바르게 나타낸 것은?

① -2

②
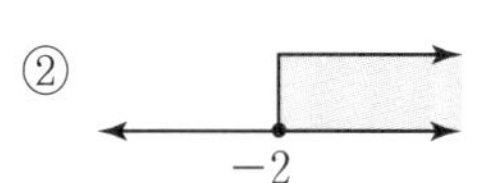

③ -2

④
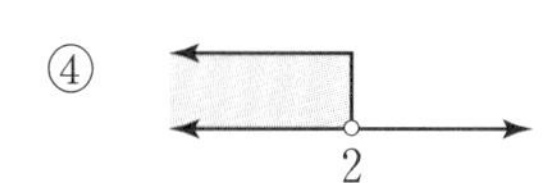

⑤
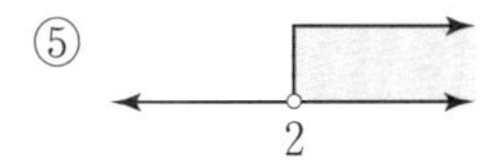

중

11

출제 예상 90%

일차부등식 $\frac{1}{5}x+0.8>x-5$를 만족시키는 x의 값 중 가장 큰 자연수를 구하시오.

중

12

출제 예상 80%

$a>3$일 때, x에 대한 일차부등식 $ax+6<3x+2a$의 해를 구하시오.

✓ x의 계수가 문자인 경우는 나누는 x의 계수가 양수인지 음수인지 확인하여 부등호의 방향을 정한다.

중
13
출제 예상 85%

일차부등식 $3(a-x)+4<1$의 해가 $x>3$일 때, 상수 a의 값을 구하시오.

중
14
출제 예상 85%

일차부등식 $-6+3a\geq 9x$의 해 중 가장 큰 수가 3일 때, 상수 a의 값을 구하시오.

상중
15
까다로운 문제

출제 예상 80%

일차부등식 $3(2x-1)<4x+a$를 만족시키는 자연수 x가 4개일 때, 상수 a의 값의 범위를 구하시오.

과정을 평가하는 서술형입니다.

중
16
출제 예상 85%

일차부등식 $4(2x-5)>11-(x+2)$를 만족시키는 x의 값 중 가장 작은 정수를 구하시오.

중
17
출제 예상 85%

일차부등식 $5x-3\leq a-bx$의 해를 수직선 위에 나타내면 다음 그림과 같을 때, $b-a$의 값을 구하시오.

(단, a, b는 상수)

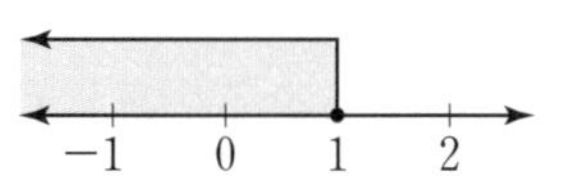

중
18
출제 예상 95%

다음 두 일차부등식의 해가 서로 같을 때, 상수 a의 값을 구하려고 한다. 물음에 답하시오.

$$\frac{x-1}{2}>\frac{4x+1}{3},\ 2(3x-2)<x+a$$

(1) 일차부등식 $\frac{x-1}{2}>\frac{4x+1}{3}$의 해를 구하시오.

(2) 일차부등식 $2(3x-2)<x+a$의 해를 구하시오.

(3) 상수 a의 값을 구하시오.

창의력·융합형·서술형·코딩

1

오른쪽 그림은 교통안전 표지판 중 차간거리 확보 표지판으로 앞차와의 거리를 50 m 이상 유지하라는 뜻이다. 이때 차간거리 x m의 범위를 부등식으로 나타내면 $x \geq 50$이다. 다음과 같은 교통안전 표지판이 있을 때, 허용되는 x의 값의 범위를 부등식으로 나타내시오.

[차간거리 확보]

(1) 차의 높이 x m

[차높이 제한]

(2) 차의 속력 시속 x km

[최저속력 제한]

2

다음은 세 수 a, b, c에 대하여 유찬, 현영, 재준이가 나눈 대화이다. 세 학생의 대화를 보고, a, b, c의 대소 관계를 부등호를 사용하여 나타내시오.

유찬
$ab<0$이고 $a>b$야.
$ac>0$이 성립해.
현영
재준
$ab>bc$가 성립해.

일차부등식의 활용

개념 01 일차부등식의 활용 문제 푸는 순서

일차부등식의 활용 문제는 다음과 같은 순서로 푼다.

1단계 문제의 뜻을 파악하고, 구하려고 하는 것을 미지수 x로 놓는다.

2단계 문제의 뜻에 맞게 x에 대한 일차부등식을 세운다.

3단계 일차부등식을 푼다.

4단계 구한 (❶ ____)가 문제의 뜻에 맞는지 확인한다.

참고 물건의 개수, 사람 수, 횟수 등은 자연수만을 답으로 한다.

예 어떤 자연수의 3배에서 4를 뺀 수는 6보다 작다고 할 때, 어떤 자연수를 모두 구해 보자.

1단계 어떤 자연수를 x라 하자.

2단계 어떤 자연수의 3배에서 4를 뺀 수는 6보다 작다.

$3x-4$ $<$ 6 (부등호를 나타내는 말)

➡ $3x-4<6$

3단계 $3x-4<6$에서 $3x<10$ $\quad \therefore x<\frac{10}{3}=3\frac{1}{3}$

따라서 어떤 자연수는 1, 2, 3이다.

4단계 $x=1$일 때 $3\times1-4<6$ (참), $x=2$일 때 $3\times2-4<6$ (참)

$x=3$일 때 $3\times3-4<6$ (참), $x=4$일 때 $3\times4-4<6$ (거짓)

답 | ❶ 해

QUIZ

다음 문장에서 부등호를 나타내는 말을 찾고, □ 안에 알맞은 부등호를 써넣으시오.

1인분에 2000원 하는 김밥 x인분과 1인분에 2500원 하는 떡볶이 2인분을 사려고 한다. 전체 가격이 10000원을 넘지 않게 하려고 할 때, 김밥은 최대 몇 인분까지 살 수 있는지 구하시오.

➡ $2000x+2500\times2$ □ 10000

정답 |

넘지 않게, $\le$

개념 02 일차부등식의 활용 문제 – 교과서 대표 유형

(1) 유리한 방법을 선택하는 문제

① 할인 매장에 가서 사는 것이 동네 가게에서 사는 것보다 더 유리한 경우

➡ (할인 매장에서 산 가격)+(왕복 교통비)

$<$(동네 가게에서 산 가격)

② x명이 입장한다고 할 때, a명의 단체 입장료를 지불하는 것이 더 유리한 경우

(x명의 입장료)$>$(a명의 단체 입장료) (단, $x<a$)

참고 유리하다는 것은 비용이 적게 든다는 의미이므로 $\ge$, $\le$는 쓰지 않는다.

(2) 거리, 속력, 시간에 대한 문제

① (거리)=(속력)×(시간)

② (❶ ____)$=\frac{(\text{거리})}{(\text{시간})}$

③ (시간)$=\frac{(\text{거리})}{(\text{속력})}$

답 | ❶ 속력

QUIZ

다음 문장을 읽고, □ 안에 알맞은 부등호를 써넣으시오.

(1) 집 앞 꽃집에서 한 송이에 2000원 하는 장미가 왕복 2400원의 버스비를 내고 도매 시장에 가면 한 송이에 1200원이라 한다. 장미를 몇 송이 이상 살 때, 도매 시장에 가는 것이 더 유리한지 구하시오.

➡ (집 앞 꽃집에서의 꽃값)

□ (도매 시장에서의 꽃값)+(왕복 버스비)

(2) 집에서 도서관까지 갔다오는데 갈 때는 시속 2 km로 걸어가고, 올 때는 시속 3 km로 달려서 1시간 이내에 갔다오려고 한다. 집에서 도서관까지의 거리는 최대 몇 km인지 구하시오.

➡ (갈 때 걸린 시간)+(올 때 걸린 시간) □ 1

정답 |

(1) $>$ (2) $\le$

교과서 개념 확인 테스트

정답과 해설 26쪽

01 수에 대한 일차부등식의 활용 개념 01

1-1 연속하는 두 자연수의 합이 29보다 작을 때, 이와 같은 수 중에서 가장 큰 두 자연수를 구하려고 한다. 다음 물음에 답하시오.

(1) 아래 표를 완성하시오.

	큰 수	작은 수
연속하는 두 자연수	x	

(2) 두 자연수의 합이 29보다 작음을 이용하여 부등식을 세우시오.

(3) 가장 큰 두 자연수를 구하시오.

1-2 연속하는 세 자연수의 합이 51보다 작다고 한다. 이와 같은 수 중에서 가장 큰 세 자연수를 구하시오.

02 도형에 대한 일차부등식의 활용 개념 01

2-1 오른쪽 그림과 같이 밑변의 길이가 10 cm인 삼각형이 있다. 이 삼각형의 넓이가 60 cm^2 이상이 되게 하려면 높이는 몇 cm 이상이어야 하는지 구하려고 한다. 다음 물음에 답하시오.

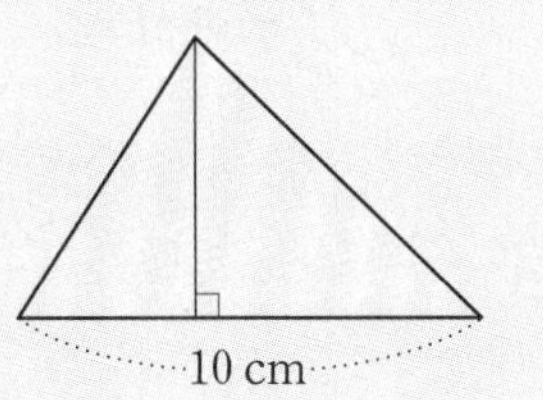

(1) 삼각형의 높이를 x cm라 할 때,

(삼각형의 넓이)

$=\frac{1}{2}\times$(밑변의 길이)$\times$(높이)

임을 이용하여 부등식을 세우시오.

(2) 삼각형의 높이는 몇 cm 이상이어야 하는지 구하시오.

2-2 오른쪽 그림과 같이 아랫변의 길이가 15 cm이고 높이가 8 cm인 사다리꼴의 넓이가 80 cm^2 이상일 때, 사다리꼴의 윗변의 길이는 몇 cm 이상이어야 하는지 구하시오.

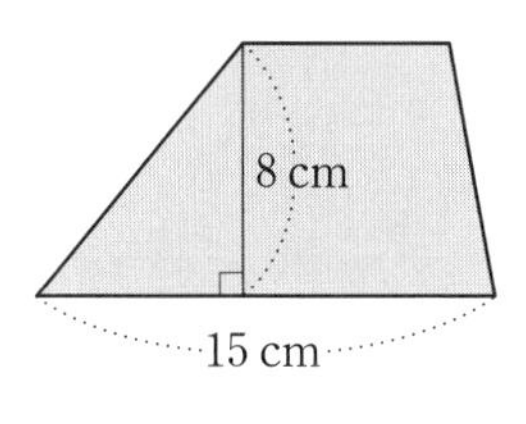

기출 기초 테스트

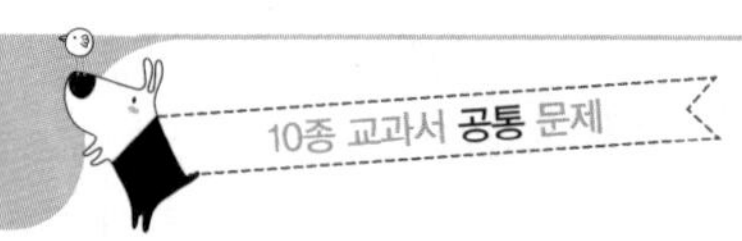

정답과 해설 26쪽

유형 01 개수에 대한 일차부등식의 활용

1-1 한 다발에 3000원 하는 안개꽃 한 다발과 한 송이에 1200원 하는 장미꽃을 섞어 꽃다발을 만들려고 한다. 전체 가격이 10000원을 넘지 않게 하려고 할 때, 장미꽃은 최대 몇 송이까지 살 수 있는지 구하시오.

10종 교과서 공통

1-2 한 개에 150 g인 물건을 무게가 400 g인 상자에 넣어 총무게가 3 kg을 넘지 않게 하려고 할 때, 상자에 물건을 최대 몇 개까지 넣을 수 있는지 구하시오.

유형 02 유리한 방법을 선택하는 일차부등식의 활용

2-1 해리가 가입한 음원 사이트에서는 정액 요금 7800원을 내면 한 달 동안 원하는 음원을 무제한으로 내려받을 수 있고, 정액제가 아닌 경우에는 한 곡당 500원에 내려받을 수 있다고 한다. 한 달에 몇 곡 이상 내려받을 경우 정액제를 이용하는 것이 더 유리한지 구하시오.

10종 교과서 공통

2-2 집 근처 가게에서 한 개에 1000원 하는 음료수가 할인 매장에서는 한 개에 500원이라 한다. 할인 매장에 다녀오는 데 드는 왕복 교통비가 1600원일 때, 음료수를 몇 개 이상 살 경우 할인 매장에서 사는 것이 더 유리한지 구하시오.

유형 03 거리, 속력, 시간에 대한 일차부등식의 활용

3-1 등산을 하는데 올라갈 때는 시속 3 km로 걷고, 내려올 때는 올라갈 때와 같은 길을 시속 4 km로 걸어서 전체 걸리는 시간을 1시간 이내로 하려고 한다. 이때 올라갈 수 있는 거리는 최대 몇 km인지 구하시오.

(단, 중간에 쉬는 시간은 없다.)

✓ $(\text{시간})=\frac{(\text{거리})}{(\text{속력})}$임을 이용한다.

10종 교과서 공통

3-2 선우가 집에서 시장에 갈 때는 분속 50 m로 걷고, 시장에서 집으로 돌아올 때는 분속 40 m로 걸었다. 시장에서 물건을 사는 데 걸린 시간 14분을 포함하여 집으로 돌아오는 데 총 50분을 넘기지 않았다면 집에서 시장까지의 거리는 최대 몇 m인지 구하시오.

STEP 3 교과서 기본 테스트

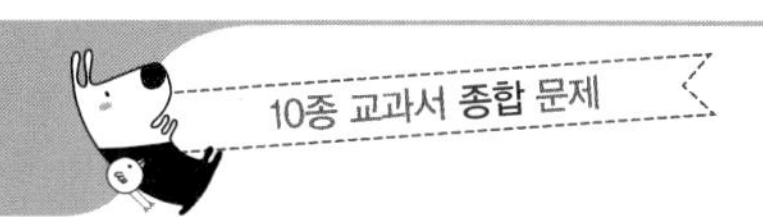

정답과 해설 27쪽

하

01

출제 예상 95%

어떤 홀수를 3배 하여 6을 빼었더니 그 홀수를 2배 하여 2를 더한 것보다 작다고 한다. 이와 같은 홀수 중에서 가장 큰 수를 구하시오.

중하

02

출제 예상 95%

경수는 두 번의 수학 시험에서 각각 76점과 83점을 받았다. 세 번에 걸친 수학 시험의 평균 점수가 84점 이상이 되려면 세 번째 수학 시험에서 몇 점 이상을 받아야 하는지 구하시오.

중하

03

출제 예상 85%

한 번에 700 kg까지 실을 수 있는 엘리베이터에 몸무게가 52 kg인 민호가 1개에 40 kg인 상자를 여러 개 실어 운반하려고 한다. 한 번에 운반할 수 있는 상자는 최대 몇 개인지 구하시오.

중

04

출제 예상 90%

현재 형의 통장에는 25000원, 동생의 통장에는 20000원이 예금되어 있다. 다음 달부터 매달 형은 1000원씩, 동생은 4000원씩 예금한다면 동생의 예금액이 형의 예금액의 2배보다 많아지는 것은 몇 개월 후부터인지 구하시오.

중

05

출제 예상 95%

집 근처 문구점에서 한 권에 1000원인 공책이 할인 매장에서는 800원에 판매되고 있다. 할인 매장에 다녀오는 데 드는 왕복 교통비가 1500원이라 할 때, 공책을 몇 권 이상 살 경우 할인 매장에서 사는 것이 더 유리한지 구하시오.

중

06

출제 예상 95%

어른과 어린이를 합하여 모두 10명이 관람차를 타려고 한다. 관람차를 타기 위해 요금표를 보니 어른은 1인당 5000원, 어린이는 1인당 3000원이었다. 관람차의 총요금이 42000원 이하가 되게 하려고 할 때, 어른은 최대 몇 명이 탈 수 있는지 구하시오.

상

07 까다로운 문제

출제 예상 85%

원가가 10000원인 물건을 정가에서 20 %를 할인하여 팔아서 원가의 10 % 이상의 이익을 얻으려고 할 때, 정가는 얼마 이상으로 정해야 하는지 구하시오.

✓ 정가를 x원으로 놓고 (이익)=(판매 가격)−(원가)임을 이용한다.

중

08

출제 예상 90%

세로의 길이가 가로의 길이보다 4 cm 더 긴 직사각형이 있다. 이 직사각형의 둘레의 길이를 100 cm 이하가 되게 하려고 할 때, 세로의 길이는 몇 cm 이하이어야 하는지 구하시오.

중

09

출제 예상 95%

선화가 집에서 5 km 떨어진 서점에 가는데 처음에는 시속 4 km로 뛰다가 도중에 시속 2 km로 걸어서 2시간 이내에 도착하였다. 이때 뛰어간 거리는 몇 km 이상인지 구하시오.

과정을 평가하는 서술형입니다.

중

10

출제 예상 90%

어느 동물원의 입장료는 1인당 3000원인데 30명 이상의 단체에게는 입장료의 30 %를 할인해 준다고 한다. 30명 미만인 단체가 입장하려고 할 때, 몇 명 이상이면 30명의 단체 입장권을 구입하는 것이 더 유리한지 구하려고 한다. 다음 물음에 답하시오. (단, 30명 미만이어도 30명의 단체 입장권을 살 수 있다.)

(1) 입장하는 사람 수를 x명이라 할 때, 부등식을 세우시오.

(2) 주어진 문제의 답을 구하시오.

중

11

출제 예상 95%

역에서 기차를 기다리는데 기차 출발 시각까지 1시간의 여유가 있어서 이 시간 동안 상점에 가서 물건을 사 오려고 한다. 물건을 사는 데 12분이 걸리고 시속 5 km로 걸을 때, 역에서부터 몇 km 이내의 상점을 이용할 수 있는지 구하려고 한다. 다음 물음에 답하시오.

(1) 역에서 상점까지의 거리를 x km라 할 때, □ 안에 알맞은 부등호를 써넣으시오.

> (상점에 가는 데 걸린 시간)+(물건을 사는 데 걸린 시간)+(역으로 돌아오는 데 걸린 시간) □ (제한 시간)

(2) (1)을 이용하여 부등식을 세우시오.

(3) 주어진 문제의 답을 구하시오.

창의력·융합형·서술형·코딩

정답과 해설 28쪽

1

다음을 읽고, 물음에 답하시오.

영화 재밌었어?
친구들한테도 꼭 보라고 해야 겠어요.
주말이라 그런지 평일과 주차 요금이 다르네.
어떻게요?
주말은 3시간 30분에 2000원이고 초과 1분당 100원 이라고 써 있어.

주차 요금이 8000원 이하가 되게 하려고 할 때, 최대 몇 분 동안 주차할 수 있는지 구하시오.

2

소희는 생일에 친구들과 음식점에 가려고 한다. 음식점의 1인당 이용 요금은 15000원이고, 다음과 같이 두 종류의 할인 혜택이 있다. 인원이 몇 명 이상일 때, 회원 카드 할인을 받는 것이 더 유리한지 구하려고 한다. 다음 물음에 답하시오.

(단, 하나의 할인 혜택만 받을 수 있다.)

	회원 카드 할인	생일 이벤트 할인
혜택	가입비 5000원 전체 이용 금액의 40 % 할인	생일자 포함 동반 4인까지 50 % 할인

(1) x명이 가서 회원 카드 할인을 받을 때의 금액을 구하시오.

(2) x명이 가서 생일 이벤트 할인을 받을 때의 금액을 구하시오.

(3) 인원이 몇 명 이상일 때, 회원 카드 할인을 받는 것이 더 유리한지 구하시오.

연립일차방정식과 그 해

개념 01 미지수가 2개인 일차방정식

미지수가 2개이고, 그 차수가 모두 ❶ ☐ 인 방정식을 미지수가 2개인 일차방정식 또는 간단히 일차방정식이라 한다.

차수 1

$ax+by+c=0$ (단, a, b, c는 상수, $a\neq0$, $b\neq0$)

미지수 2개

답 | ❶ 1

QUIZ

다음 중 옳은 것에는 ○표, 옳지 않은 것에는 ×표를 하시오.

(1) $x-y+3$은 미지수가 2개인 일차방정식이다. ( )

(2) $2x+3=0$은 미지수가 2개인 일차방정식이다. ( )

(3) $3x^2-y+1=0$은 미지수가 2개인 일차방정식이 아니다. ( )

정답 |
(1) × (2) × (3) ○

개념 02 미지수가 2개인 일차방정식의 해

(1) **일차방정식의 해(또는 근)** 미지수가 x, y로 2개인 일차방정식을 ❶ ☐ 이 되게 하는 x, y의 값 또는 순서쌍 (x, y)

참고 x, y에 대한 일차방정식의 해 $(3, 1)$을 $x=3$, $y=1$로 쓰기도 한다.

(2) **일차방정식을 푼다** 일차방정식의 해를 구하는 것

답 | ❶ 참

QUIZ

일차방정식 $2x+y=7$에 대하여 다음 표를 완성하고, ☐ 안에 알맞은 수를 써넣으시오.

x	1	2	3	4	…
y					…

따라서 x, y가 자연수일 때, $2x+y=7$의 해는 $(1, ☐)$, $(2, ☐)$, $(3, ☐)$이다.

정답 |
5, 3, 1, −1, 5, 3, 1

개념 03 연립방정식의 뜻과 해

(1) **미지수가 2개인 연립일차방정식** 미지수가 2개인 두 일차방정식을 ❶ ☐ 쌍으로 묶어 놓은 것

참고 연립일차방정식은 간단히 연립방정식이라 한다.

(2) **미지수가 2개인 연립방정식의 해** 연립방정식을 이루는 두 일차방정식을 동시에 참이 되게 하는 x, y의 값 또는 순서쌍 (x, y)

(3) **연립방정식을 푼다** 연립방정식의 해를 구하는 것

예 x, y가 자연수일 때, 연립방정식 $\begin{cases} x+y=5 & \cdots\cdots ㉠ \\ 2x+y=8 & \cdots\cdots ㉡ \end{cases}$의 해를 구해 보자.

㉠의 해

x	1	2	3	4	…
y	4	3	2	1	…

㉡의 해

x	1	2	3	4	…
y	6	4	2	0	…

따라서 연립방정식의 해는 두 일차방정식 ㉠, ㉡을 동시에 만족시키는 x, y의 값인 $x=3$, $y=2$이다.

답 | ❶ 한

QUIZ

다음 중 옳은 것에는 ○표, 옳지 않은 것에는 ×표를 하시오.

(1) $x=2$, $y=3$은 연립방정식 $\begin{cases} x+y=5 \\ 2x-y=3 \end{cases}$의 해이다. ( )

(2) x, y의 순서쌍 $(3, 1)$은 연립방정식 $\begin{cases} 4x-y=11 \\ 3x+y=10 \end{cases}$의 해이다. ( )

정답 |
(1) × (2) ○

교과서 개념 확인 테스트

정답과 해설 28쪽

01 미지수가 2개인 일차방정식 개념01

1-1 다음 보기에서 미지수가 2개인 일차방정식을 고르시오.

보기
㉠ $2x+5=0$　㉡ $x+3y=3(x+y)$
㉢ $3x-4y=1$　㉣ $y=5x^2-2$

1-2 다음 보기에서 미지수가 2개인 일차방정식을 모두 고르시오.

보기
㉠ $-2x+3y-1$
㉡ $x^2+y=-2y+x^2+7$
㉢ $y=3x+4$
㉣ $x-4y+2=0$

02 미지수가 2개인 일차방정식의 해 개념02

2-1 일차방정식 $3x+y=11$에 대하여 다음 표를 완성하고, x, y가 자연수일 때 해를 순서쌍 (x, y)로 나타내시오.

x	1	2	3	4	⋯
y					⋯

2-2 일차방정식 $3x+2y=10$에 대하여 다음 표를 완성하고, x, y가 자연수일 때 해를 순서쌍 (x, y)로 나타내시오.

x	1	2	3	4	⋯
y					⋯

03 연립방정식의 해 개념03

3-1 연립방정식 $\begin{cases} x+y=5 \\ x-y=3 \end{cases}$에 대하여 다음 표를 완성하고, x, y가 자연수일 때 해를 구하시오.

㉠ $x+y=5$

x	1	2	3	4	⋯
y					⋯

㉡ $x-y=3$

x	1	2	3	4	⋯
y					⋯

3-2 연립방정식 $\begin{cases} 2x-y=4 \\ 3x+2y=13 \end{cases}$에 대하여 다음 표를 완성하고, x, y가 자연수일 때 해를 구하시오.

㉠ $2x-y=4$

x	1	2	3	4	⋯
y					⋯

㉡ $3x+2y=13$

x	1	2	3	4	⋯
y					⋯

기출 기초 테스트

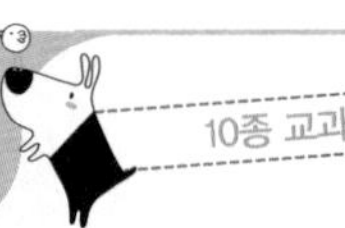

10종 교과서 공통 문제

유형 01 미지수가 2개인 일차방정식

1-1 다음 중 미지수가 2개인 일차방정식인 것을 모두 고르면? (정답 2개)

① $x+y+1=0$

② $x+2y+4=2(x+y)$

③ $2x+y+3=3-x+y$

④ $5x-y=y$

⑤ $x-2y=x(x-1)$

(10종 교과서 공통)

1-2 다음 중 미지수가 2개인 일차방정식인 것은?

① $x+3y-2$

② $4x+y=4x-1$

③ $4x-3y=1$

④ $3(x-1)+2=4$

⑤ $x^2+y=3$

유형 02 미지수가 2개인 일차방정식의 해

2-1 다음 보기의 x, y의 순서쌍 중에서 일차방정식 $x+3y=10$의 해인 것을 모두 고르시오.

보기

㉠ $(1,\ 1)$	㉡ $(1,\ 3)$	㉢ $(2,\ 4)$
㉣ $(3,\ 1)$	㉤ $(4,\ 2)$	㉥ $(5,\ 1)$

(10종 교과서 공통)

2-2 다음 일차방정식 중 $x=2$, $y=2$를 해로 갖는 것은?

① $x+2y=5$ ② $x-3y=5$

③ $x-6y=0$ ④ $2x-y=2$

⑤ $3y=2x+8$

유형 03 x, y가 자연수일 때 일차방정식의 해 구하기

3-1 x, y가 자연수일 때, 일차방정식 $3x+2y=15$의 해는 모두 몇 개인지 구하시오.

(10종 교과서 공통)

3-2 x, y가 자연수일 때, 일차방정식 $x+2y=8$의 해는 모두 몇 개인지 구하시오.

유형 04 미지수가 2개인 일차방정식의 해가 주어질 때 미지수의 값 구하기

4-1 일차방정식 $ax-3y=6$의 한 해가 $(3,\ 2)$일 때, 상수 a의 값을 구하시오.

10종 교과서 공통

4-2 다음 일차방정식의 한 해가 $(1,\ -2)$일 때, 상수 m의 값을 구하시오.

(1) $2x-y=m$

(2) $3x+my=5$

유형 05 연립방정식의 해

5-1 다음 보기의 연립방정식 중에서 $x=5$, $y=-1$을 해로 갖는 것을 고르시오.

보기

ㄱ $\begin{cases} 2x+y=9 \\ x-2y=4 \end{cases}$ ㄴ $\begin{cases} x+y=0 \\ 2x+y=4 \end{cases}$

ㄷ $\begin{cases} x+y=4 \\ x-y=6 \end{cases}$ ㄹ $\begin{cases} x-4y=7 \\ 2x+y=3 \end{cases}$

10종 교과서 공통

5-2 다음 보기의 연립방정식 중에서 $x=1$, $y=2$를 해로 갖는 것을 고르시오.

보기

ㄱ $\begin{cases} x+y=3 \\ x-y=2 \end{cases}$ ㄴ $\begin{cases} x=5-2y \\ 2x+3y=8 \end{cases}$

ㄷ $\begin{cases} 2x+y=4 \\ x+y=0 \end{cases}$ ㄹ $\begin{cases} 3x+2y=8 \\ y=x+1 \end{cases}$

유형 06 연립방정식의 해가 주어질 때 미지수의 값 구하기

6-1 연립방정식 $\begin{cases} 5x+ay=3 \\ bx-4y=7 \end{cases}$의 해가 $x=-3$, $y=2$일 때, 상수 a, b의 값을 각각 구하시오.

10종 교과서 공통

6-2 연립방정식 $\begin{cases} ax-2y=4 \\ 2x+by=7 \end{cases}$의 해가 $(2,\ 3)$일 때, $a+b$의 값을 구하시오. (단, a, b는 상수)

STEP 3 교과서 기본 테스트

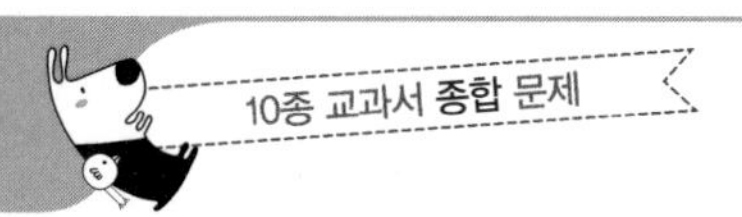

하
01
≫ 출제 예상 95%

다음 보기 중 미지수가 2개인 일차방정식은 모두 몇 개인가?

보기
- ㉠ $y=3x$
- ㉡ $x^2-y=-3$
- ㉢ $2x-5y=10$
- ㉣ $x-4y=5x-2y$
- ㉤ $x(x-3)+y=1$
- ㉥ $3(x-2y)=3x-2y$

① 2개 ② 3개 ③ 4개 ④ 5개 ⑤ 6개

중하
02
≫ 출제 예상 95%

다음 중 일차방정식 $5x-2y=10$의 해가 아닌 것은?

① $(-2, -10)$ ② $\left(-\frac{2}{5}, -6\right)$ ③ $(1, -2)$ ④ $\left(\frac{7}{5}, -\frac{3}{2}\right)$ ⑤ $(4, 5)$

중하
03
≫ 출제 예상 90%

다음 일차방정식 중 $x=-1$, $y=3$을 해로 갖는 것은?

① $3x-y=0$ ② $-2x+y=1$ ③ $4x-3y=-11$ ④ $y=5-2x$ ⑤ $2x=-3y+7$

중
04
≫ 출제 예상 80%

x, y가 자연수일 때, 일차방정식 $2x+3y=18$을 만족시키는 순서쌍 (x, y)는 모두 몇 개인가?

① 1개 ② 2개 ③ 3개 ④ 4개 ⑤ 5개

중하
05
≫ 출제 예상 85%

미지수가 2개인 일차방정식 $4x-y-4=2a$의 한 해가 $(a, -2a)$일 때, 상수 a의 값은?

① 1 ② 2 ③ 3 ④ 4 ⑤ 5

중
06
≫ 출제 예상 85%

x, y의 순서쌍 $(5, a)$, $(b, -2)$가 일차방정식 $2x-y=4$의 해일 때, $a+b$의 값을 구하시오.

하

07

출제 예상 80%

다음은 x, y가 자연수일 때, 연립방정식 $\begin{cases} 4x+y=16 & \cdots\cdots ㉠ \\ 3x-y=5 & \cdots\cdots ㉡ \end{cases}$의 각 일차방정식의 해를 표로 나타낸 것이다. 이 연립방정식의 해를 순서쌍 (x, y)로 나타내면?

일차방정식 ㉠의 해

x	1	2	3
y	12	8	4

일차방정식 ㉡의 해

x	2	3	4	5	$\cdots$
y	1	4	7	10	$\cdots$

① $(1, 12)$ ② $(2, 8)$ ③ $(3, 4)$
④ $(4, 7)$ ⑤ $(5, 10)$

중하

08

출제 예상 90%

다음 연립방정식 중 x, y의 순서쌍 $(-2, -1)$을 해로 갖는 것은?

① $\begin{cases} x+y=3 \\ x+2y=-4 \end{cases}$ ② $\begin{cases} x+3y=-5 \\ 5x-2y=1 \end{cases}$

③ $\begin{cases} 2x+3y=-7 \\ -x+y=1 \end{cases}$ ④ $\begin{cases} 3x+y=7 \\ x-y=-1 \end{cases}$

⑤ $\begin{cases} 4x+y=2 \\ x-2y=0 \end{cases}$

중

09

출제 예상 85%

연립방정식 $\begin{cases} 3x-2y=5 \\ x+3y=-a \end{cases}$를 만족시키는 x의 값이 3일 때, 상수 a의 값을 구하시오.

과정을 평가하는 서술형입니다.

중

10

출제 예상 90%

x, y가 자연수일 때, 일차방정식 $3x+y=11$의 해를 순서쌍 (x, y)로 나타내시오.

중

11

출제 예상 85%

x, y가 자연수일 때, 일차방정식 $ax+y=10$의 해를 나타내면 다음 표와 같다. 이때 $a+b$의 값을 구하시오. (단, a는 상수)

x	1	2	3	4
y	8	6	b	2

중

12

출제 예상 90%

연립방정식 $\begin{cases} x+y=8 \\ ax+y=13 \end{cases}$의 해가 $(5, b)$일 때, $a-b$의 값을 구하시오. (단, a는 상수)

08 연립일차방정식의 풀이

개념 01 식의 대입을 이용한 연립방정식의 풀이

연립방정식에서 한 방정식을 한 미지수에 대하여 정리하고, 이를 다른 방정식에 대입하여 한 미지수를 없앤 후 해를 구할 수 있다.

1단계 두 방정식 중 한 방정식을 한 미지수의 식으로 나타낸다. ($x=$(y의 식) 또는 $y=$(x의 식))

2단계 **1단계**의 식을 다른 방정식에 ❶ ______ 하여 한 미지수를 없앤 후 방정식을 푼다.

3단계 **2단계**에서 구한 해를 **1단계**의 식에 대입하여 다른 미지수의 값을 구한다.

예 식의 대입을 이용하여 연립방정식 $\begin{cases} 3x+y=2 & \cdots\cdots ㉠ \\ x-3y=4 & \cdots\cdots ㉡ \end{cases}$를 풀어 보자.

㉠에서 $3x$를 이항하면 $y=2-3x$ ⋯⋯ ㉢

㉢을 ㉡에 대입하면 $x-3(2-3x)=4$, $10x=10$ $\quad \therefore x=1$

$x=1$을 ㉢에 대입하면 $y=2-3\times1=-1$

따라서 $x=1$, $y=-1$

참고 연립방정식의 두 일차방정식 중 어느 하나가 '$x=\sim$'의 꼴이거나 '$y=\sim$'의 꼴일 때는 식의 대입을 이용하여 연립방정식을 풀면 편리하다.

답 | ❶ 대입

QUIZ

다음은 식의 대입을 이용하여 연립방정식 $\begin{cases} x=-2y & \cdots\cdots ㉠ \\ x+y=6 & \cdots\cdots ㉡ \end{cases}$을 푸는 과정이다. □ 안에 알맞은 수를 써넣으시오.

x를 없애기 위하여 ㉠을 ㉡에 대입하면

$-2y+y=6$

일차방정식을 풀면 $y=$□

$y=$□을 ㉠에 대입하면 $x=$□

따라서 $x=$□, $y=$□

정답 |

-6, -6, 12, 12, -6

개념 02 식의 합, 차를 이용한 연립방정식의 풀이

연립방정식에서 두 일차방정식을 변끼리 더하거나 빼어서 한 미지수를 없앤 후 해를 구할 수 있다.

1단계 없애려는 미지수의 계수의 ❶ ______ 이 같아지도록 각 일차방정식의 양변에 적당한 수를 곱한다.

2단계 없애려는 미지수의 계수의 부호가 같으면 빼고, 다르면 더하여 한 미지수를 없앤 후 방정식을 푼다.

3단계 **2단계**에서 구한 해를 두 일차방정식 중 간단한 식에 대입하여 다른 미지수의 값을 구한다.

예 식의 합, 차를 이용하여 연립방정식 $\begin{cases} x-4y=1 & \cdots\cdots ㉠ \\ 5x+4y=-19 & \cdots\cdots ㉡ \end{cases}$를 풀어 보자.

y를 없애기 위하여 ㉠과 ㉡을 변끼리 더하면

$(x-4y)+(5x+4y)=1+(-19)$

일차방정식을 풀면 $6x=-18$ $\quad \therefore x=-3$

$x=-3$을 ㉠에 대입하면 $-3-4y=1$, $-4y=4$ $\quad \therefore y=-1$

따라서 $x=-3$, $y=-1$

답 | ❶ 절댓값

QUIZ

다음은 두 방정식을 변끼리 더하거나 빼어서 연립방정식 $\begin{cases} 3x-y=5 & \cdots\cdots ㉠ \\ x+y=11 & \cdots\cdots ㉡ \end{cases}$을 푸는 과정이다. □ 안에 알맞은 수를 써넣으시오.

y를 없애기 위하여 ㉠과 ㉡을 변끼리 더하면

$(3x-y)+(x+y)=5+$□

$4x=$□ $\quad \therefore x=$□

$x=$□를 ㉡에 대입하면

□$+y=11$ $\quad \therefore y=$□

따라서 $x=$□, $y=$□

정답 |

11, 16, 4, 4, 4, 7, 4, 7

개념 03 여러 가지 연립방정식의 풀이

(1) **괄호가 있는 연립방정식** ❶ ☐ 을 이용하여 괄호를 풀고 동류항끼리 정리한 후 푼다.

예 $\begin{cases} 2(3x-1)+y=6 \\ 3x-2(y-2)=3 \end{cases} \Rightarrow \begin{cases} 6x-2+y=6 \\ 3x-2y+4=3 \end{cases} \Rightarrow \begin{cases} 6x+y=8 \\ 3x-2y=-1 \end{cases}$

(2) **계수가 소수인 연립방정식** 양변에 10, 100, 1000, …과 같이 적당한 수를 곱하여 계수를 정수로 바꾸어 푼다.

예 $\begin{cases} 0.6x-0.2y=1.7 \\ 0.3x+0.2y=1 \end{cases}$ (양변에 10을 곱한다.) $\begin{cases} 6x-2y=17 \\ 3x+2y=10 \end{cases}$

(3) **계수가 분수인 연립방정식** 양변에 분모의 ❷ ☐ 를 곱하여 계수를 정수로 바꾸어 푼다.

예 $\begin{cases} \frac{1}{2}x-\frac{1}{3}y=3 \\ \frac{3}{2}x+\frac{1}{4}y=-1 \end{cases}$ (양변에 분모의 최소공배수 6을 곱한다. / 양변에 분모의 최소공배수 4를 곱한다.) $\begin{cases} 3x-2y=18 \\ 6x+y=-4 \end{cases}$

(4) **$A=B=C$ 꼴의 방정식**

$\begin{cases} A=B \\ A=C \end{cases}$ 또는 $\begin{cases} A=B \\ B=C \end{cases}$ 또는 $\begin{cases} A=C \\ B=C \end{cases}$ 중 가장 간단한 것을 선택하여 푼다.

예 방정식 $3x+2y=x+4y=5$는

$\begin{cases} 3x+2y=x+4y \\ 3x+2y=5 \end{cases}$ 또는 $\begin{cases} 3x+2y=x+4y \\ x+4y=5 \end{cases}$ 또는 $\begin{cases} 3x+2y=5 \\ x+4y=5 \end{cases}$

로 바꿀 수 있다.

이때 가장 간단한 연립방정식 $\begin{cases} 3x+2y=5 \\ x+4y=5 \end{cases}$를 택하여 푼다.

답 | ❶ 분배법칙 ❷ 최소공배수

QUIZ

다음 ☐ 안에 알맞은 것을 써넣으시오.

(1) $\begin{cases} 2(x-y)+3x=2 \\ 7x-3(2x-y)=14 \end{cases} \Rightarrow \begin{cases} 5x-2y=2 \\ \square=14 \end{cases}$

(2) $\begin{cases} x-0.3y=1.1 \\ 0.7x+0.4y=2.6 \end{cases} \Rightarrow \begin{cases} \square=11 \\ \square=26 \end{cases}$

(3) $\begin{cases} \frac{x}{5}-\frac{y}{2}=-\frac{4}{5} \\ \frac{x}{3}+\frac{y}{2}=4 \end{cases} \Rightarrow \begin{cases} 2x-5y=-8 \\ \square \end{cases}$

정답 |
(1) $x+3y$ (2) $10x-3y$, $7x+4y$ (3) $2x+3y=24$

Plus 개념 특수한 해를 갖는 연립방정식

(1) 연립방정식의 해가 무수히 많은 경우

두 방정식을 변형하였을 때, 미지수의 계수와 상수항이 각각 같은 경우
➡ 미지수를 없애면 $0\times x+0\times y=0$의 꼴

예 연립방정식 $\begin{cases} x+2y=3 & \cdots\cdots ㉠ \\ 3x+6y=9 & \cdots\cdots ㉡ \end{cases}$를 풀어 보자.

㉠의 양변에 3을 곱하면 $3x+6y=9$ ……㉢
이때 ㉢과 ㉡은 일치하므로 이 연립방정식의 해는 무수히 많다.

$$\begin{array}{r} 3x+6y=9 \\ -)\ 3x+6y=9 \\ \hline 0\times x+0\times y=0 \end{array}$$

(2) 연립방정식의 해가 없는 경우

두 방정식을 변형하였을 때, 미지수의 계수는 각각 같고, 상수항이 서로 다른 경우
➡ 미지수를 없애면 $0\times x+0\times y=k$의 꼴
(단, $k\neq0$인 상수)

예 연립방정식 $\begin{cases} 4x+y=3 & \cdots\cdots ㉠ \\ 4x+y=10 & \cdots\cdots ㉡ \end{cases}$을 풀어 보자.

㉠에서 ㉡을 변끼리 빼면 $0=-7$ ……㉢
이때 ㉢은 참이 될 수 없으므로 ㉠, ㉡을 동시에 만족시킬 수 없다.
따라서 이 연립방정식의 해는 없다.

$$\begin{array}{r} 4x+y=3 \\ -)\ 4x+y=10 \\ \hline 0\times x+0\times y=-7 \end{array}$$

교과서 개념 확인 테스트

01 식의 대입을 이용한 연립방정식의 풀이 (1) 개념 01

1-1 식의 대입을 이용하여 다음 연립방정식을 푸시오.

(1) $\begin{cases} x+y=30 \\ y=x+2 \end{cases}$

(2) $\begin{cases} x=-y-2 \\ 4x+3y=-10 \end{cases}$

1-2 식의 대입을 이용하여 다음 연립방정식을 푸시오.

(1) $\begin{cases} y=2x-10 \\ 2x+y=2 \end{cases}$

(2) $\begin{cases} 4x-7y=-4 \\ x=y+2 \end{cases}$

02 식의 대입을 이용한 연립방정식의 풀이 (2) 개념 01

2-1 식의 대입을 이용하여 다음 연립방정식을 푸시오.

(1) $\begin{cases} x-3y=0 \\ 2x-y=-5 \end{cases}$

(2) $\begin{cases} 2x+y=6 \\ -3x+y=-4 \end{cases}$

2-2 식의 대입을 이용하여 다음 연립방정식을 푸시오.

(1) $\begin{cases} -x+2y=18 \\ 5x-y=0 \end{cases}$

(2) $\begin{cases} x+2y=5 \\ 3x-y=-6 \end{cases}$

03 식의 합, 차를 이용한 연립방정식의 풀이 (1) 개념 02

3-1 식의 합, 차를 이용하여 다음 연립방정식을 푸시오.

(1) $\begin{cases} x+2y=10 \\ 2x-2y=-1 \end{cases}$

(2) $\begin{cases} 2x-3y=9 \\ -4x-3y=3 \end{cases}$

3-2 식의 합, 차를 이용하여 다음 연립방정식을 푸시오.

(1) $\begin{cases} x+y=-2 \\ x-y=6 \end{cases}$

(2) $\begin{cases} 3x+2y=9 \\ 3x-y=18 \end{cases}$

04 식의 합, 차를 이용한 연립방정식의 풀이 (2) 개념 02

4-1 식의 합, 차를 이용하여 다음 연립방정식을 푸시오.

(1) $\begin{cases} x+y=2 \\ 3x-4y=13 \end{cases}$

(2) $\begin{cases} -2x+3y=4 \\ 5x+2y=28 \end{cases}$

4-2 식의 합, 차를 이용하여 다음 연립방정식을 푸시오.

(1) $\begin{cases} 3x+4y=10 \\ x+5y=7 \end{cases}$

(2) $\begin{cases} 7x+6y=11 \\ 5x-4y=-17 \end{cases}$

05 괄호가 있는 연립방정식의 풀이 개념 03

5-1 다음 연립방정식을 푸시오.

(1) $\begin{cases} 2(x-3)=y-5 \\ x-1=y-3 \end{cases}$

(2) $\begin{cases} 3x+2(x-y)=-3 \\ 2(x+y)+y=-5 \end{cases}$

5-2 다음 연립방정식을 푸시오.

(1) $\begin{cases} 5x-(x-3y)=4 \\ 2x+3(x+y)=4x+10 \end{cases}$

(2) $\begin{cases} 3x-2(x+2y)=12 \\ 2(x-y)=2-5y \end{cases}$

06 계수가 소수, 분수인 연립방정식의 풀이 개념 03

6-1 다음 연립방정식을 푸시오.

(1) $\begin{cases} 0.2x+0.5y=-1 \\ 0.4x+0.25y=1 \end{cases}$

(2) $\begin{cases} \frac{3}{10}x+\frac{4}{5}y=2 \\ \frac{1}{4}x-\frac{1}{12}y=-\frac{4}{3} \end{cases}$

6-2 다음 연립방정식을 푸시오.

(1) $\begin{cases} 0.2x-0.3y=-1 \\ 0.4x-5y=6.8 \end{cases}$

(2) $\begin{cases} \frac{1}{2}x-\frac{1}{3}y=1 \\ \frac{1}{5}x-\frac{1}{4}y=-1 \end{cases}$

기출 기초 테스트

10종 교과서 **공통** 문제

유형 01 식의 대입을 이용한 연립방정식의 풀이

1-1 연립방정식 $\begin{cases} y=x-3 & \cdots\cdots ㉠ \\ 3x+2y=9 & \cdots\cdots ㉡ \end{cases}$를 풀기 위해 ㉠을 ㉡에 대입하였더니 $ax=15$가 되었다. 이때 상수 a의 값을 구하시오.

(10종 교과서 공통)

1-2 연립방정식 $\begin{cases} 4x-3y=11 & \cdots\cdots ㉠ \\ x=8-2y & \cdots\cdots ㉡ \end{cases}$를 풀기 위해 ㉡을 ㉠에 대입하였더니 $-11y=a$가 되었다. 이때 상수 a의 값을 구하시오.

유형 02 식의 합, 차를 이용한 연립방정식의 풀이

2-1 연립방정식 $\begin{cases} 3x+2y=1 & \cdots\cdots ㉠ \\ 4x-3y=7 & \cdots\cdots ㉡ \end{cases}$에서 y를 없애기 위해 다음 중 필요한 식은?

① ㉠+㉡ ② ㉠×4−㉡×3
③ ㉠×4+㉡×3 ④ ㉠×3−㉡×2
⑤ ㉠×3+㉡×2

(10종 교과서 공통)

2-2 연립방정식 $\begin{cases} 3x-2y=1 & \cdots\cdots ㉠ \\ 2x+3y=5 & \cdots\cdots ㉡ \end{cases}$에서 x를 없애기 위해 다음 중 필요한 식은?

① ㉠×3+㉡×2 ② ㉠×3−㉡×2
③ ㉠×2+㉡×3 ④ ㉠×2−㉡×3
⑤ ㉠×5−㉡

유형 03 여러 가지 연립방정식의 풀이

3-1 다음 연립방정식을 푸시오.

(1) $\begin{cases} (x+y)-(-x-2y)=1 \\ x+y-4=2(y-3) \end{cases}$

(2) $\begin{cases} \dfrac{x}{2}-\dfrac{y}{3}=-\dfrac{1}{8} \\ \dfrac{x}{3}-\dfrac{y}{4}=-\dfrac{1}{12} \end{cases}$

(3) $\begin{cases} \dfrac{x}{6}-\dfrac{y}{4}=\dfrac{2}{3} \\ 0.4x+0.3y=-0.2 \end{cases}$

(10종 교과서 공통)

3-2 다음 연립방정식을 푸시오.

(1) $\begin{cases} 3x-2(2x-y)=x-10 \\ 2(y-2x)+y=-7-3x \end{cases}$

(2) $\begin{cases} 7x-y=3 \\ x+\dfrac{1}{7}y=\dfrac{11}{7} \end{cases}$

(3) $\begin{cases} \dfrac{1}{2}x-y=2 \\ 0.3x-1.2y=0.6 \end{cases}$

유형 04 연립방정식의 해를 알 때 미지수의 값 구하기

10종 교과서 공통

4-1 연립방정식 $\begin{cases} ax-by=6 \\ ax+by=2 \end{cases}$의 해가 $x=1$, $y=-2$일 때, 상수 a, b의 값을 각각 구하시오.

✓ 주어진 연립방정식의 해를 각 방정식에 대입하여 생기는 a, b에 대한 연립방정식을 푼다.

4-2 연립방정식 $\begin{cases} ax+by=7 \\ bx-ay=6 \end{cases}$의 해가 $x=4$, $y=-1$일 때, 상수 a, b의 값을 각각 구하시오.

유형 05 연립방정식의 해를 한 해로 갖는 일차방정식

10종 교과서 공통

5-1 연립방정식 $\begin{cases} 2x+3y=-4 \\ ax-y=4 \end{cases}$의 해가 일차방정식 $5x+2y=1$을 만족시킬 때, 상수 a의 값을 구하시오.

5-2 연립방정식 $\begin{cases} 4x-y=2 \\ ax+2y=1 \end{cases}$의 해가 일차방정식 $x+3y=7$을 만족시킬 때, 상수 a의 값을 구하시오.

유형 06 두 연립방정식의 해가 같을 때 미지수의 값 구하기

10종 교과서 공통

6-1 두 연립방정식 $\begin{cases} 2x+y=5 \\ 3x-2y=a \end{cases}$, $\begin{cases} x+y=3 \\ bx+2y=6 \end{cases}$의 해가 서로 같을 때, $a+b$의 값을 구하시오. (단, a, b는 상수)

✓ 두 연립방정식의 해가 같으므로 그 해는 a, b가 없는 두 일차방정식으로 세운 연립방정식의 해와 같다.

6-2 두 연립방정식 $\begin{cases} 4x+3y=-5 \\ 7x-2y=a \end{cases}$, $\begin{cases} bx+y=-5 \\ 5x-2y=11 \end{cases}$의 해가 서로 같을 때, $a+b$의 값을 구하시오. (단, a, b는 상수)

정답과 해설 35쪽

유형 07 연립방정식의 해의 조건이 주어질 때 미지수의 값 구하기

7-1 연립방정식 $\begin{cases} x-y=2a \\ 3x+2y=9 \end{cases}$를 만족시키는 y의 값이 x의 값의 3배일 때, 상수 a의 값을 구하시오.

(10종 교과서 공통)

7-2 연립방정식 $\begin{cases} 4x-y=4 \\ x+ay=10 \end{cases}$을 만족시키는 x의 값과 y의 값의 비가 1 : 2일 때, 상수 a의 값을 구하시오.

유형 08 $A=B=C$ 꼴의 방정식의 풀이

8-1 방정식 $x+2y=5x+4y=3$을 푸시오.

(교학사, 동아, 좋은책 유사)

8-2 방정식 $9x-7y+7=x+4y-7=2$의 해가 x, y의 순서쌍 (a, b)일 때, $a+b$의 값을 구하시오.

유형 09 해가 특수한 경우

9-1 다음 연립방정식 중 해가 없는 것을 모두 고르면? (정답 2개)

① $\begin{cases} x+4y=2 \\ 2x+8y=4 \end{cases}$

② $\begin{cases} x-2y=1 \\ 9x-18y=7 \end{cases}$

③ $\begin{cases} 4x+y=-6 \\ 16x+4y=-24 \end{cases}$

④ $\begin{cases} 3x+y=1 \\ -6x-3y=-2 \end{cases}$

⑤ $\begin{cases} 2x+3y=-1 \\ -6x-9y=-3 \end{cases}$

(천재(이), 금성, 미래엔, 좋은책 유사)

9-2 다음 연립방정식 중 해가 무수히 많은 것은?

① $\begin{cases} -x+y=3 \\ 2x-2y=-6 \end{cases}$

② $\begin{cases} x-3y=4 \\ 2x-6y=7 \end{cases}$

③ $\begin{cases} 2x+5y=16 \\ 3x-4y=1 \end{cases}$

④ $\begin{cases} 5x+4y=-4 \\ 3x-2y=13 \end{cases}$

⑤ $\begin{cases} x+2y=3 \\ 4x+8y=-5 \end{cases}$

STEP 3 교과서 기본 테스트

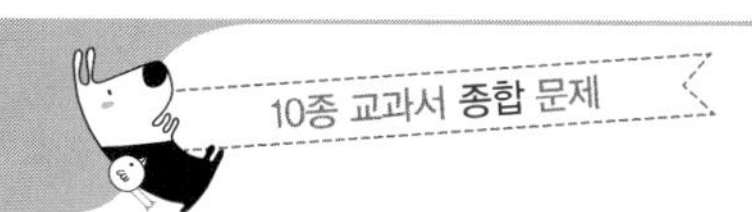

정답과 해설 36쪽

중하
01 출제 예상 85%

연립방정식 $\begin{cases} x+y=8 \\ y=3x \end{cases}$를 풀면?

① $x=-2,\ y=-6$　② $x=1,\ y=7$
③ $x=2,\ y=6$　④ $x=3,\ y=5$
⑤ $x=3,\ y=9$

하
02 출제 예상 90%

식을 더하거나 빼는 방법으로 미지수 x를 없애서 연립방정식 $\begin{cases} 4x+5y=-13 & \cdots\cdots ㉠ \\ -3x+7y=-1 & \cdots\cdots ㉡ \end{cases}$의 해를 구하려고 할 때, 다음 중 필요한 식은?

① ㉠$\times 3+$㉡$\times 4$　② ㉠$\times 3-$㉡$\times 4$
③ ㉠$\times 4+$㉡$\times 3$　④ ㉠$\times 7-$㉡$\times 5$
⑤ ㉠$\times 7+$㉡$\times 5$

중하
03 출제 예상 80%

다음 중 연립방정식 $\begin{cases} x+2y=4 & \cdots\cdots ㉠ \\ 2x-y=-7 & \cdots\cdots ㉡ \end{cases}$을 푸는 방법에 대한 설명으로 옳지 않은 것은?

① ㉠을 $x=-2y+4$로 변형한 후 ㉡에 대입하여 풀 수 있다.
② ㉡을 $y=2x-7$로 변형한 후 ㉠에 대입하여 풀 수 있다.
③ ㉠을 2배 한 식에서 ㉡을 빼면 x를 없앨 수 있다.
④ ㉡을 2배 한 식에 ㉠을 더하면 y를 없앨 수 있다.
⑤ 해는 $(-2,\ 3)$이다.

중하
04 출제 예상 85%

다음은 연립방정식 $\begin{cases} 3x+2(y-1)=3 & \cdots\cdots ㉠ \\ 3(x-2y)+5y=2 & \cdots\cdots ㉡ \end{cases}$를 푸는 과정이다. □ 안에 알맞은 것으로 옳지 않은 것은?

㉠을 정리하면 [①]$=5$ …… ㉢
㉡을 정리하면 [②]$=2$ …… ㉣
㉢$-$㉣을 하면 [③]$=3$
$\therefore y=$[④]
$y=$[④]을 ㉣에 대입하면 $x=$[⑤]

① $3x+2y$　② $3x-y$　③ $-3y$
④ 1　⑤ 1

중
05 출제 예상 95%

연립방정식 $\begin{cases} ax+by=5 \\ bx+ay=2 \end{cases}$의 해가 $x=-1,\ y=2$일 때, 상수 $a,\ b$에 대하여 ab의 값을 구하시오.

중
06 출제 예상 95%

연립방정식 $\begin{cases} -x+4y=a \\ 2x+3y=9 \end{cases}$의 해가 일차방정식 $y=3x-8$을 만족시킬 때, 상수 a의 값을 구하시오.

정답과 해설 36쪽

중

07

출제 예상 85%

다음 방정식을 푸시오.

$$\frac{2x+5}{5}=\frac{x+y}{3}=x-\frac{1}{2}y$$

중하

08

출제 예상 85%

연립방정식 $\begin{cases}3x-y=7\\3x-ay=-4\end{cases}$의 해가 없을 때, 상수 a의 값은?

① 1　② 2　③ 3
④ 4　⑤ 5

상중

09 까다로운 문제

출제 예상 80%

연립방정식 $\begin{cases}2x+3y=5 & \cdots\cdots ㉠\\x+2y=7 & \cdots\cdots ㉡\end{cases}$을 풀 때, 방정식 ㉡의 상수항 7을 잘못 보고 풀어서 $x=-2$가 되었다. 이때 상수항 7을 어떤 수로 잘못 보고 풀었는지 구하시오.

과정을 평가하는 서술형입니다.

중

10

출제 예상 90%

연립방정식 $\begin{cases}0.3x+y=0.6\\\frac{1}{2}x-\frac{2}{3}y=-6\end{cases}$의 해가 x, y의 순서쌍 (a, b)일 때, $3a-2b$의 값을 구하시오.

중

11

출제 예상 95%

두 연립방정식 $\begin{cases}2x+y=3\\5x-y=a\end{cases}$, $\begin{cases}3x-y=7\\4x+by=5\end{cases}$의 해가 서로 같을 때, 다음 물음에 답하시오.

(단, a, b는 상수)

(1) 두 연립방정식의 해를 구하시오.

(2) a, b의 값을 각각 구하시오.

중

12

출제 예상 90%

연립방정식 $\begin{cases}ax+3y=-6\\5x-2y=13\end{cases}$을 만족시키는 x의 값과 y의 값의 비가 3 : 1일 때, 상수 a의 값을 구하시오.

정답과 해설 37쪽

1

아래 풀이 과정은 다음 연립방정식의 해를 구한 것이다. 처음으로 잘못된 부분을 찾고, 옳은 해를 구하시오.

$$\begin{cases} 0.1x+0.3y=0.2 & \cdots\cdots ㉠ \\ \frac{2}{3}x+\frac{1}{2}y=-1 & \cdots\cdots ㉡ \end{cases}$$

㉠×10을 하면 $x+3y=2$ ······ ㉢
㉡×6을 하면 $4x+3y=-1$ ······ ㉣
㉢에서 ㉣을 변끼리 빼면
$-3x=3$ $\quad\therefore x=-1$
$x=-1$을 ㉢에 대입하면
$-1+3y=2$ $\quad\therefore y=1$

2

아래 그림에서 ㈎, ㈏는 두 수 x, y에서 시작하여 화살표를 따라 계산하여 1과 -5를 얻는 과정을 각각 나타낸 것이다. ㈎에 해당하는 일차방정식이 $3x+4y=1$일 때, 다음 물음에 답하시오.

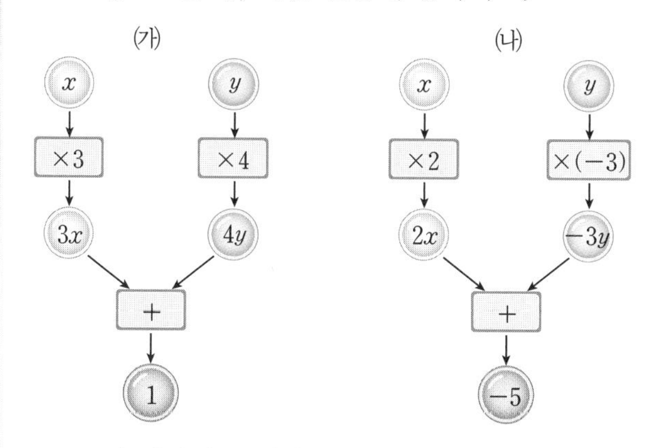

(1) ㈏에 해당하는 일차방정식을 구하시오.

(2) ㈎, ㈏에 해당하는 두 일차방정식을 모두 만족시키는 x, y의 값을 각각 구하시오.

3

구 2개의 무게와 사각뿔 1개의 무게의 합은 500 g이고, 구 1개의 무게는 사각뿔 2개의 무게와 같다고 한다. 구 1개의 무게를 x g, 사각뿔 1개의 무게를 y g이라 할 때, 다음 물음에 답하시오.

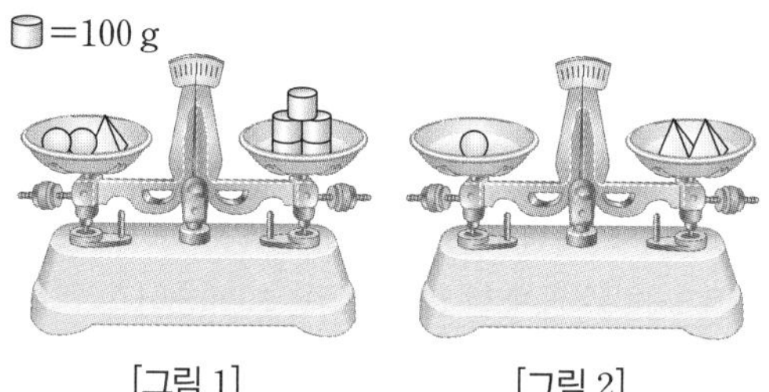

[그림 1] [그림 2]

(1) [그림 1]의 상황을 x, y에 대한 일차방정식으로 나타내시오.

(2) [그림 2]의 상황을 x, y에 대한 일차방정식으로 나타내시오.

(3) (1), (2)에서 얻은 두 일차방정식으로 연립방정식을 세워 사각뿔 1개의 무게를 구하시오.

연립일차방정식의 활용

개념 01 연립방정식의 활용 문제 푸는 순서

1단계 문제의 뜻을 파악하고, 구하려고 하는 것을 x, y로 놓는다.

2단계 문제의 뜻에 맞게 x, y에 대한 연립방정식을 세운다.

3단계 연립방정식을 푼다.

4단계 구한 해가 문제의 뜻에 맞는지 확인한다.

참고 나이, 개수, 가격, 횟수 등에 대한 문제의 답은 자연수이어야 하고, 길이, 거리 등에 대한 문제의 답은 양수이어야 한다.

예 연필 2자루와 공책 한 권의 가격은 1900원이고,① 연필 4자루와 공책 3권의 가격은 5000원일 때,② 연필 한 자루와 공책 한 권의 가격을 각각 구해 보자.

1단계 연필 한 자루의 가격을 x원, 공책 한 권의 가격을 y원이라 하자.

2단계 $\begin{cases} 2x+y=1900 & \leftarrow ① \\ 4x+3y=5000 & \leftarrow ② \end{cases}$

3단계 연립방정식을 풀면 $x=350$, $y=1200$
따라서 연필 한 자루의 가격은 350원이고 공책 한 권의 가격은 1200원이다.

4단계 연필 2자루와 공책 한 권의 가격은 $350\times2+1200=1900$(원)
연필 4자루와 공책 3권의 가격은 $350\times4+1200\times3=5000$(원)
따라서 구한 해는 문제의 뜻에 맞다.

QUIZ

다음 괄호 안의 알맞은 것에 ○표 하시오.

(1) 한 권에 500원인 공책 x권의 가격은 $(500x,\ 500+x)$원이다.
(2) 어떤 수 x의 2배에서 7을 뺀 수는 $(2x-7,\ -5x)$이다.
(3) 가로의 길이가 5 cm, 세로의 길이가 y cm인 직사각형의 넓이는 $(5+y,\ 5y)$ cm^{2}이다.

정답 | (1) $500x$ (2) $2x-7$ (3) $5y$

개념 02 연립방정식의 여러 가지 활용 문제

(1) 자연수의 자릿수에 대한 문제

십의 자리의 숫자가 x, 일의 자리의 숫자가 y인 두 자리의 자연수 ➡ $10x+y$

(2) 나이에 대한 문제

① (x년 후의 나이)=(현재 나이)+ ❶ ____ (세)

② (x년 전의 나이)=(현재 나이)$-x$(세)

(3) 거리, 속력, 시간에 대한 문제

① (거리)=(속력)×(시간)

② (속력)$=\dfrac{(\text{거리})}{(❷\ \_\_\_\_)}$

③ (시간)$=\dfrac{(\text{거리})}{(\text{속력})}$

참고 거리, 속력, 시간의 단위가 다르면 식을 세우기 전에 단위를 통일시킨다. ➡ 1시간=60분, 1분=60초, 1 km=1000 m

(4) 증가, 감소에 대한 문제

① x가 a % 증가 ➡ 증가량 : $\dfrac{a}{100}x$, 전체 양 : $\left(1+\dfrac{a}{100}\right)x$

② x가 b % 감소 ➡ 감소량 : $\dfrac{b}{100}x$, 전체 양 : $\left(1-\dfrac{b}{100}\right)x$

답 | ❶ x ❷ 시간

QUIZ

다음 괄호 안의 알맞은 것에 ○표 하시오.

(1) 십의 자리의 숫자가 x, 일의 자리의 숫자가 y인 두 자리의 자연수는 $(xy,\ 10x+y)$로 나타낼 수 있다.
(2) 현재 15세인 수진이의 x년 후의 나이는 $(15+x,\ 15-x)$세이다.
(3) 현재 43세인 아버지의 x년 전의 나이는 $(43+x,\ 43-x)$세이다.
(4) 10 km의 거리를 2시간 동안 갈 때의 속력은 시속 (20, 5) km이다.
(5) a명의 2 %는 $(0.02a,\ 0.2a)$명이다.
(6) 20분은 $\left(\dfrac{1}{3},\ \dfrac{1}{5}\right)$시간이다.
(7) 2 km는 (200, 2000) m이다.

정답 | (1) $10x+y$ (2) $15+x$ (3) $43-x$ (4) 5 (5) $0.02a$ (6) $\dfrac{1}{3}$ (7) 2000

교과서 개념 확인 테스트

정답과 해설 38쪽

01 연립방정식의 활용 (1) 개념01

1-1 800원짜리 과자와 600원짜리 빵을 합하여 14개를 사고 10000원을 지불하였다. 다음 물음에 답하시오.

(1) 과자를 x개, 빵을 y개 샀다고 할 때, 아래 표를 완성하시오.

	과자	빵	합계
개수	x	y	14
금액(원)	$800x$		10000

(2) (1)의 표를 이용하여 x, y에 대한 연립방정식을 세우시오.

(3) (2)에서 세운 연립방정식을 풀어 과자와 빵을 각각 몇 개씩 샀는지 구하시오.

1-2 농구 경기에서 정훈이는 2점 슛과 3점 슛을 합하여 12골을 넣어 31점을 얻었다. 다음 물음에 답하시오.

(1) 정훈이가 2점 슛을 x골, 3점 슛을 y골 넣었다고 할 때, 아래 표를 완성하시오.

	2점 슛	3점 슛	합계
개수	x	y	12
점수(점)			

(2) (1)의 표를 이용하여 x, y에 대한 연립방정식을 세우시오.

(3) (2)에서 세운 연립방정식을 풀어 2점 슛과 3점 슛을 각각 몇 골씩 넣었는지 구하시오.

02 연립방정식의 활용 (2) 개념01 + 개념02

2-1 미영이는 집에서 5 km 떨어진 도서관까지 가는데 처음에는 시속 8 km로 뛰다가 도중에 시속 4 km로 걸어서 1시간 만에 도착하였다. 다음 물음에 답하시오.

(1) 뛰어간 거리를 x km, 걸어간 거리를 y km라 할 때, 아래 표를 완성하시오.

	뛰어갈 때	걸어갈 때	합계
거리 (km)	x	y	5
걸린 시간(시간)	$\frac{x}{8}$		1

(2) (1)의 표를 이용하여 x, y에 대한 연립방정식을 세우시오.

(3) (2)에서 세운 연립방정식을 풀어 뛰어간 거리와 걸어간 거리를 각각 구하시오.

2-2 지호는 총거리가 7 km인 산책로를 걷는데 처음에는 시속 4 km로 걷다가 도중에 힘이 들어 남은 거리는 시속 2 km로 걸어서 2시간 만에 산책을 마쳤다. 다음 물음에 답하시오.

(1) 시속 4 km로 걸은 거리를 x km, 시속 2 km로 걸은 거리를 y km라 할 때, x, y에 대한 연립방정식을 세우시오.

(2) 시속 4 km로 걸은 거리와 시속 2 km로 걸은 거리를 각각 구하시오.

기출 기초 테스트

10종 교과서 공통 문제

유형 01 개수, 가격에 대한 문제

1-1 어느 농장에는 토끼와 오리가 모두 35마리 있다. 토끼와 오리의 다리의 수의 합이 96일 때, 토끼와 오리는 각각 몇 마리인지 구하시오.

(10종 교과서 공통)

1-2 수연이는 학교 미술 수업 준비물로 색종이 2묶음과 색도화지 8장을 구입하고 8000원을 지불하였다. 색종이 한 묶음이 색도화지 한 장보다 1000원이 더 비싸다고 할 때, 색종이 한 묶음과 색도화지 한 장의 가격을 각각 구하시오.

유형 02 자연수의 자릿수에 대한 문제

2-1 두 자리의 자연수가 있다. 각 자리의 숫자의 합은 7이고, 십의 자리의 숫자와 일의 자리의 숫자를 바꾼 수는 처음 수보다 9만큼 작다고 할 때, 처음 수를 구하시오.

(10종 교과서 공통)

2-2 각 자리의 숫자의 합이 10인 두 자리의 자연수가 있다. 십의 자리의 숫자와 일의 자리의 숫자를 바꾼 수는 처음 수보다 36만큼 크다고 할 때, 처음 수를 구하시오.

유형 03 나이에 대한 문제

3-1 올해 수완이와 아버지의 나이의 합은 60세이고, 6년 후에는 아버지의 나이가 수완이의 나이의 3배가 된다고 할 때, 수완이와 아버지의 나이를 각각 구하시오.

(금성, 미래엔, 비상, 좋은책, 지학사 유사)

3-2 연희와 동생의 나이 차는 4세이고, 4년 전에 연희와 동생의 나이의 합은 20세이었다. 올해 연희의 나이를 구하시오.

유형 04 거리, 속력, 시간에 대한 문제

4-1 수지가 자동차를 타고 집에서 210 km 떨어진 할머니 댁까지 가는데 고속국도에서는 시속 100 km로 달리고 일반국도에서는 시속 60 km로 달렸더니 2시간 20분 만에 할머니 댁에 도착하였다. 고속국도를 달린 거리와 일반국도를 달린 거리를 각각 구하시오.

10종 교과서 공통

4-2 승현이가 주말에 등산을 하는데 올라갈 때는 시속 3 km로 걷고, 내려올 때는 올라갈 때보다 3 km 더 먼 길을 시속 4 km로 걸었더니 총 2시간 30분이 걸렸다. 내려온 거리를 구하시오.

유형 05 증가, 감소에 대한 문제

5-1 어느 영화관의 어제 총관객 수는 1200명이었다. 오늘은 어제에 비하여 남자 관객 수는 3 % 감소하고, 여자 관객 수는 6 % 증가하여 전체 관객 수는 36명이 증가하였다. 다음 물음에 답하시오.

(1) 어제의 남자 관객 수를 x명, 여자 관객 수를 y명이라 할 때, 아래 표를 완성하시오.

	남자	여자	합계
어제의 관객 수(명)	x	y	1200
변화된 관객 수(명)	$-\frac{3}{100}x$		36

(2) (1)의 표를 이용하여 x, y에 대한 연립방정식을 세우시오.

(3) (2)에서 세운 연립방정식을 풀어 오늘 입장한 남자 관객 수와 여자 관객 수를 각각 구하시오.

천재(이), 금성, 동아(강), 좋은책, 지학사 유사

5-2 작년에 어떤 단체의 전체 회원 수는 870명이었다. 올해에는 남자 회원 수는 4 % 줄고, 여자 회원 수는 5 % 줄어서 전체 회원 수가 830명이 되었다. 다음 물음에 답하시오.

(1) 작년의 남자 회원 수를 x명, 여자 회원 수를 y명이라 할 때, x, y에 대한 연립방정식을 세우시오.

(2) 올해의 남자 회원 수를 구하시오.

STEP 3 교과서 기본 테스트

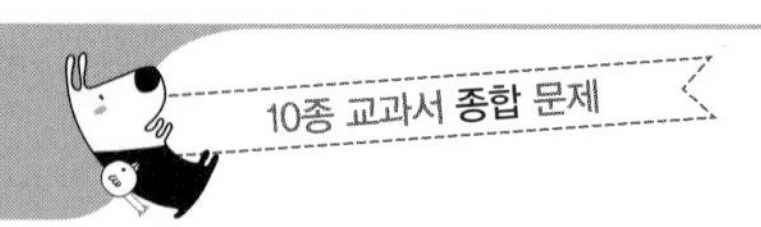

하

01

출제 예상 80%

합이 51인 두 자연수가 있다. 큰 수가 작은 수의 3배보다 7만큼 클 때, 두 수 중 큰 수를 구하시오.

중하

02

출제 예상 95%

닭과 토끼가 모두 100마리인데 다리의 수를 세어 보니 272개였다. 닭과 토끼는 각각 몇 마리인지 구하시오.

중하

03

출제 예상 80%

경희네 학교의 수학 시험은 4점짜리 문제와 5점짜리 문제가 섞여서 출제된다. 이번 수학 시험에서 경희는 20개의 문제를 맞혀서 90점을 받았다. 경희가 4점짜리 문제와 5점짜리 문제를 각각 몇 개씩 맞혔는지 구하시오.

중

04

출제 예상 90%

장미 한 송이와 안개꽃 한 다발을 사면 3500원이고 장미 4송이와 안개꽃 6다발을 사면 18000원일 때, 장미 6송이와 안개꽃 4다발의 가격을 구하시오.

중

05

출제 예상 80%

지연이는 주말에 가족들과 야구장에 갔는데 어른 1명과 청소년 4명의 입장료는 22000원이고, 어른 2명과 청소년 3명의 입장료는 24000원이었다. 이때 어른 2명과 청소년 5명의 입장료를 구하시오.

중

06

출제 예상 95%

각 자리의 숫자의 합이 9인 두 자리의 자연수가 있다. 십의 자리의 숫자와 일의 자리의 숫자를 바꾼 수는 처음 수보다 27만큼 작다고 할 때, 처음 수를 구하시오.

중
07
출제 예상 95%

현재 어머니와 아들의 나이의 합은 56세이고 3년 후에는 어머니의 나이가 아들의 나이의 3배보다 2세가 더 많아진다고 한다. 현재 어머니의 나이를 구하시오.

중
08
출제 예상 80%

길이가 132 cm인 끈을 긴 끈과 짧은 끈으로 나누었다. 긴 끈의 길이가 짧은 끈의 길이의 2배보다 3 cm가 짧다고 할 때, 긴 끈과 짧은 끈의 길이를 각각 구하시오.

중
09
출제 예상 90%

둘레의 길이가 26 cm인 직사각형이 있다. 이 직사각형의 가로의 길이가 세로의 길이보다 3 cm 더 길 때, 이 직사각형의 넓이를 구하시오.

중
10
출제 예상 90%

정원이의 집에서 학교까지의 거리는 3 km이다. 정원이는 오전 7시 40분에 집에서 출발하여 시속 3 km로 걷다가 도중에 늦을 것 같아서 시속 6 km로 달려서 오전 8시 20분에 학교에 도착하였다. 정원이가 달린 거리를 구하시오.

상중
11
출제 예상 85%

민준이가 자전거를 타는데 갈 때는 시속 30 km로 가고, 10분 쉬었다가 올 때는 시속 20 km로 와서 총 2시간 30분이 걸렸다. 가는 길보다 오는 길이 5 km 더 멀다고 할 때, 민준이가 자전거를 탄 거리는 몇 km인지 구하시오.

상중
12
까다로운 문제

출제 예상 85%

형이 집을 출발하여 분속 60 m의 속력으로 학교를 향해 걸어간 지 20분 후에 같은 길을 동생이 자전거를 타고 분속 300 m의 속력으로 형을 따라갔다. 형이 집을 출발한 지 몇 분 후에 형과 동생이 만나는지 구하시오.

✓ 형과 동생이 만날 때 형이 이동한 거리와 동생이 이동한 거리는 같다.

중

13

출제 예상 85%

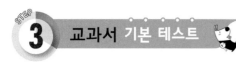

어느 인터넷 카페의 지난달 회원 수는 450명이었다. 이번 달에는 지난달에 비하여 남자 회원 수는 20 % 감소하고, 여자 회원 수는 16 % 증가하였지만 전체 회원 수는 지난달과 동일하다고 한다. 이때 이번 달의 남자 회원 수를 구하시오.

중

14

출제 예상 80%

정수네 반 친구들 17명이 래프팅을 하러 갔다. 보트 대여점에서 2인용 보트와 3인용 보트를 합하여 7대를 빌려서 정원에 맞게 빈자리 없이 모두 타려고 한다. 이때 3인용 보트에 타야 하는 학생 수를 구하시오.

중

15

출제 예상 90%

A, B 두 사람이 함께 하면 8일 만에 마칠 수 있는 일을 A가 6일 동안 작업한 후 나머지를 B가 12일 동안 작업하여 모두 마쳤다. 이 일을 B가 혼자 하면 며칠이 걸리는지 구하시오.

✓ 전체 일의 양을 1로 놓고, 한 사람이 단위 시간에 할 수 있는 일의 양을 각각 미지수 x, y로 놓는다.

과정을 평가하는 서술형입니다.

중

16

출제 예상 80%

두 자리의 자연수가 있다. 십의 자리의 숫자의 2배는 일의 자리의 숫자보다 1만큼 크고, 십의 자리의 숫자와 일의 자리의 숫자를 바꾼 수는 처음 수보다 9만큼 크다고 한다. 다음 물음에 답하시오.

(1) 연립방정식을 세우시오.

(2) 연립방정식의 해를 구하시오.

(3) 처음 두 자리의 자연수를 구하시오.

중

17

출제 예상 80%

경수와 은지는 계단에서 가위바위보를 하여 이긴 사람은 3계단을 올라가고, 진 사람은 1계단을 내려가기로 하였다. 얼마 후 경수는 처음보다 14계단 올라가 있었고, 은지는 처음보다 30계단 올라가 있었다. 다음 물음에 답하시오. (단, 비기는 경우는 없다.)

(1) 연립방정식을 세우시오.

✓ 두 명이 가위바위보를 할 때, 한 사람이 이긴 횟수는 다른 한 사람이 진 횟수와 같다.

(2) 연립방정식의 해를 구하시오.

(3) 은지가 이긴 횟수를 구하시오.

창의력·융합형·서술형·코딩

1

다음은 옛 수학책인 「구장산술」에 실린 문제이다. 이 문제를 푸시오.

> 소 다섯 마리와 양 두 마리에 열 냥, 소 두 마리와 양 다섯 마리에 여덟 냥이다. 소 한 마리와 양 한 마리의 값을 각각 구하시오.

2

다음은 지호가 준비물을 사고 받은 영수증인데 잘못하여 영수증이 훼손되었다.

영수증

○○문구 ○○○○-04-07 18:10

상품명	단가	수량	금액
리 본	1200		
색종이	600		
볼 펜	800	2	
합 계		14	11200

교환 및 환불시 2주 이내에 영수증을 지참하여 주시기 바랍니다.

위 영수증을 보고 리본과 색종이를 각각 몇 개씩 샀는지 구하시오.

3

아래 표는 두 식품 A, B 100 g에 들어 있는 단백질의 양과 열량을 나타낸 것이다. 두 식품 A, B에서 단백질 52 g, 열량 440 kcal를 얻으려고 할 때, 다음 물음에 답하시오.

	단백질 (g)	열량 (kcal)
A	3	60
B	20	100

(1) 두 식품 A, B 1 g에 들어 있는 단백질의 양과 열량을 각각 구하시오.

(2) 섭취해야 하는 식품 A의 양을 x g, 식품 B의 양을 y g이라 하고 연립방정식을 세우시오.

(3) 연립방정식의 해를 구하시오.

(4) 두 식품 A, B를 합하여 몇 g 섭취해야 하는지 구하시오.

할 수 있다고 믿어라

Men often become what they believe themselves
to be. If I believe I cannot do something,
it makes me incapable of doing it. But when I
believe I can, then I acquire the ability to do it.
− Mahatma Gandhi

사람은 스스로 믿는 대로 된다. 만약 어떤 것도 할 수
없다고 믿으면, 그 믿음은 아무것도 할 수 없도록 만든다.
그러나 내가 할 수 있다고 믿으면
어떤 일이든 할 수 있는 능력을 얻게 된다.
− 마하트마 간디

함수

함수, 일차함수와 그 그래프

개념 01 함수

두 변수 x, y에 대하여 x의 값이 변함에 따라 y의 값이 하나씩 정해지는 대응 관계가 있을 때, y를 x의 함수라 한다.

예 ① 정비례 관계 $y=-2x$에서 두 변수 x, y 사이의 대응 관계는 다음 표와 같다.

x	$\cdots$	-2	-1	0	1	2	$\cdots$
y	$\cdots$	4	2	0	-2	-4	$\cdots$

➡ x의 값 하나에 y의 값이 하나씩 정해지므로 y는 x의 함수이다.

② 자연수 x의 약수를 y라 하면

x	1	2	3	4	$\cdots$
y	1	$1, 2$	$1, 3$	$1, 2, 4$	$\cdots$

➡ x의 값 하나에 y의 값이 두 개, 세 개로 정해지는 경우가 있으므로 y는 x의 함수가 아니다.

참고 어떤 x의 값에 대하여 y의 값이 정해지지 않거나 두 개 이상으로 정해지면 함수가 아니다.

QUIZ

다음 괄호 안의 알맞은 것에 ○표 하시오.

(1) 정비례 관계 $y=5x$에서 y는 x의 (함수이다, 함수가 아니다).

(2) 반비례 관계 $y=\frac{4}{x}$에서 y는 x의 (함수이다, 함수가 아니다).

(3) 자연수 x의 약수의 개수를 y라 하면 x의 값이 변함에 따라 y의 값이 하나씩 (정해지므로, 정해지지 않으므로) y는 x의 (함수이다, 함수가 아니다).

정답 |
(1) 함수이다 (2) 함수이다 (3) 정해지므로, 함수이다

개념 02 함숫값

(1) **함수의 표현** y가 x의 함수일 때, 이것을 기호로 $y=f(x)$와 같이 나타낸다.

(2) **함숫값** 함수 $y=f(x)$에서 x의 값이 정해지면 그에 따라 정해지는 ❶ [ ]의 값, 즉 $f(x)$를 x의 함숫값이라 한다.

예 ① y가 x의 함수이고 $y=-4x$인 관계가 있을 때,
이 함수를 $f(x)=-4x$와 같이 나타낼 수 있다.
$f(x)=-4x$에서 $x=2$일 때의 함숫값은 $f(2)=-4\times 2=-8$

② y가 x의 함수이고 $y=\frac{6}{x}$인 관계가 있을 때,
이 함수를 $f(x)=\frac{6}{x}$과 같이 나타낼 수 있다.
$f(x)=\frac{6}{x}$에서 $x=-2$일 때의 함숫값은 $f(-2)=\frac{6}{-2}=-3$

답 | ❶ y

QUIZ

다음 □ 안에 알맞은 것을 써넣으시오.

(1) y가 x의 함수일 때, 이것을 기호로 $y=$ [ ]와 같이 나타낸다.

(2) y가 x의 함수이고 $y=-2x$인 관계가 있을 때, $f(x)=$ [ ]와 같이 나타낼 수 있다.

(3) $f(x)=2x$에 대하여 $f(-1)$의 값을 $x=-1$일 때의 [ ]이라 한다.

정답 |
(1) $f(x)$ (2) $-2x$ (3) 함숫값

개념 03 일차함수

함수 $y=f(x)$에서 y가 x에 대한 ❶ [ ]

$$y=ax+b \text{ (단, } a, b\text{는 상수, } a\neq 0)$$

로 나타날 때, 이 함수를 x에 대한 일차함수라 한다.

예 ① $y=-x+1$, $y=2x$, $y=\frac{1}{4}x-2$ ➡ 일차함수이다.

② $y=\frac{1}{x}$, $y=x^2+3$, $y=3$ ➡ 일차함수가 아니다.

답 | ❶ 일차식

QUIZ

다음 괄호 안의 알맞은 것에 ○표 하시오.

(1) $ax+b$(a, b는 상수, $a\neq 0$)는 (일차식, 일차방정식, 일차함수)이다.

(2) $ax+b=0$(a, b는 상수, $a\neq 0$)은 (일차식, 일차방정식, 일차함수)이다.

(3) $y=ax+b$(a, b는 상수, $a\neq 0$)는 (일차식, 일차방정식, 일차함수)이다.

정답 |
(1) 일차식 (2) 일차방정식 (3) 일차함수

개념 04 일차함수의 그래프

x의 값의 범위가 수 전체일 때, 일차함수 $y=ax+b$의 그래프는 ❶ 으로 나타난다.

예 일차함수 $y=2x+1$에 대하여 정수 x의 값에 대한 y의 값을 구하여 순서쌍 (x, y)를 좌표로 하는 점을 좌표평면 위에 나타내면 [그림 1]과 같고, x의 값의 범위가 수 전체일 때는 [그림 2]와 같다.

x	$\cdots$	-2	-1	0	1	2	$\cdots$
y	$\cdots$	-3	-1	1	3	5	$\cdots$

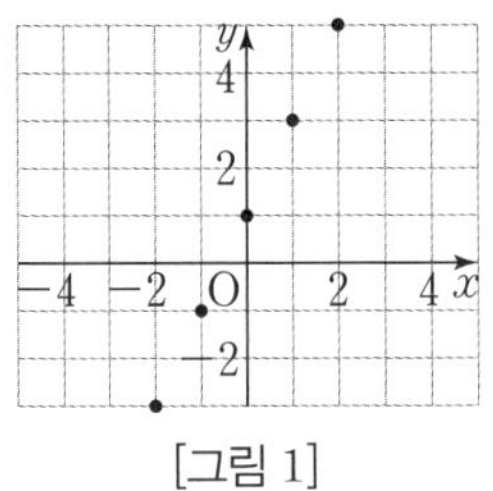

[그림 1]

➡

[그림 2]

참고 x의 값이 정해져 있지 않으면 x의 값의 범위를 수 전체로 생각한다.

답 | ❶ 직선

QUIZ

다음 괄호 안의 알맞은 것에 ○표 하시오.

(1) x의 값의 범위가 수 전체일 때, 일차함수 $y=ax+b$의 그래프는 (직선, 곡선)으로 나타난다.

(2) x의 값의 범위가 수 전체일 때, 일차함수 $y=-2x+1$의 그래프는 다음 중 (①, ②)이다.

①

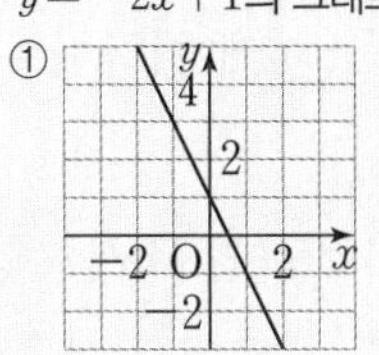

②

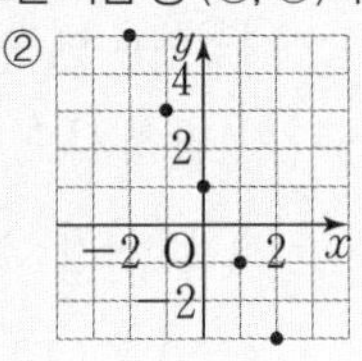

정답 |
(1) 직선 (2) ①

개념 05 두 점을 이용하여 일차함수의 그래프 그리기

일차함수의 그래프는 직선이고, 서로 다른 두 점을 지나는 직선은 오직 ❶ 뿐이므로 일차함수 $y=ax+b$의 그래프 위의 서로 다른 두 점을 알면 그 그래프를 그릴 수 있다.

예 일차함수 $y=\frac{1}{2}x+1$의 그래프가 지나는 두 점의 좌표를 구하면

$x=-2$일 때, $y=\frac{1}{2}\times(-2)+1=0$

$x=2$일 때, $y=\frac{1}{2}\times2+1=2$

따라서 일차함수 $y=\frac{1}{2}x+1$의 그래프는 오른쪽 그림과 같이 두 점 $(-2, 0)$, $(2, 2)$를 지나는 직선이다.

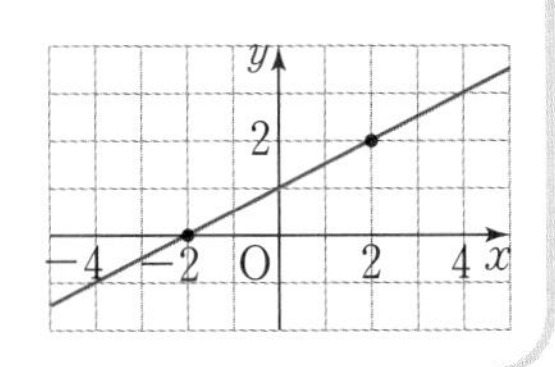

답 | ❶ 하나

QUIZ

다음 □ 안에 알맞은 수를 써넣으시오.

일차함수 $y=-2x+1$의 그래프 위의 두 점 $(0, \square)$, $(1, -1)$ 이외의 다른 두 점 $(-1, \square)$, $(2, \square)$을 찾아서 그래프를 그려도 같은 그래프가 그려진다.

정답 |
$1, 3, -3$

개념 06 일차함수의 그래프의 평행이동

(1) **평행이동** 한 도형을 일정한 방향으로 일정한 거리만큼 옮기는 것

(2) **일차함수 $y=ax+b$의 그래프** 일차함수 $y=ax+b$의 그래프는 일차함수 $y=ax$의 그래프를 y축의 방향으로 ❶ 만큼 평행이동한 직선이다.

참고 일차함수 $y=ax(a\neq0)$의 그래프는 항상 원점을 지난다.

예

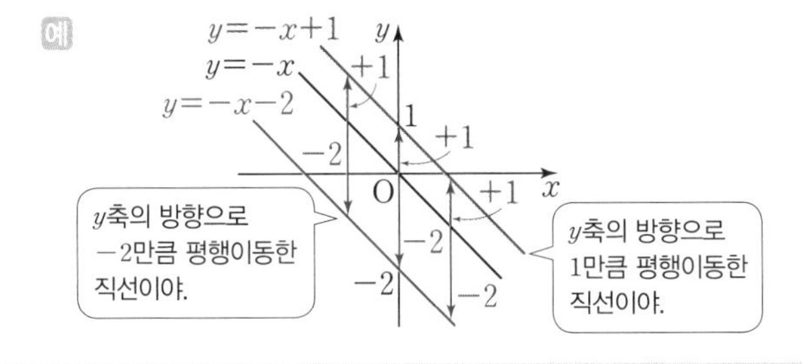
$y=-x+1$
$y=-x$
$y=-x-2$
y축의 방향으로 -2만큼 평행이동한 직선이야.
y축의 방향으로 1만큼 평행이동한 직선이야.

답 | ❶ b

QUIZ

다음 □ 안에 알맞은 것을 써넣으시오.

(1) $y=2x+4$

➡ $y=2x$ $\xrightarrow[\square\text{만큼 }\square\text{이동}]{\square\text{축의 방향으로}}$ $y=2x+4$

(2) $y=-x-3$

➡ $y=-x$ $\xrightarrow[\square\text{만큼 }\square\text{이동}]{\square\text{축의 방향으로}}$ $y=-x-3$

정답 |
(1) y, 4, 평행 (2) y, -3, 평행

교과서 개념 확인 테스트

01 함수 개념 01

1-1 다음 두 변수 x, y에 대하여 y가 x의 함수인지 말하시오.

(1) 넓이가 24 cm^2인 직사각형의 가로의 길이 x cm와 세로의 길이 y cm

(2) 자연수 x보다 작은 홀수 y

(3) 분속 5 km의 일정한 속력으로 달리는 고속 열차가 x분 동안 이동한 거리 y km

1-2 다음 두 변수 x, y에 대하여 y가 x의 함수인지 말하시오.

(1) 우리 반 학생 20명 중 x월에 태어난 학생의 번호 y번

(2) 한 자루에 700원 하는 연필을 x자루 살 때, 지불하는 금액 y원

(3) 자연수 x의 소인수 y

02 함숫값 개념 02

2-1 우유 1000 mL를 x명이 똑같이 나누어 마실 때, 한 사람이 마시게 되는 우유의 양을 y mL라 하자. 다음 물음에 답하시오.

(1) $y=f(x)$라 할 때, $f(x)$를 구하시오.

(2) $f(4)$, $f(5)$의 값을 각각 구하시오.

2-2 어느 통신사의 홍보 문자 메시지 발신 비용은 한 건에 11원이다. 홍보 문자 메시지 x건의 발신 비용을 y원이라 할 때, 다음 물음에 답하시오.

(1) $y=f(x)$라 할 때, $f(x)$를 구하시오.

(2) $f(100)$의 값을 구하시오.

03 함숫값 개념 02

3-1 함수 $f(x)=-3x+5$에 대하여 다음을 구하시오.

(1) $f(2)$

(2) $f(0)$

(3) $f\left(-\frac{1}{3}\right)$

3-2 함수 $y=f(x)$가 다음과 같을 때, $f(3)$, $f(-5)$의 값을 각각 구하시오.

(1) $y=3x$

(2) $y=\frac{300}{x}$

(3) $y=24-x$

04 일차함수 개념 03

4-1 다음 보기에서 일차함수인 것을 모두 고르시오.

보기
㉠ $y=2x-3$ ㉡ $y=\frac{2}{x}$
㉢ $y=\frac{3}{4}x$ ㉣ $y=2x^2$

4-2 다음 보기에서 일차함수인 것을 모두 고르시오.

보기
㉠ $y=-x$ ㉡ $y=2x+1$
㉢ $y=-\frac{1}{x}-1$ ㉣ $y=x^2-2x-1$
㉤ $y=4$ ㉥ $\frac{x}{3}+\frac{y}{2}=1$

05 일차함수 개념 03

5-1 다음에서 y를 x의 식으로 나타내고, y가 x에 대한 일차함수인지 말하시오.

(1) 기본요금이 11000원이고 분당 통화료가 120원인 전화를 x분 사용하였을 때의 전화 요금 y원
(2) 2 L들이 생수통에서 한 잔이 200 mL인 컵으로 x잔을 덜어서 마신 후 남은 생수의 양 y mL
(3) 넓이가 6 cm²인 삼각형의 밑변의 길이가 x cm일 때의 높이 y cm

5-2 다음 중에서 y가 x에 대한 일차함수인 것을 모두 찾으시오.

(1) 올해 15세인 수민이의 x년 후의 나이 y세
(2) 시속 x km로 100 km의 거리를 달렸을 때, 걸린 시간 y시간
(3) 한 변의 길이가 x cm인 정삼각형의 둘레의 길이 y cm

06 일차함수의 그래프 그리기 개념 04

6-1 다음은 일차함수 $y=3x+2$에서 x, y 사이의 관계를 표로 나타낸 것이다. 물음에 답하시오.

x	…	-2	…	-1	…	0	…	1	…	2	…
y	…	-4	…		…		…		…		…

(1) 표를 완성하시오.
(2) (1)의 표를 이용하여 x의 값의 범위가 수 전체일 때, $y=3x+2$의 그래프를 오른쪽 좌표평면 위에 그리시오.

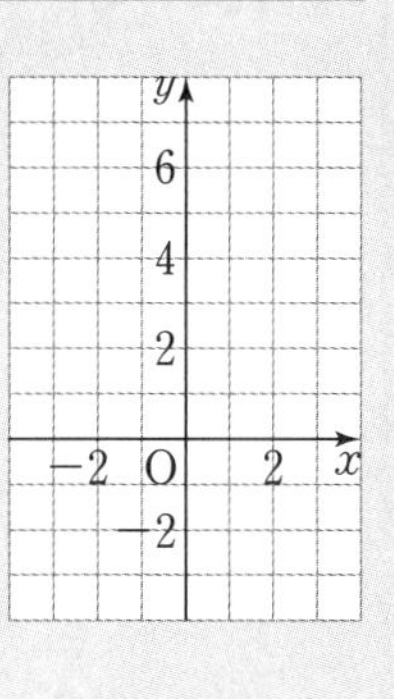

6-2 일차함수 $y=-2x-1$에 대하여 다음 표를 완성하고, x의 값의 범위가 수 전체일 때 그 그래프를 좌표평면 위에 그리시오.

x	-2	-1	0	1	2
y					

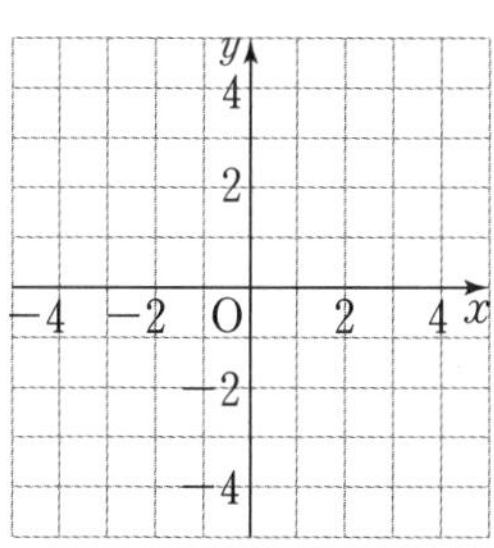

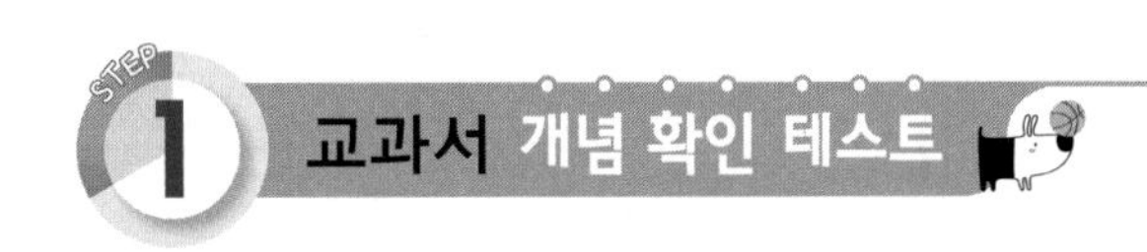

정답과 해설 44쪽

07 두 점을 이용한 일차함수의 그래프 개념 05

7-1 일차함수 $y=2x-2$의 그래프가 지나는 두 점을 이용하여 그 그래프를 좌표평면 위에 그리시오.

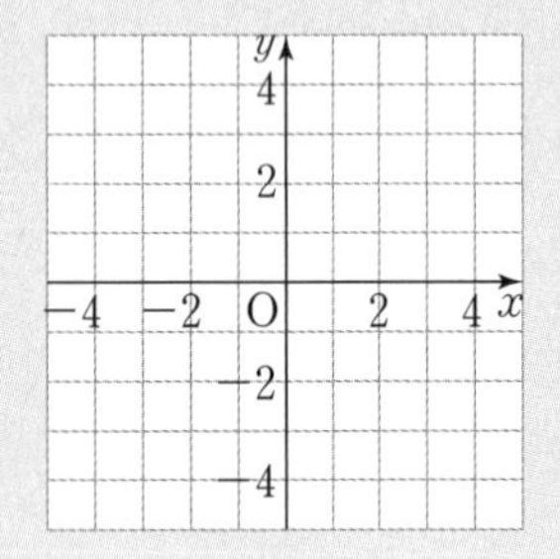

7-2 일차함수 $y=-\frac{2}{3}x+1$의 그래프가 지나는 두 점을 이용하여 그 그래프를 좌표평면 위에 그리시오.

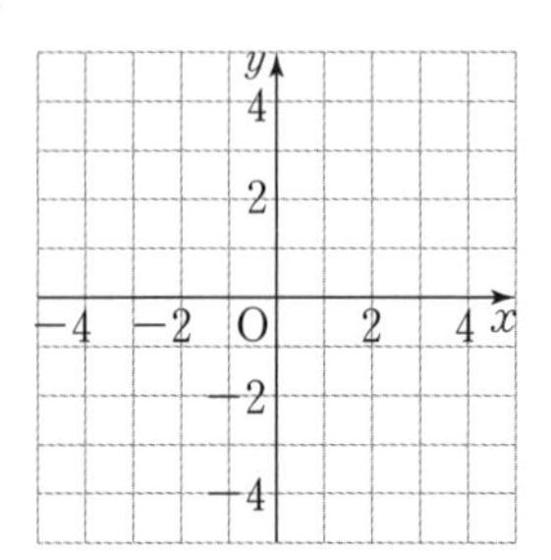

08 그래프의 평행이동 개념 06

8-1 다음 일차함수의 그래프는 일차함수 $y=\frac{1}{3}x$의 그래프를 y축의 방향으로 얼마만큼 평행이동한 것인지 구하시오.

(1) $y=\frac{1}{3}x+2$　(2) $y=\frac{1}{3}x-4$

(3) $y=-1+\frac{1}{3}x$　(4) $y=5+\frac{1}{3}x$

8-2 다음 일차함수의 그래프를 y축의 방향으로 [ ] 안의 수만큼 평행이동한 그래프를 나타내는 일차함수의 식을 구하시오.

(1) $y=\frac{8}{3}x$　$\left[\frac{5}{4}\right]$

(2) $y=5x$　[1]

(3) $y=-4x$　[-7]

(4) $y=-\frac{1}{2}x+2$　[-5]

09 평행이동을 이용한 일차함수의 그래프 개념 06

9-1 아래 그림은 일차함수 $y=3x$의 그래프이다. 이 그래프를 이용하여 다음 일차함수의 그래프를 좌표평면 위에 각각 그리시오.

(1) $y=3x+2$

(2) $y=3x-3$

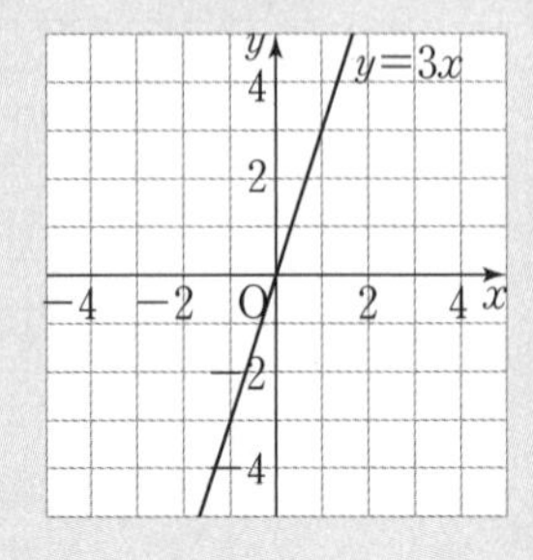

9-2 아래 그림은 일차함수 $y=-3x$의 그래프이다. 이 그래프를 이용하여 다음 일차함수의 그래프를 좌표평면 위에 각각 그리시오.

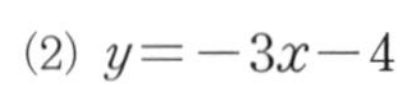

(1) $y=-3x+3$

(2) $y=-3x-4$

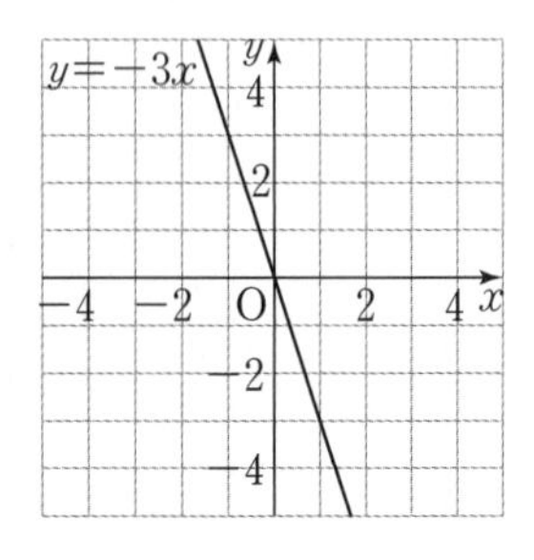

기출 기초 테스트

정답과 해설 44쪽

유형 01 함수 찾기

1-1 다음 보기에서 y가 x의 함수인 것을 모두 고르시오.

보기
- ㉠ x보다 큰 짝수 y
- ㉡ x세인 동생보다 3세 많은 수빈이의 나이 y세
- ㉢ 1분에 40장을 복사하는 복사기가 x분 동안 복사한 종이 y장
- ㉣ 자연수 x를 5로 나누었을 때의 나머지 y

10종 교과서 공통

1-2 다음 보기에서 y가 x의 함수인 것을 모두 고르시오.

보기
- ㉠ 자연수 x의 배수 y
- ㉡ 120 km를 시속 x km로 일정하게 달릴 때, 걸린 시간 y시간
- ㉢ 음료수 500 mL가 들어 있는 병에서 x mL를 마셨을 때, 남은 양 y mL
- ㉣ 1달러가 1100원일 때, x달러는 y원

유형 02 함숫값

2-1 함수 $f(x)=3x-5$에 대하여 $f(-1)+2f(1)$의 값을 구하시오.

10종 교과서 공통

2-2 함수 $f(x)=-4x$에 대하여 $f\left(-\frac{1}{2}\right)+\frac{1}{4}f(3)$의 값을 구하시오.

유형 03 함숫값을 이용하여 미지수의 값 구하기

3-1 함수 $f(x)=-2x+a$에 대하여 $f(1)=2$일 때, 상수 a의 값을 구하시오.

10종 교과서 공통

3-2 함수 $f(x)=3x$에 대하여 $f(a)=-6$, $f(1)=b$일 때, a, b의 값을 각각 구하시오.

정답과 해설 45쪽

유형 04 일차함수 찾기

4-1 다음 중 y가 x에 대한 일차함수가 아닌 것은?

① $y=\frac{1}{3}x-1$

② $y=-5x$

③ $y=x(x-1)-x^2$

④ 하루 중 낮의 길이가 x시간일 때, 밤의 길이 y시간

⑤ 반지름의 길이가 x cm인 원의 넓이 y cm^2

(10종 교과서 공통)

4-2 다음 중 y가 x에 대한 일차함수인 것은?

① $y=\frac{1}{x}$

② $y=x(x+9)$

③ $y=5$

④ 한 변의 길이가 x cm인 정사각형의 둘레의 길이 y cm

⑤ 밑변의 길이가 x cm이고 높이가 $(x+1)$ cm인 평행사변형의 넓이 y cm^2

유형 05 일차함수의 그래프의 평행이동

5-1 일차함수 $y=-2x$의 그래프를 y축의 방향으로 4만큼 평행이동하면 일차함수 $y=ax+b$의 그래프가 된다. 이때 상수 a, b에 대하여 $a+b$의 값을 구하시오.

(천재(류), 금성, 미래엔, 좋은책, 지학사 유사)

5-2 일차함수 $y=ax$의 그래프를 y축의 방향으로 2만큼 평행이동한 그래프가 일차함수 $y=-2x+b$의 그래프와 일치할 때, 상수 a, b의 값을 각각 구하시오.

유형 06 평행이동한 그래프 위의 점

6-1 일차함수 $y=\frac{1}{2}x-3$의 그래프를 y축의 방향으로 -1만큼 평행이동하면 점 $(4,\ a)$를 지날 때, a의 값을 구하시오.

✓ ① 일차함수 $y=ax+b$의 그래프를 y축의 방향으로 c만큼 평행이동 ➡ $y=ax+b+c$
② 일차함수 $y=ax+b$의 그래프가 점 $(p,\ q)$를 지난다.
➡ $x=p$, $y=q$를 $y=ax+b$에 대입하면 등식이 성립한다.

(10종 교과서 공통)

6-2 일차함수 $y=ax$의 그래프를 y축의 방향으로 -2만큼 평행이동한 그래프가 점 $(-1,\ 3)$을 지날 때, 상수 a의 값을 구하시오.

교과서 기본 테스트

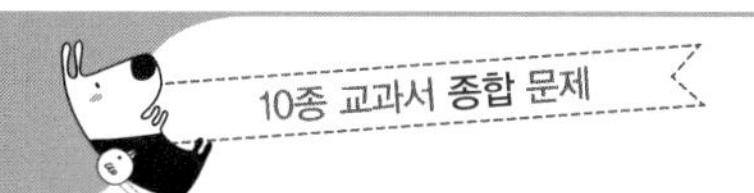

정답과 해설 45쪽

중하

01

출제 예상 95%

다음 중 y가 x의 함수가 아닌 것을 모두 고르면? (정답 2개)

① 넓이가 16 cm^2인 직사각형의 가로의 길이 x cm와 세로의 길이 y cm

② 키가 x cm인 사람의 몸무게 y kg

③ 시속 50 km로 달리는 자전거가 x시간 동안 이동한 거리 y km

④ 절댓값이 x인 수 y

⑤ x의 2배에서 1을 뺀 수 y

중하

02

출제 예상 85%

함수 $f(x)=2x-1$에 대하여 다음 중 옳은 것은?

① $f(-1)=0$　② $f(0)=-2$

③ $f\left(\frac{1}{2}\right)=1$　④ $f\left(\frac{3}{2}\right)=2$

⑤ $f(1)=3$

중

03

출제 예상 95%

함수 $f(x)=3x-7$에 대하여 $4f(2)-2f(4)$의 값을 구하시오.

중

04

출제 예상 95%

함수 $f(x)=ax-5$에 대하여 $f(2)=3$일 때, $f(-1)+f(3)$의 값을 구하시오. (단, a는 상수)

하

05

출제 예상 95%

다음 중 일차함수인 것은?

① $y=2-x$　② $y=\frac{4}{x}$

③ $y=7$　④ $y=2x-x^2$

⑤ $y=x(x-2)$

중

06

출제 예상 90%

다음 중 y가 x에 대한 일차함수가 아닌 것은?

① 반지름의 길이가 x cm인 원의 둘레의 길이 y cm

② 500원짜리 음료수 x개와 1000원짜리 과자 3개를 구입한 총금액 y원

③ 올해 15세인 다니엘의 x년 후의 나이 y세

④ 한 사람의 입장료가 x원인 놀이공원에 y명이 입장할 때, 입장료의 총액 50000원

⑤ 가로의 길이가 x cm, 세로의 길이가 y cm인 직사각형의 둘레의 길이 46 cm

정답과 해설 46쪽

중하
07
출제 예상 90%

일차함수 $y=2x+3$의 그래프를 y축의 방향으로 -5만큼 평행이동한 그래프의 식은?

① $y=2x-5$ ② $y=2x-2$
③ $y=2x+8$ ④ $y=-2x+3$
⑤ $y=-2x-2$

중
08
출제 예상 95%

일차함수 $y=3x+1$의 그래프를 y축의 방향으로 k만큼 평행이동하면 점 $(2, -1)$을 지날 때, k의 값을 구하시오.

상중
09
출제 예상 85%

일차함수 $y=4x+b$의 그래프를 y축의 방향으로 -3만큼 평행이동한 그래프가 두 점 $(a, -2)$, $(1, 3)$을 지날 때, $2ab$의 값을 구하시오.

(단, b는 상수)

과정을 평가하는 서술형입니다.

중
10
출제 예상 95%

함수 $f(x)=\frac{a}{x}$에 대하여 $f(2)=3$일 때, 다음 물음에 답하시오.

(1) 상수 a의 값을 구하시오.

(2) $f(-3)+f(1)$의 값을 구하시오.

중하
11
출제 예상 85%

일차함수 $y=\frac{1}{2}x-5$의 그래프가 지나는 두 점을 이용하여 그 그래프를 좌표평면 위에 그리시오.

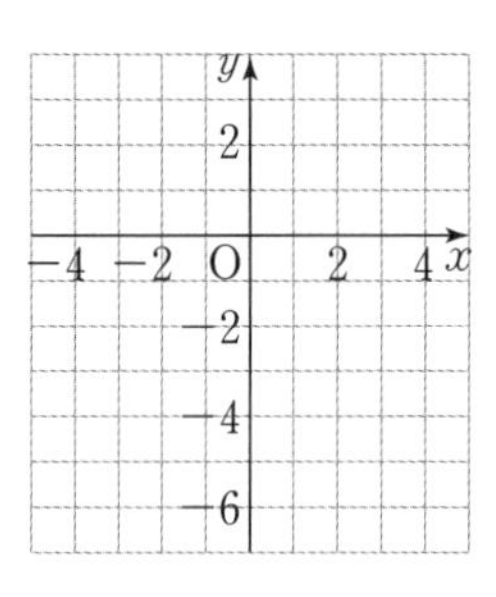

중
12
출제 예상 90%

정가가 x원인 물건의 10 % 할인된 가격을 y원이라 하면 y는 x의 함수이다. 이 함수를 $y=f(x)$라 할 때, 다음 물음에 답하시오.

(1) $f(x)$를 구하시오.

(2) $x=4000$일 때의 함숫값을 구하시오.

(3) $f(1000)=10a$일 때, 상수 a의 값을 구하시오.

창의력·융합형·서술형·코딩

정답과 해설 47쪽

1

우리와 재이는 각자 규칙을 정해 빈칸 채우기 퀴즈를 하고 있다. 다음 물음에 답하시오.

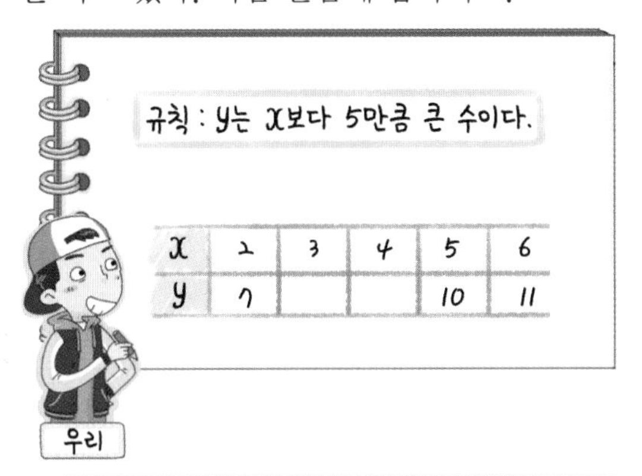

규칙 : y는 x보다 5만큼 큰 수이다.
x 2 3 4 5 6
y 7 10 11
우리

규칙 : y는 x보다 작은 소수이다.
x 2 3 4 5 6
y 없다. 2, 3
재이

(1) 빈칸에 알맞은 수를 써넣으시오.

(2) 두 학생이 정한 규칙 중에서 y가 x의 함수인 것을 찾고, 그 이유를 말하시오.

(3) (2)에서 찾은 함수를 식으로 나타내시오.

2

아래 그림과 같이 길이와 모양이 같은 성냥개비를 사용하여 정사각형을 연결하려고 한다. 정사각형 x개를 만들 때, 필요한 성냥개비를 y개라 하자. 다음 물음에 답하시오.

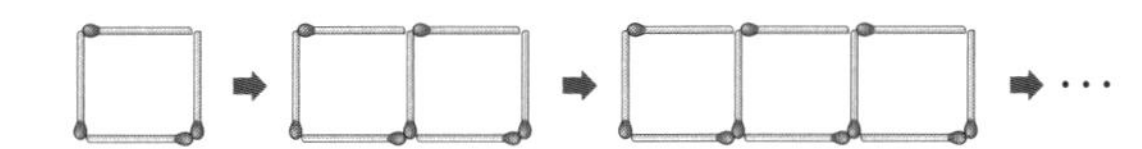

(1) 아래 □ 안에 공통으로 들어갈 수를 구하시오.

x(개)	1	2	3	4
y(개)	4	$4+3$	$4+3+$□	$4+3+$□$+$□

(2) y를 x의 식으로 나타내고, y가 x에 대한 일차함수인지 말하시오.

3

교내 환경 동아리에서 활동하는 미라는 종이컵을 재활용하기 위해 원기둥 모양의 수거함을 만들려고 한다. 높이가 7 cm인 종이컵을 한 개 더 쌓으면 그 높이가 0.5 cm씩 높아진다고 할 때, 종이컵 x개를 쌓은 높이를 y cm라 하자. 다음 물음에 답하시오.

(1) 아래 표를 완성하시오.

x(개)	1	2	3	4	…
y (cm)	7				…

(2) y를 x의 식으로 나타내고, y가 x에 대한 일차함수인지 말하시오.

(3) $y=f(x)$라 할 때, $f(100)$의 값을 구하시오.

일차함수의 그래프의 성질

개념 01 일차함수의 그래프의 x절편과 y절편

(1) **x절편** 일차함수의 그래프가 x축과 만나는 점의 x좌표
➡ $y=$ ❶ 일 때 x의 값

(2) **y절편** 일차함수의 그래프가 y축과 만나는 점의 y좌표
➡ $x=0$일 때 y의 값

(3) **일차함수 $y=ax+b(a\neq0)$의 그래프의 x절편, y절편**

① x절편 : $y=0$일 때 x의 값
➡ $-\dfrac{b}{a}$

② y절편 : $x=0$일 때 y의 값
➡ ❷

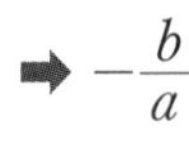

(4) **x절편과 y절편을 이용하여 일차함수의 그래프 그리기**

1단계 x절편, y절편을 구하여 x축, y축과 만나는 두 점을 좌표평면 위에 나타낸다.
└→ (x절편, 0), (0, y절편)

2단계 두 점을 직선으로 연결한다.

답 | ❶ 0 ❷ b

QUIZ

오른쪽 그래프를 보고 다음 □ 안에 알맞은 수를 써넣으시오.

(1) x절편이 □이다.
➡ 점 (□, 0)을 지난다.
➡ x축과 만나는 점의 x좌표가 □이다.
➡ $y=0$일 때, x의 값은 □이다.

(2) y절편이 □이다.
➡ 점 (0, □)를 지난다.
➡ y축과 만나는 점의 y좌표가 □이다.
➡ $x=0$일 때, y의 값은 □이다.

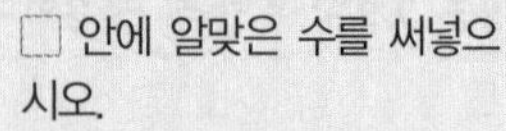

정답 |
(1) 3, 3, 3, 3 (2) 4, 4, 4, 4

개념 02 일차함수의 그래프의 기울기

(1) **기울기** 일차함수 $y=ax+b(a\neq0)$의 그래프에서 x의 값의 증가량에 대한 y의 값의 증가량의 비율은 항상 일정하고, 그 비율은 x의 계수 ❶ 와 같다. 이 증가량의 비율 a를 일차함수 $y=ax+b$의 그래프의 기울기라 한다.

$y=ax+b$ (기울기: a, y절편: b)

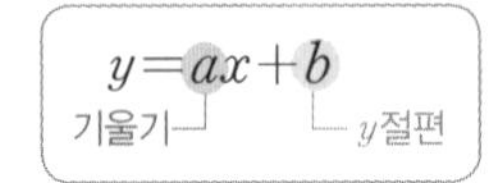

$$(\text{기울기})=\frac{(y\text{의 값의 증가량})}{(x\text{의 값의 증가량})}=a$$

예 일차함수 $y=-\frac{3}{4}x+4$의 그래프의 기울기

➡ $\dfrac{(y\text{의 값의 증가량})}{(x\text{의 값의 증가량})}=\dfrac{-3}{+4}=-\dfrac{3}{4}$

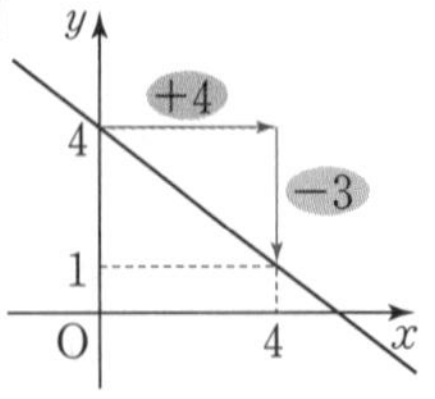

(2) **기울기와 y절편을 이용하여 일차함수의 그래프 그리기**

1단계 점 (0, y절편)을 좌표평면 위에 나타낸다.

2단계 기울기를 이용하여 그래프가 지나는 다른 한 점을 찾는다.

3단계 두 점을 직선으로 연결한다.

답 | ❶ a

QUIZ

다음 일차함수의 그래프에서 기울기를 구하려고 한다. □ 안에 알맞은 수를 써넣으시오.

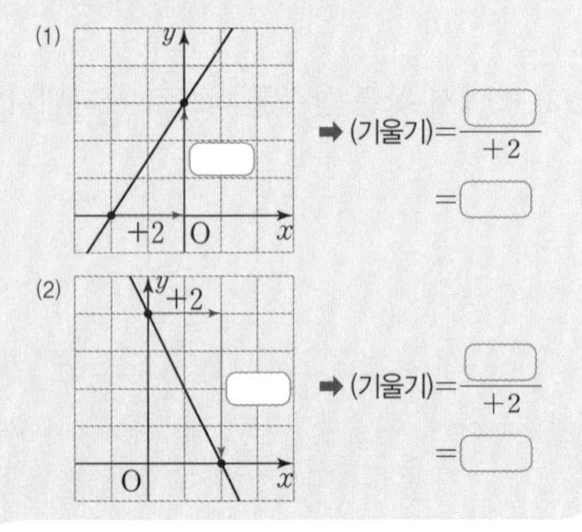

(1) ➡ (기울기)$=\dfrac{□}{+2}$ $=□$

(2) ➡ (기울기)$=\dfrac{□}{+2}$ $=□$

정답 |
(1) $+3$, $+3$, $\frac{3}{2}$ (2) -4, -4, -2

개념 03 일차함수 $y=ax+b$의 그래프의 성질 (1)

일차함수 $y=ax+b(a\neq0)$의 그래프에서

$a>0$일 때	$a<0$일 때
① x의 값이 증가할 때, y의 값도 ❶ ( )한다. ② 오른쪽 위로 향하는 직선이다.	① x의 값이 증가할 때, y의 값은 감소한다. ② 오른쪽 ❷ ( )로 향하는 직선이다.

예 ① 일차함수 $y=x+2$의 그래프는 기울기가 1로 양수이므로 오른쪽 위로 향하는 직선이다.
② 일차함수 $y=-x+6$의 그래프는 기울기가 -1로 음수이므로 오른쪽 아래로 향하는 직선이다.

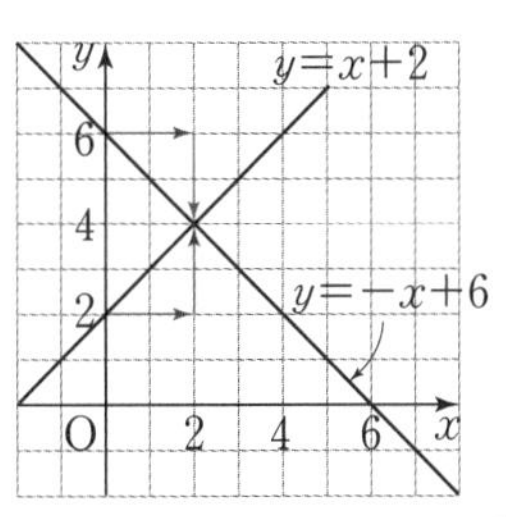

답 | ❶ 증가 ❷ 아래

QUIZ

다음 괄호 안의 알맞은 것에 ○표 하시오.

(1) 일차함수 $y=-3x+1$의 그래프는 기울기가 (양수, 음수)이므로 오른쪽 (위, 아래)로 향하는 직선이다. 또 x의 값이 증가할 때, y의 값은 (증가, 감소)한다.

(2) 일차함수 $y=2x+1$의 그래프는 기울기가 (양수, 음수)이므로 오른쪽 (위, 아래)로 향하는 직선이다. 또 x의 값이 증가할 때, y의 값은 (증가, 감소)한다.

정답 |
(1) 음수, 아래, 감소 (2) 양수, 위, 증가

개념 04 일차함수 $y=ax+b$의 그래프의 성질 (2)

(1) 기울기가 같은 두 일차함수의 그래프는 서로 평행하거나 일치한다.

➡ 두 일차함수의 그래프에서 기울기가 같고 y절편이 다르면 평행하고, 기울기와 y절편이 모두 같으면 일치한다.

(2) 서로 평행한 두 일차함수의 그래프의 기울기는 서로 같다.

예 두 일차함수 $y=2x+1$, $y=2x-3$의 그래프는 일차함수 $y=2x$의 그래프를 y축의 방향으로 각각 1, -3만큼 평행이동한 것이다. 따라서 세 일차함수 $y=2x$, $y=2x+1$, $y=2x-3$의 그래프는 서로 평행하고, 그 기울기는 모두 2이다.

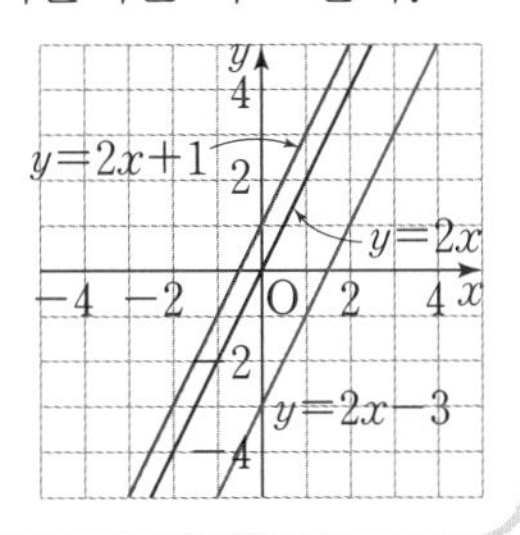

QUIZ

다음 괄호 안의 알맞은 것에 ○표 하시오.

(1) 기울기가 같고 y절편이 다른 두 직선은 (평행하다, 일치한다).

(2) 기울기가 같고 y절편이 같은 두 직선은 (평행하다, 일치한다).

정답 |
(1) 평행하다 (2) 일치한다

Plus 개념

일차함수 $y=ax+b$에서 a의 부호는 일차함수의 그래프의 모양을 결정하고, b의 부호는 그래프가 y축과 만나는 부분을 결정한다. 따라서 기울기 a의 부호와 y절편 b의 부호만 알면 그래프의 대략적인 모양을 그릴 수 있다.

$a>0$, $b>0$일 때	$a>0$, $b<0$일 때	$a<0$, $b>0$일 때	$a<0$, $b<0$일 때
x축보다 위, 오른쪽 위	x축보다 아래, 오른쪽 위	x축보다 위, 오른쪽 아래	x축보다 아래, 오른쪽 아래
제1, 2, 3사분면을 지난다.	제1, 3, 4사분면을 지난다.	제1, 2, 4사분면을 지난다.	제2, 3, 4사분면을 지난다.

교과서 개념 확인 테스트

01 그래프에서 x절편, y절편 구하기 개념 01

1-1 오른쪽 그림과 같은 일차함수의 그래프 (1), (2)에서 x절편과 y절편을 각각 구하시오.

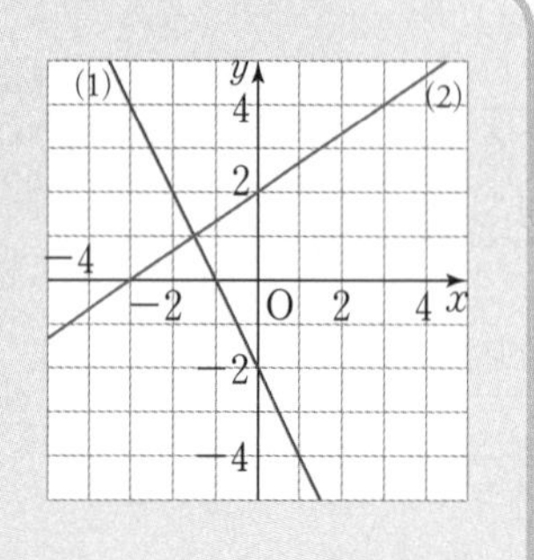

1-2 오른쪽 그림과 같은 일차함수의 그래프 (1), (2)에서 x절편과 y절편을 각각 구하시오.

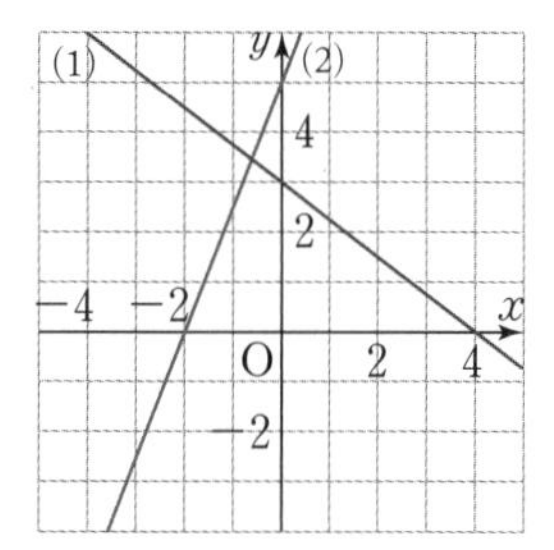

02 그래프의 식에서 x절편, y절편 구하기 개념 01

2-1 일차함수 $y=\frac{1}{3}x-1$의 그래프에 대하여 다음을 구하시오.

(1) x절편 (2) y절편

(3) x축과 만나는 점의 좌표

(4) y축과 만나는 점의 좌표

2-2 다음 일차함수의 그래프의 x절편과 y절편을 각각 구하시오.

(1) $y=x+2$ (2) $y=-4x-2$

(3) $y=\frac{3}{5}x-3$ (4) $y=-3x+6$

03 x절편과 y절편을 이용한 그래프 그리기 개념 01

3-1 다음은 x절편과 y절편을 이용하여 일차함수 $y=-x+3$의 그래프를 그리는 과정이다. □ 안에 알맞은 것을 써넣고, 좌표평면 위에 그래프를 그리시오.

① x절편은 □, y절편은 3이므로 두 점 □, $(0, 3)$을 좌표평면 위에 나타낸다.

② 두 점을 □으로 연결한다.

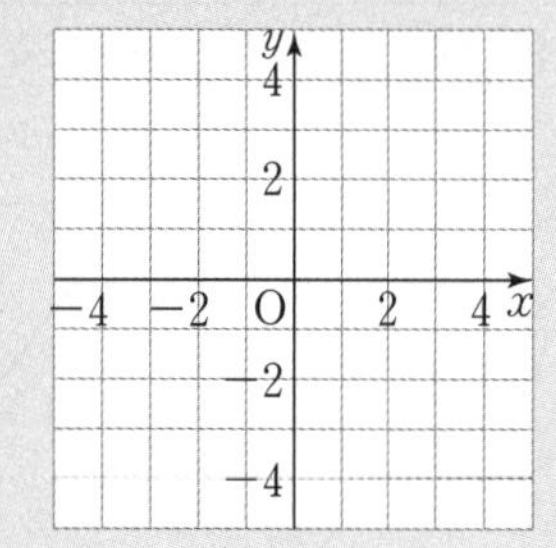

3-2 x절편과 y절편을 이용하여 다음 일차함수의 그래프를 좌표평면 위에 그리시오.

(1) $y=x-4$

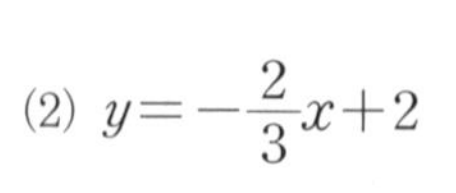

(2) $y=-\frac{2}{3}x+2$

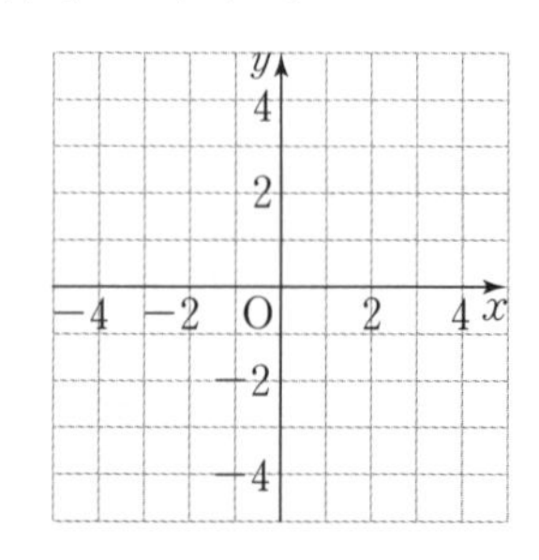

04 그래프의 식에서 기울기 구하기 개념 02

4-1 다음 일차함수의 그래프의 기울기를 구하시오.

(1) $y=x-\frac{1}{2}$ (2) $y=-\frac{1}{3}x+5$

(3) $y=6+2x$ (4) $y=\frac{3}{4}x-1$

4-2 다음 일차함수의 그래프의 기울기를 구하시오.

(1) $y=3x+5$ (2) $y=x-3$

(3) $y=-2x-3$ (4) $y=-\frac{4}{5}x+2$

05 그래프에서 기울기 구하기 개념 02

5-1 오른쪽 그림과 같은 일차함수의 그래프 (1), (2)에서 기울기를 구하시오.

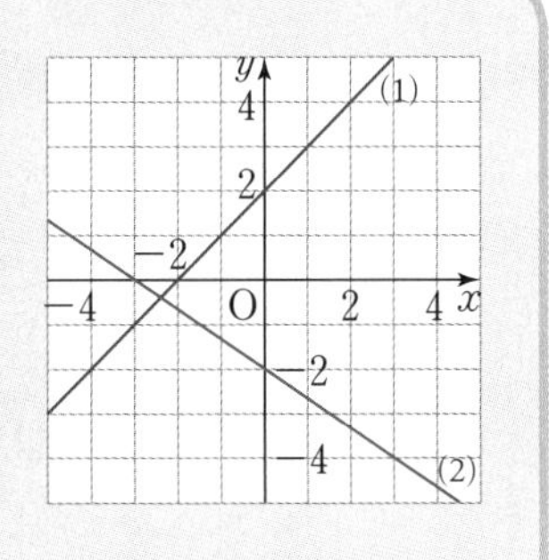

5-2 오른쪽 그림과 같은 일차함수의 그래프 (1), (2)에서 기울기를 구하시오.

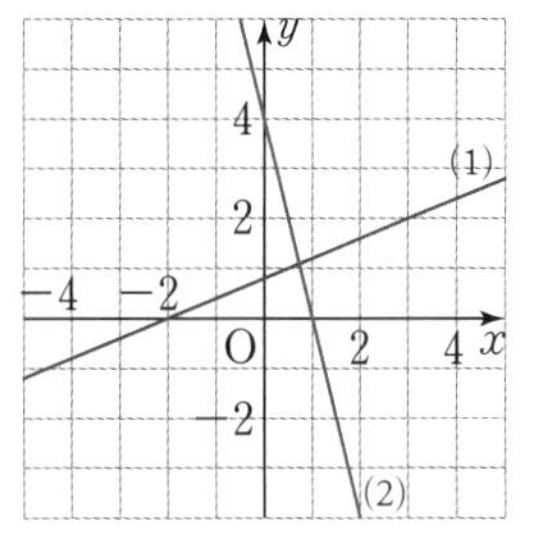

06 기울기와 y절편을 이용한 그래프 그리기 개념 02

6-1 다음은 기울기와 y절편을 이용하여 일차함수 $y=2x-4$의 그래프를 그리는 과정이다. □ 안에 알맞은 것을 써넣고, 좌표평면 위에 그래프를 그리시오.

① y절편이 □이므로 점 □를 좌표평면 위에 나타낸다.

② 기울기가 2이므로 점 (0, □)에서 x의 값이 1만큼, y의 값이 2만큼 증가한 점 □를 좌표평면 위에 나타낸다.

③ 두 점을 □으로 연결한다.

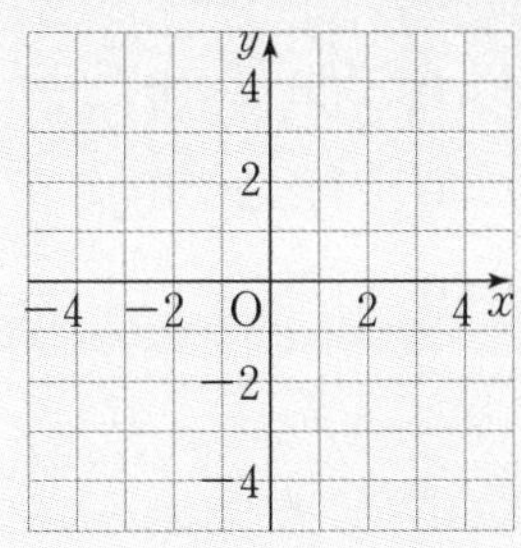

6-2 기울기와 y절편을 이용하여 다음 일차함수의 그래프를 좌표평면 위에 그리시오.

(1) $y=\frac{2}{3}x-4$

(2) $y=-\frac{5}{2}x+3$

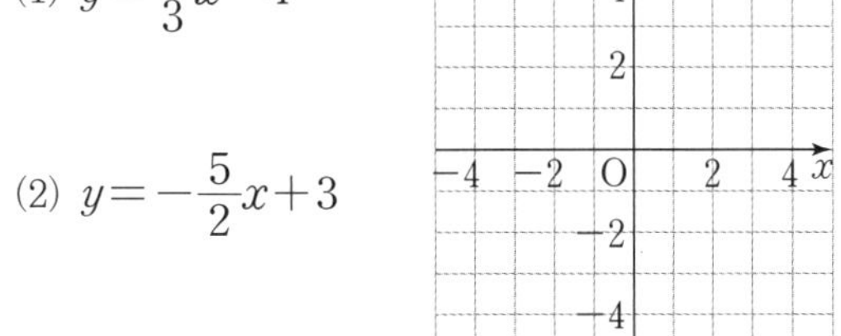

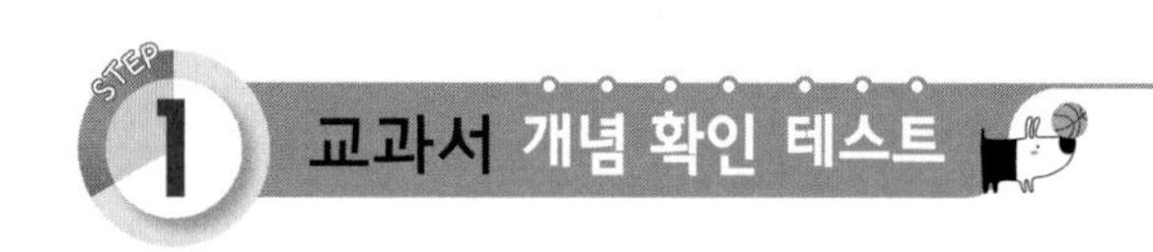

07 일차함수 $y=ax+b$의 그래프의 성질 (1) 개념 03

7-1 다음을 만족시키는 일차함수를 보기에서 모두 고르시오.

보기
㉠ $y=-4x+2$ ㉡ $y=-2x$
㉢ $y=-\frac{2}{3}x-4$ ㉣ $y=\frac{1}{2}x+3$
㉤ $y=-5x+3$ ㉥ $y=3x-5$

(1) 그래프가 오른쪽 위로 향하는 일차함수
(2) 그래프가 오른쪽 아래로 향하는 일차함수

7-2 다음 일차함수의 그래프 중에서 x의 값이 증가할 때 y의 값이 증가하는 것을 모두 고르시오.

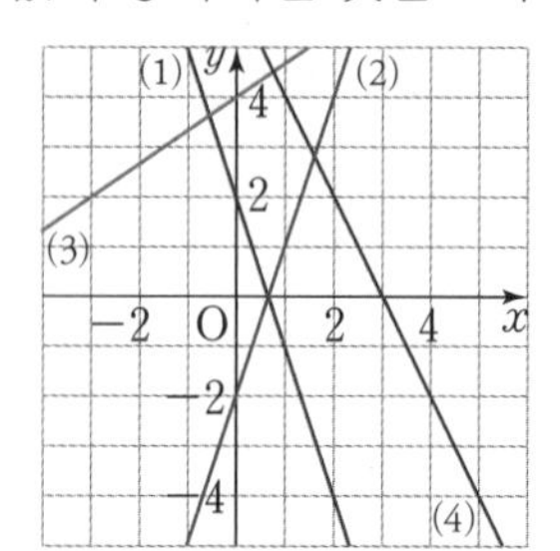

08 일차함수 $y=ax+b$의 그래프의 성질 (2) 개념 04

8-1 다음 일차함수 중에서 그 그래프가 서로 평행한 것끼리 짝 지으시오.

(1) $y=3x+1$ (2) $y=2x+1$
(3) $y=2x+5$ (4) $y=-\frac{1}{2}x+3$

8-2 아래 보기의 일차함수의 그래프에 대하여 다음 물음에 답하시오.

보기
㉠ $y=-\frac{1}{2}x+1$ ㉡ $y=2(x+1)+3$
㉢ $y=2x+5$ ㉣ $y=-\frac{1}{2}x+3$
㉤ $y=\frac{1}{2}x-1$ ㉥ $y=\frac{3}{2}x+3$

(1) 서로 평행한 것끼리 짝 지으시오.
(2) 일치하는 것끼리 짝 지으시오.

09 일차함수 $y=ax+b$의 그래프 개념 03

9-1 일차함수 $y=ax+b$에서 다음의 각 경우에 맞는 그래프를 아래 그림의 ①~⑥에서 모두 고르시오.

(1) $a>0$ (2) $a<0$

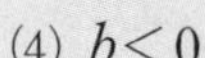
(3) $b>0$ (4) $b<0$

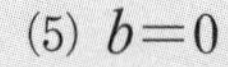
(5) $b=0$

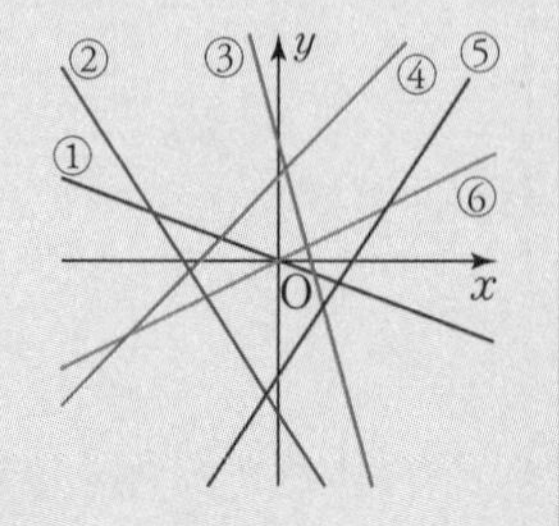

9-2 일차함수 $y=ax+b$에서 다음의 각 경우에 맞는 그래프를 아래 그림의 ①~⑤에서 모두 고르시오.

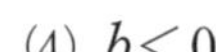
(1) $a>0$ (2) $a<0$

(3) $b>0$ (4) $b<0$

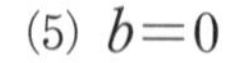
(5) $b=0$

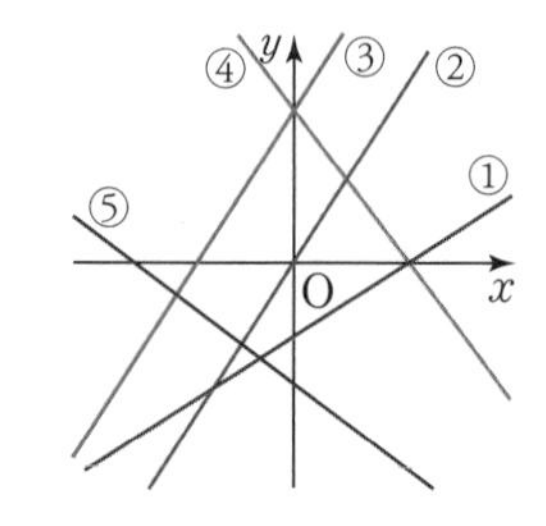

기출 기초 테스트

10종 교과서 공통 문제

정답과 해설 49쪽

유형 01 일차함수의 그래프의 x절편, y절편, 기울기

1-1 다음 일차함수의 그래프의 x절편, y절편, 기울기를 각각 구하시오.

(1) $y=-4x-1$

(2) $y=\frac{1}{3}x+1$

10종 교과서 공통

1-2 오른쪽 그림과 같은 일차함수의 그래프 (1), (2)에서 x절편, y절편, 기울기를 각각 구하시오.

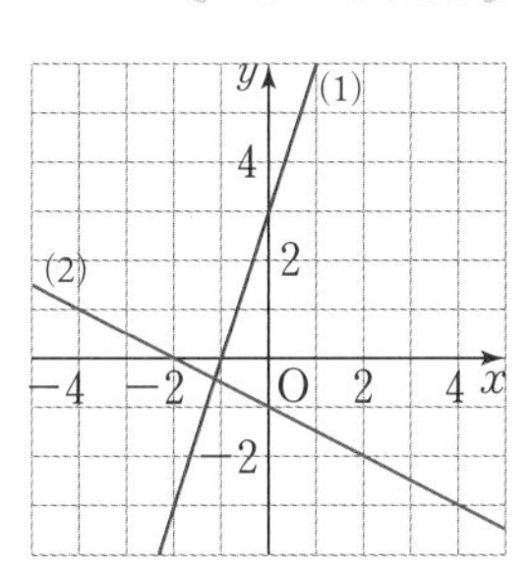

유형 02 x절편과 y절편을 이용하여 미지수의 값 구하기

2-1 일차함수 $y=-3x+k$의 그래프의 y절편이 6일 때, x절편을 구하시오.

동아, 미래엔, 좋은책 유사

2-2 일차함수 $y=\frac{3}{4}x+k$의 그래프의 x절편이 4일 때, y절편을 구하시오.

유형 03 일차함수의 그래프의 기울기

3-1 일차함수 $y=3x+4$의 그래프에서 x의 값의 증가량이 3일 때, y의 값의 증가량을 구하시오.

10종 교과서 공통

3-2 다음 보기의 일차함수의 그래프 중에서 x의 값이 5만큼 증가할 때, y의 값이 3만큼 감소하는 것을 고르시오.

보기

ㄱ. $y=\frac{3}{5}x+3$ ㄴ. $y=-\frac{3}{5}x-3$

ㄷ. $y=\frac{5}{3}x-3$ ㄹ. $y=-\frac{5}{3}x-3$

STEP 2 기출 기초 테스트

유형 04 기울기를 이용하여 미지수의 값 구하기

4-1 일차함수 $y=ax+6$의 그래프에서 x의 값이 2만큼 증가할 때, y의 값은 8만큼 증가한다. 이때 a의 값을 구하시오.

(천재(이), 동아(박), 좋은책 유사)

4-2 일차함수 $y=ax+7$의 그래프에서 x의 값이 -1에서 5까지 증가할 때, y의 값은 3만큼 감소하였다. 다음을 구하시오.

(1) 상수 a의 값

(2) x의 값이 8만큼 증가할 때, y의 값의 증가량

유형 05 세 점이 한 직선 위에 있을 조건

5-1 세 점 $(-1, 2)$, $(5, -4)$, $(k, -1)$이 한 직선 위에 있을 때, k의 값을 구하시오.

✓ 서로 다른 세 점 A, B, C가 한 직선 위에 있을 때
(두 점 A, B를 지나는 직선의 기울기)
=(두 점 A, C를 지나는 직선의 기울기)
=(두 점 B, C를 지나는 직선의 기울기)

(천재, 미래엔, 비상, 지학사 유사)

5-2 세 점 $(-4, -4)$, $(2, 5)$, $(6, 3a-1)$이 한 직선 위에 있을 때, a의 값을 구하시오.

유형 06 일차함수의 그래프와 좌표축으로 둘러싸인 도형의 넓이

6-1 일차함수 $y=-\frac{3}{4}x+3$의 그래프가 x축과 만나는 점을 P, y축과 만나는 점을 Q라 할 때, 다음 물음에 답하시오.

(1) 일차함수 $y=-\frac{3}{4}x+3$의 그래프를 아래 좌표평면 위에 그리시오.

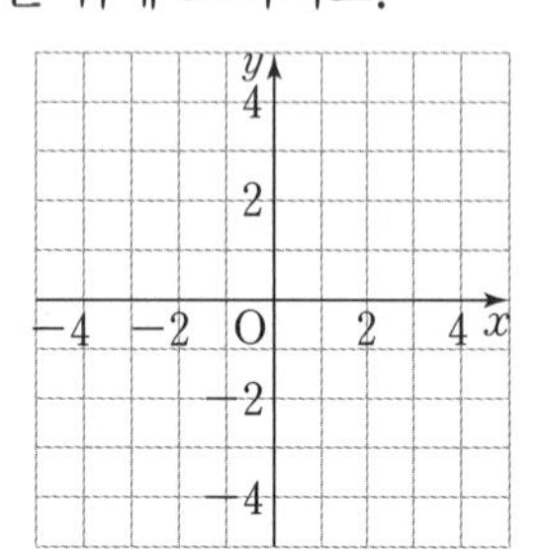

(2) 두 점 P, Q의 좌표를 각각 구하시오.

(3) 삼각형 OPQ의 넓이를 구하시오.

(단, O는 원점)

(10종 교과서 공통)

6-2 일차함수 $y=2x+4$의 그래프가 x축과 만나는 점을 P, y축과 만나는 점을 Q라 할 때, 삼각형 POQ의 넓이를 구하시오.

(단, O는 원점)

유형 07 일차함수 $y=ax+b$의 그래프의 성질

7-1 다음 중 일차함수 $y=2x-3$의 그래프에 대한 설명으로 옳은 것에는 ○표, 옳지 않은 것에는 ×표를 하시오.

(1) x축과 만나는 점의 x좌표는 $\frac{3}{2}$이다. ( )

(2) 오른쪽 아래로 향하는 직선이다. ( )

(3) x의 값이 증가하면 y의 값은 감소한다. ( )

(4) x의 값이 3만큼 증가할 때, y의 값은 6만큼 증가한다. ( )

(5) 제2사분면을 지난다. ( )

(천재(류), 동아(강), 미래엔, 좋은책, 지학사 유사)

7-2 일차함수 $y=-2x+2$의 그래프에 대한 다음 보기의 설명 중에서 옳은 것을 모두 고르시오.

보기
㉠ x축 위의 점 $(1, 0)$을 지난다.
㉡ x의 값이 증가하면 y의 값은 감소한다.
㉢ 제2사분면을 지나지 않는다.

유형 08 두 일차함수의 그래프가 평행(일치)하기 위한 조건

8-1 두 일차함수 $y=\frac{a}{2}x+3$, $y=-3x-b$의 그래프가 일치할 때, 상수 a, b의 값을 각각 구하시오.

(천재(류), 동아, 비상 유사)

8-2 일차함수 $y=ax+1$의 그래프가 일차함수 $y=5x-2$의 그래프와 평행할 때, 상수 a의 값을 구하시오.

유형 09 a, b의 부호와 $y=ax+b$의 그래프

9-1 일차함수 $y=ax+b$의 그래프가 오른쪽 그림과 같을 때, 일차함수 $y=bx+a$의 그래프가 지나는 사분면을 모두 구하시오. (단, a, b는 상수)

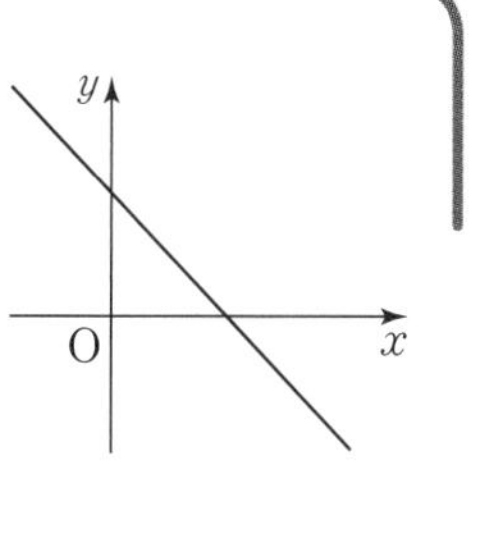

(10종 교과서 공통)

9-2 일차함수 $y=ax+b$의 그래프가 오른쪽 그림과 같을 때, 일차함수 $y=bx-a$의 그래프가 지나는 사분면을 모두 구하시오. (단, a, b는 상수)

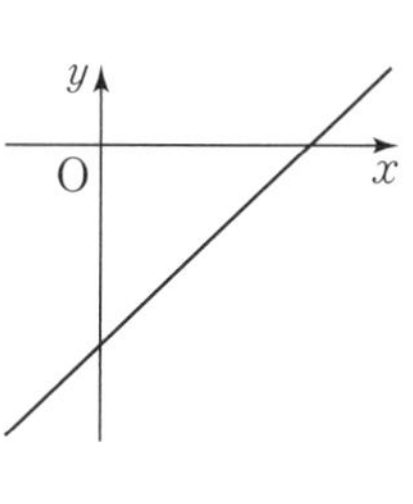

교과서 기본 테스트

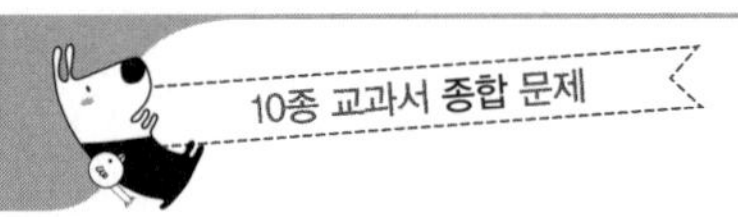

하

01 출제 예상 95%

다음 일차함수 중 그 그래프의 x절편이 나머지 넷과 다른 하나는?

① $y=2x+4$ ② $y=x+2$
③ $y=-3x-6$ ④ $y=4x-8$
⑤ $y=-x-2$

하

02 출제 예상 95%

일차함수 $y=-\frac{4}{3}x+2$의 그래프에서 x절편을 a, y절편을 b라 할 때, $2a-b$의 값을 구하시오.

중하

03 출제 예상 85%

일차함수 $y=2x-3$의 그래프의 y절편과 일차함수 $y=x+a$의 그래프의 x절편이 서로 같을 때, 상수 a의 값을 구하시오.

중하

04 출제 예상 95%

다음 일차함수의 그래프 중 x의 값이 3에서 5까지 증가할 때, y의 값이 6만큼 감소하는 것은?

① $y=3x-6$ ② $y=x-3$
③ $y=\frac{1}{3}x-4$ ④ $y=-\frac{1}{3}x+2$
⑤ $y=-3x+4$

중하

05 출제 예상 90%

일차함수 $y=\frac{3}{2}x+\frac{1}{2}$의 그래프에서 x의 값이 2에서 12까지 증가할 때, y의 값의 증가량은?

① -20 ② -15 ③ -5
④ 15 ⑤ 20

중

06 출제 예상 80%

세 점 $(3,\ -2)$, $(a,\ -a+2)$, $(-1,\ 6)$이 한 직선 위에 있을 때, a의 값을 구하시오.

중

07

출제 예상 90%

다음 일차함수 중 그 그래프가 제2사분면을 지나지 않는 것은?

① $y=3x+6$
② $y=-x+5$
③ $y=\frac{1}{3}x+4$
④ $y=\frac{2}{5}x+2$
⑤ $y=4x-1$

중

08

출제 예상 95%

일차함수 $y=\frac{4}{3}x-4$의 그래프와 x축 및 y축으로 둘러싸인 도형의 넓이를 구하시오.

하

09

출제 예상 85%

다음 일차함수 중 그 그래프가 오른쪽 아래로 향하는 직선인 것은?

① $y=3x+1$
② $y=x-1$
③ $y=5x-4$
④ $y=-3x+4$
⑤ $y=2x+8$

중

10

출제 예상 95%

다음 중 일차함수 $y=-\frac{1}{2}x+1$의 그래프에 대한 설명으로 옳은 것은?

① 점 $(2, 1)$을 지난다.
② 일차함수 $y=\frac{1}{2}x$의 그래프와 평행한 직선이다.
③ 제4사분면을 지나지 않는다.
④ x절편은 -2, y절편은 3이다.
⑤ x의 값이 2만큼 증가할 때, y의 값은 1만큼 감소한다.

중하

11

출제 예상 80%

다음 보기의 일차함수 중 그 그래프가 서로 평행한 것끼리 짝 지은 것은?

보기

ㄱ. $y=-\frac{1}{3}x+4$
ㄴ. $y=4x+3$
ㄷ. $y=2x-3$
ㄹ. $y=4x-(x-2)$
ㅁ. $y=-(-2x+1)$
ㅂ. $y=\frac{1}{3}x-4$

① ㄱ과 ㄴ
② ㄱ과 ㅂ
③ ㄴ과 ㄹ
④ ㄷ과 ㅁ
⑤ ㄹ과 ㅂ

하

12

출제 예상 80%

일차함수 $y=ax+7$의 그래프가 일차함수 $y=3x+b$의 그래프와 일치할 때, 상수 a, b의 값을 각각 구하시오.

중하

13

출제 예상 90%

다음 일차함수 중 그 그래프가 오른쪽 그림의 그래프와 평행한 것은?

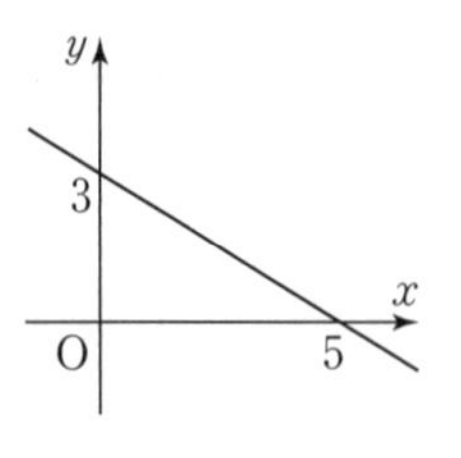

① $y=-\frac{5}{3}x+3$

② $y=-\frac{3}{5}x+3$　③ $y=-\frac{3}{5}x+5$

④ $y=\frac{3}{5}x+3$　⑤ $y=\frac{3}{5}x+5$

상중

14

출제 예상 85%

다음 중 아래 일차함수의 그래프 ㉠~㉤에 대한 설명으로 옳지 않은 것은?

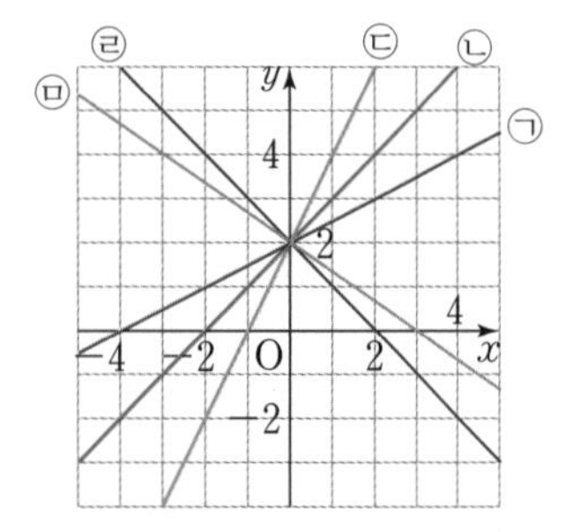

① x절편이 가장 큰 그래프는 ㉤이다.

② 모든 그래프의 y절편은 2이다.

③ x의 값이 증가할 때 y의 값도 증가하는 그래프는 ㉣, ㉤이다.

④ 기울기가 가장 큰 그래프는 ㉢이다.

⑤ 일차함수 $y=x$의 그래프와 평행한 그래프는 ㉡이다.

중

15

출제 예상 95%

오른쪽 그림은 일차함수 $y=-ax+b$의 그래프이다. a, b의 부호를 각각 구하시오.

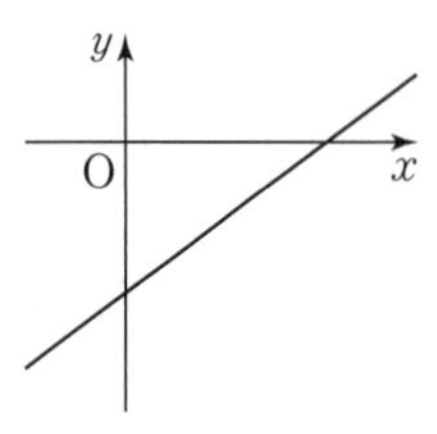

과정을 평가하는 서술형입니다.

중

16

출제 예상 85%

다음 그래프와 평행한 일차함수 $y=ax-1$의 그래프의 x절편을 구하시오. (단, a는 상수)

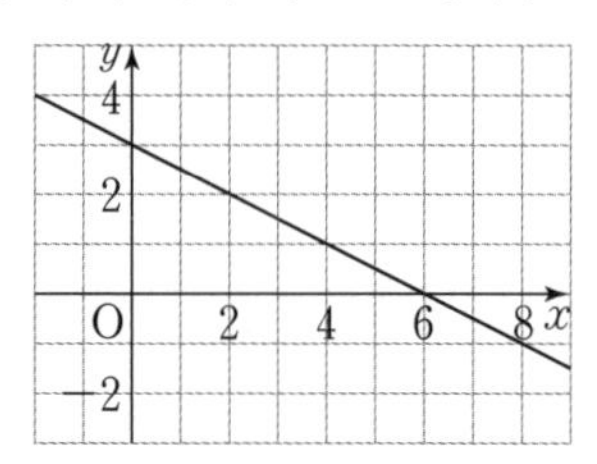

중

17

출제 예상 90%

일차함수 $y=ax-2$의 그래프에서 x의 값이 2만큼 증가할 때, y의 값은 4만큼 증가한다. 이 그래프가 점 $(b, 1)$을 지날 때, ab의 값을 구하시오.

(단, a는 상수)

상중

18

출제 예상 90%

일차함수 $y=ax+b$의 그래프가 오른쪽 그림과 같을 때, 일차함수 $y=\frac{b}{a}x-a$의 그래프가 지나지 않는 사분면을 구하시오. (단, a, b는 상수)

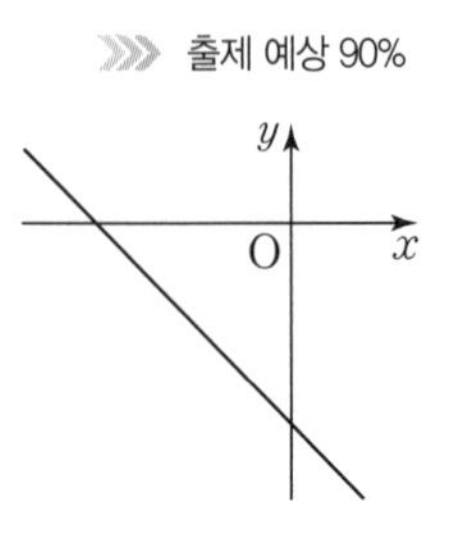

정답과 해설 52쪽

1

오른쪽 그림의 교통 안전 표지판에 적혀 있는 10 %는 경사도를 나타낸 것으로

$\frac{\text{(수직 거리)}}{\text{(수평 거리)}} \times 100\ (\%)$를 계산한 것이다. 다음 물음에 답하시오.

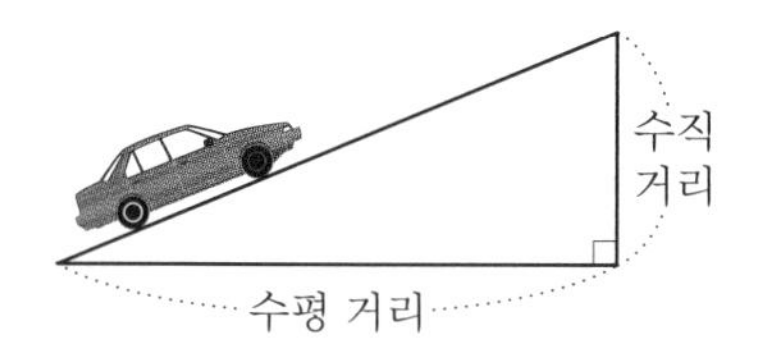

(1) 위의 경사도 표지판이 세워진 오르막길의 수평 거리가 100 m일 때, 수직 거리를 구하시오.

(2) 수평 거리가 200 m이고 수직 거리가 14 m인 오르막길의 경사도를 구하시오.

2

다음 그림과 같이 좌표평면 위에 네 점 A(1, 3), B(1, 2), C(3, 2), D(3, 3)을 꼭짓점으로 하는 사각형이 있다. 일차함수 $y=ax-1$의 그래프가 사각형 ABCD와 만나도록 하는 기울기 a의 값의 범위를 구하려고 할 때, 다음 물음에 답하시오.

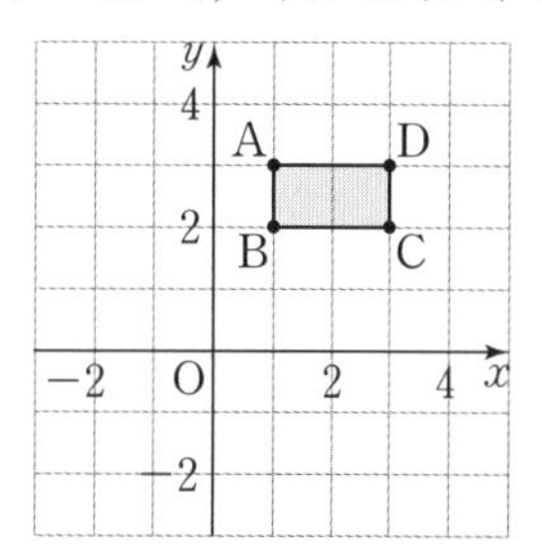

(1) 일차함수 $y=ax-1$의 그래프가 두 꼭짓점 A, C를 각각 지나도록 좌표평면 위에 그래프를 그리시오.

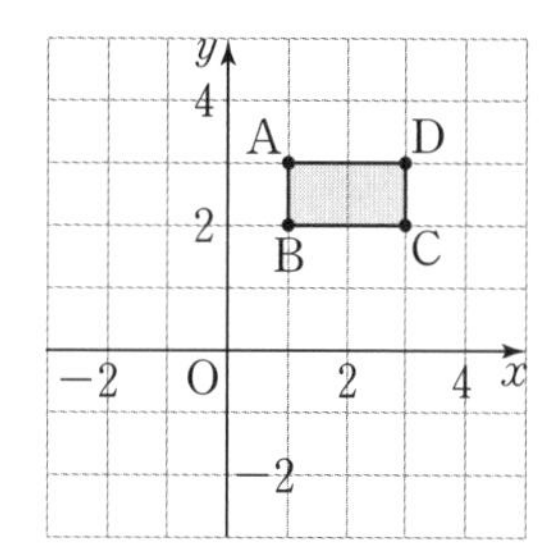

(2) 일차함수 $y=ax-1$의 그래프가 두 꼭짓점 A, C를 지날 때, 기울기 a의 값을 각각 구하시오.

(3) 일차함수 $y=ax-1$의 그래프가 사각형 ABCD와 만나도록 하는 기울기 a의 값의 범위를 구하시오.

12 일차함수의 식과 활용

개념 01 일차함수의 식 구하기 (1)

(1) 기울기와 y절편이 주어질 때

기울기가 a이고 y절편이 b인 직선을 그래프로 하는 일차함수의 식

➡ $y=ax+b$

$y=ax+b$ (기울기: a, y절편: b)

예 기울기가 -2이고 y절편이 3인 직선을 그래프로 하는 일차함수의 식은 $y=-2x+3$

(2) 기울기와 한 점의 좌표가 주어질 때

1단계 기울기가 a인 일차함수의 식을 $y=ax+b$로 놓는다.

2단계 $y=ax+b$에 한 점의 좌표를 대입하여 ❶ (　　) 의 값을 구한다.

3단계 일차함수의 식을 구한다.

예 기울기가 2이고 점 $(1, 5)$를 지나는 직선을 그래프로 하는 일차함수의 식을 구해 보자.

1단계 일차함수의 식을 $y=2x+b$로 놓는다.

2단계 그래프가 점 $(1, 5)$를 지나므로 $y=2x+b$에 $x=1$, $y=5$를 대입하면 $5=2\times1+b$ $\quad\therefore b=3$

3단계 구하는 일차함수의 식은 $y=2x+3$

답 | ❶ b

QUIZ

다음 □ 안에 알맞은 것을 써넣으시오.

(1) 기울기가 -3이고 y절편이 2인 직선을 그래프로 하는 일차함수의 식은 $y=-3x+$□이다.

(2) 기울기가 3이고 점 $(-1, 0)$을 지나는 직선을 그래프로 하는 일차함수의 식 구하기

① 일차함수의 식을 $y=$□$x+b$로 놓는다.

② $y=$□$x+b$에 $x=-1$, $y=$□을 대입하면 $b=$□

③ 구하는 일차함수의 식은 $y=$□

정답 |

(1) 2 (2) ① 3 ② 3, 0, 3 ③ $3x+3$

개념 02 일차함수의 식 구하기 (2)

서로 다른 두 점의 좌표가 주어질 때

1단계 두 점의 좌표를 이용하여 ❶ (　　) a의 값을 구한다.

2단계 일차함수의 식을 $y=ax+b$로 놓는다.

3단계 $y=ax+b$에 두 점 중 한 점의 좌표를 대입하여 b의 값을 구한다.

4단계 일차함수의 식을 구한다.

예 두 점 $(1, 2)$, $(4, -4)$를 지나는 직선을 그래프로 하는 일차함수의 식을 구해 보자.

1단계 기울기 a의 값을 구하면

$$a=\frac{(y\text{의 값의 증가량})}{(x\text{의 값의 증가량})}=\frac{-4-2}{4-1}=\frac{-6}{3}=-2$$

2단계 일차함수의 식을 $y=-2x+b$로 놓는다.

3단계 그래프가 점 $(1, 2)$를 지나므로 $y=-2x+b$에 $x=1$, $y=2$를 대입하면 $2=-2\times1+b$ $\quad\therefore b=4$

4단계 구하는 일차함수의 식은 $y=-2x+4$

참고 그래프가 점 $(4, -4)$를 지나므로 $y=-2x+b$에 $x=4$, $y=-4$를 대입하여 b의 값을 구할 수도 있다.

답 | ❶ 기울기

QUIZ

다음은 두 점 $(-1, 7)$, $(2, 1)$을 지나는 직선을 그래프로 하는 일차함수의 식을 구하는 과정이다. □ 안에 알맞은 수를 써넣으시오.

① (기울기)$=\dfrac{1-\square}{2-(-1)}=\dfrac{\square}{3}=\square$

② ①에서 기울기는 □이므로 일차함수의 식을 $y=$□$x+b$로 놓는다.

③ 그래프가 점 $(2, 1)$을 지나므로 ②의 식에 $x=2$, $y=1$을 대입하면 $b=$□

④ 구하는 일차함수의 식은 $y=$□$x+$□

정답 |

① 7, -6, -2 ② -2, -2 ③ 5 ④ -2, 5

개념 03 일차함수의 식 구하기 (3)

x절편과 y절편이 주어질 때

x절편이 m, y절편이 n인 직선은 두 점 $(m,$ ❶ $)$, $(0, n)$을 지나는 직선과 같으므로 x절편이 m, y절편이 n인 직선을 그래프로 하는 일차함수의 식은 다음과 같은 순서로 구한다.

(단, $m \neq 0$)

1단계 $(\text{기울기})=\frac{n-0}{0-m}=-\frac{n}{m}$을 구한다.

2단계 기울기가 $-\frac{n}{m}$이고 y절편이 n인 직선을 그래프로 하는 일차함수의 식은 $y=-\frac{n}{m}x+$ ❷

예 x절편이 3, y절편이 -1인 직선을 그래프로 하는 일차함수의 식을 구해 보자.

1단계 그래프가 두 점 $(3, 0)$, $(0, -1)$을 지나므로

$(\text{기울기})=\frac{-1-0}{0-3}=\frac{-1}{-3}=\frac{1}{3}$

2단계 기울기가 $\frac{1}{3}$이고 y절편이 -1이므로 구하는 일차함수의 식은

$y=\frac{1}{3}x-1$

답 | ❶ 0 ❷ n

QUIZ

다음은 x절편이 2, y절편이 -4인 직선을 그래프로 하는 일차함수의 식을 구하는 과정이다. □ 안에 알맞은 수를 써넣으시오.

그래프는 두 점 $(□, 0)$, $(□, -4)$를 지나므로

$(\text{기울기})=\frac{-4-0}{□-□}=□$

따라서 기울기가 □이고 y절편이 -4이므로 구하는 일차함수의 식은

$y=□x-4$

정답 |

2, 0, 0, 2, 2, 2, 2

개념 04 일차함수의 활용

1단계 **변수 정하기** 문제의 뜻을 파악하여 변화하는 두 양을 변수 x, y로 놓는다.

2단계 **관계식 구하기** 두 변수 x와 y 사이의 관계를 일차함수 $y=ax+b$의 꼴로 나타낸다.

3단계 **답 구하기** ❶ 이나 그래프를 이용하여 답을 구한다.

예 길이가 20 cm인 용수철이 있다. 이 용수철은 무게가 10 g인 물건을 매달 때마다 길이가 2 cm씩 늘어난다고 한다. 이 용수철에 무게가 45 g인 물건을 매달았을 때, 용수철의 길이를 구해 보자.

1단계 무게가 x g인 물건을 매달았을 때, 용수철의 길이를 y cm라 하자.

2단계 무게가 10 g인 물건을 매달 때마다 용수철의 길이가 2 cm씩 늘어나므로 무게가 1 g인 물건을 매달 때마다 용수철의 길이는 0.2 cm씩 늘어난다.

따라서 x와 y 사이의 관계식은 $y=20+0.2x$

3단계 $y=20+0.2x$에 $x=45$를 대입하면 $y=29$

따라서 무게가 45 g인 물건을 매달았을 때, 용수철의 길이는 29 cm이다.

답 | ❶ 함숫값

QUIZ

어떤 건물에 있는 엘리베이터는 초속 2 m의 일정한 속력으로 내려간다. 다음은 지상으로부터 60 m의 높이에서 출발하여 쉬지 않고 내려간 엘리베이터의 x초 후의 높이를 y m라 할 때, 엘리베이터가 지상으로부터 10 m의 높이에 도착할 때까지 걸리는 시간을 구하는 과정이다. □ 안에 알맞은 것을 써넣으시오.

엘리베이터는 1초에 2 m씩 내려가므로 x초 후에는 $2x$ m만큼 내려간다.

따라서 x와 y 사이의 관계식은

$y=60-□$

$y=60-□$에 $y=10$을 대입하면

$10=60-□$ $\therefore x=□$

따라서 엘리베이터가 지상으로부터 10 m의 높이에 도착할 때까지 걸리는 시간은 □초이다.

정답 |

$2x$, $2x$, $2x$, 25, 25

교과서 개념 확인 테스트

01 일차함수의 식 구하기 – 기울기와 y절편 개념 01

1-1 다음 직선을 그래프로 하는 일차함수의 식을 구하시오.

(1) 기울기가 $-\frac{1}{2}$이고 y절편이 3인 직선

(2) 일차함수 $y=3x-1$의 그래프와 평행하고, y절편이 2인 직선

1-2 다음 직선을 그래프로 하는 일차함수의 식을 구하시오.

(1) 기울기가 1이고 y절편이 -2인 직선

(2) 일차함수 $y=-x+3$의 그래프와 평행하고, y절편이 -5인 직선

02 일차함수의 식 구하기 – 기울기와 한 점 개념 01

2-1 다음 직선을 그래프로 하는 일차함수의 식을 구하시오.

(1) 기울기가 -3이고 점 $(2, -1)$을 지나는 직선

(2) 일차함수 $y=\frac{3}{2}x+1$의 그래프와 평행하고, 점 $(-2, 2)$를 지나는 직선

2-2 다음 직선을 그래프로 하는 일차함수의 식을 구하시오.

(1) 기울기가 5이고 점 $(1, -4)$를 지나는 직선

(2) 일차함수 $y=-\frac{3}{4}x+2$의 그래프와 평행하고, 점 $(8, 0)$을 지나는 직선

03 일차함수의 식 구하기 – 서로 다른 두 점 개념 02

3-1 다음 직선을 그래프로 하는 일차함수의 식을 구하시오.

(1) 두 점 $(-2, 4)$, $(4, 1)$을 지나는 직선

(2) 두 점 $(-5, -2)$, $(-3, 2)$를 지나는 직선

3-2 다음 직선을 그래프로 하는 일차함수의 식을 구하시오.

(1) 두 점 $(1, 3)$, $(2, 5)$를 지나는 직선

(2) 두 점 $(2, -3)$, $(1, 3)$을 지나는 직선

04 일차함수의 식 구하기 – x절편과 y절편 개념 03

4-1 다음 직선을 그래프로 하는 일차함수의 식을 구하시오.

(1) x절편이 4, y절편이 2인 직선

(2) x절편이 -3, y절편이 -4인 직선

4-2 다음 직선을 그래프로 하는 일차함수의 식을 구하시오.

(1) x절편이 -2, y절편이 3인 직선

(2) x절편이 2, y절편이 -5인 직선

05 그래프가 주어진 일차함수의 식 개념 01 + 개념 03

5-1 오른쪽 그림과 같은 직선에 대하여 다음 물음에 답하시오.

(1) 이 직선의 기울기를 구하시오.

(2) 이 직선을 그래프로 하는 일차함수의 식을 구하시오.

5-2 다음 그림에서 직선 (1)과 (2)를 그래프로 하는 일차함수의 식을 각각 구하시오.

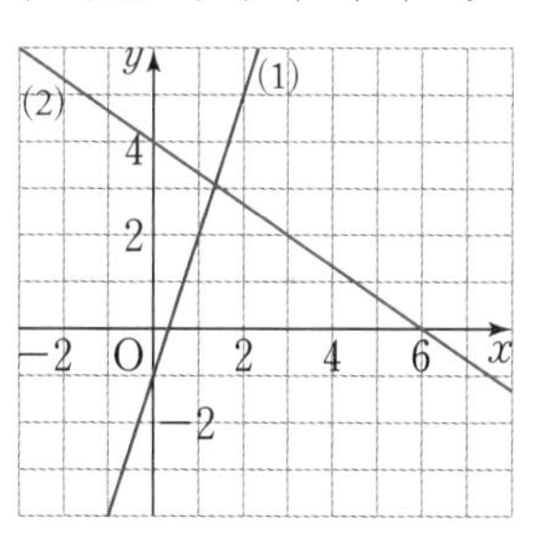

06 일차함수의 활용 개념 04

6-1 길이가 20 cm인 양초에 불을 붙이면 1분마다 0.04 cm씩 짧아진다고 한다. 불을 붙인 지 x분 후에 남은 양초의 길이를 y cm라 할 때, 다음 물음에 답하시오.

(1) y를 x의 식으로 나타내시오.

(2) 남은 양초의 길이가 12 cm가 되는 것은 불을 붙인 지 몇 분 후인지 구하시오.

6-2 온도가 20 ℃인 물에 열을 가하면 1분마다 2 ℃씩 올라간다고 한다. 온도가 20 ℃인 물에 열을 가한 지 x분 후의 물의 온도를 y ℃라 할 때, 다음 물음에 답하시오.

(1) y를 x의 식으로 나타내시오.

(2) 물의 온도가 80 ℃가 되는 것은 열을 가한 지 몇 분 후인지 구하시오.

기출 기초 테스트

10종 교과서 공통 문제

유형 01 일차함수의 식 구하기 (1)

1-1 x의 값이 1만큼 증가할 때, y의 값은 4만큼 증가하고, 점 $(4,\ 1)$을 지나는 직선을 그래프로 하는 일차함수의 식을 구하시오.

(10종 교과서 공통)

1-2 두 점 $(2,\ 5)$, $(4,\ -3)$을 지나는 일차함수의 그래프와 평행하고, 점 $(1,\ 0)$을 지나는 직선을 그래프로 하는 일차함수의 식을 구하시오.

유형 02 일차함수의 식 구하기 (2)

2-1 두 점 $(-1,\ -6)$, $(4,\ -1)$을 지나는 직선을 그래프로 하는 일차함수의 식을 $y=ax+b$라 할 때, $a+b$의 값을 구하시오.

(단, a, b는 상수)

(10종 교과서 공통)

2-2 오른쪽 그림과 같은 직선을 그래프로 하는 일차함수의 식을 구하시오.

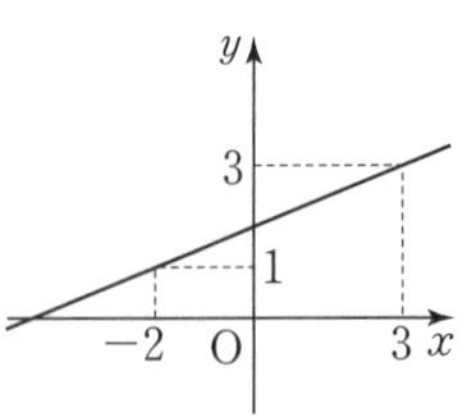

유형 03 일차함수의 식 구하기 (3)

3-1 일차함수 $y=-2x+4$의 그래프와 y절편이 같고, x절편이 -3인 직선을 그래프로 하는 일차함수의 식을 구하시오.

(10종 교과서 공통)

3-2 오른쪽 그림과 같은 일차함수의 그래프가 점 $(8,\ k)$를 지날 때, k의 값을 구하시오.

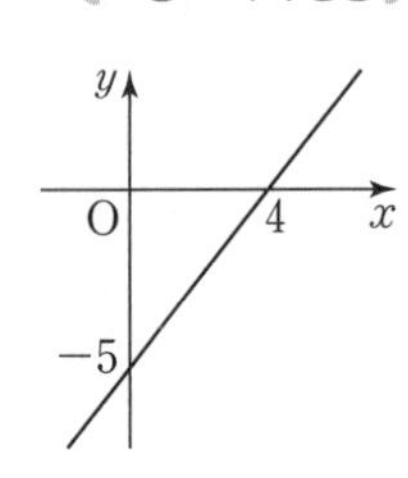

유형 04 일차함수의 활용

4-1 기온이 0 ℃일 때, 공기 중에서 소리의 속력은 초속 331 m이고, 기온이 1 ℃ 오를 때마다 초속 0.6 m씩 증가한다고 한다. 기온이 x ℃일 때의 소리의 속력을 초속 y m라 할 때, 다음 물음에 답하시오.

(1) y를 x의 식으로 나타내시오.

(2) 기온이 28 ℃일 때, 소리의 속력을 구하시오.

10종 교과서 공통

4-2 깊이가 2 m인 어느 실내 수영장에 일정하게 물을 채워 넣을 때, 수면의 높이가 매분 2 cm씩 높아진다고 한다. 수면의 높이가 20 cm일 때부터 물을 채워 넣기 시작한 지 10분이 지났을 때, 수면의 높이를 구하시오.

유형 05 그래프를 이용한 일차함수의 활용

5-1 오른쪽 그래프는 해발고도에 따른 물이 끓는 온도를 나타낸 것이다. 해발고도를 x m, 물이 끓는 온도를 y ℃라 할 때, 다음 물음에 답하시오.

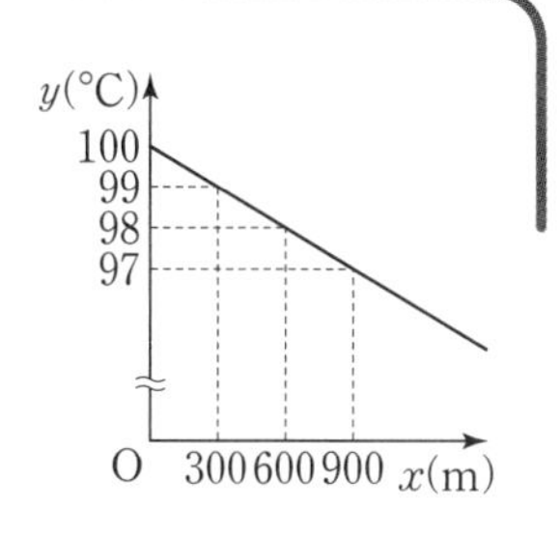

(1) y를 x의 식으로 나타내시오.

(2) 해발 1800 m에서 물이 끓는 온도를 구하시오.

10종 교과서 공통

5-2 오른쪽 그래프는 어느 한 지점에서 지면으로부터의 깊이에 따라 일정하게 변하는 땅속의 온도를 나타낸 것이다.

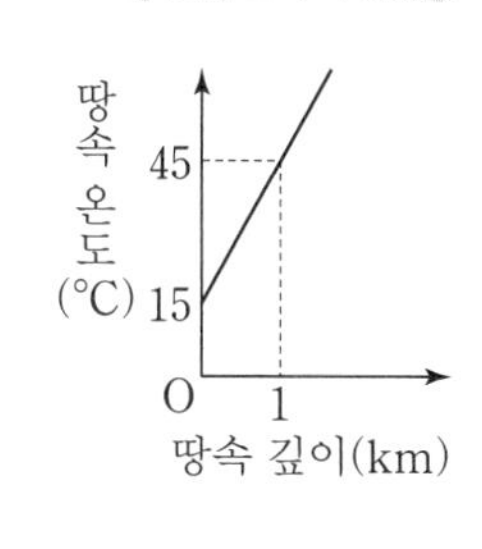

이 지점에서 지면으로부터의 깊이가 5 km일 때, 땅속의 온도를 구하시오.

유형 06 일차함수의 활용 – 도형

6-1 오른쪽 그림과 같은 직사각형 ABCD에서 점 P는 점 B를 출발하여 변 BC를 따라 점 C까지 움직인다. 선분 PC의 길이를 x cm, 삼각형 ABP의 넓이를 y cm^{2}라 할 때, 다음 물음에 답하시오.

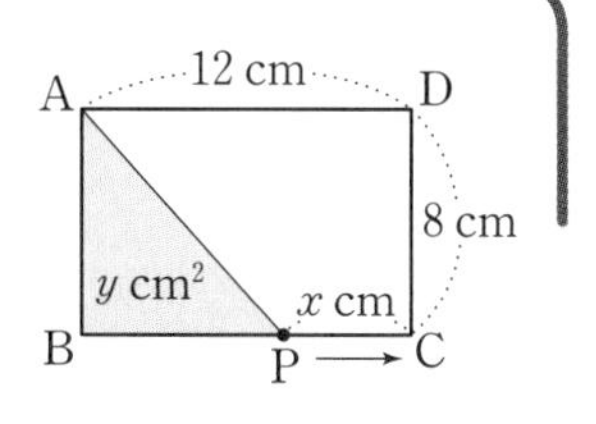

(1) y를 x의 식으로 나타내시오.

(2) $x=3$일 때, 삼각형 ABP의 넓이를 구하시오.

천재(이), 동아, 미래엔, 비상 유사

6-2 다음 그림과 같은 직사각형 ABCD에서 점 P는 점 B를 출발하여 변 BC를 따라 점 C까지 매초 2 cm씩 움직인다. 사각형 ABPD의 넓이가 64 cm^{2}가 되는 것은 점 P가 점 B를 출발한지 몇 초 후인지 구하시오.

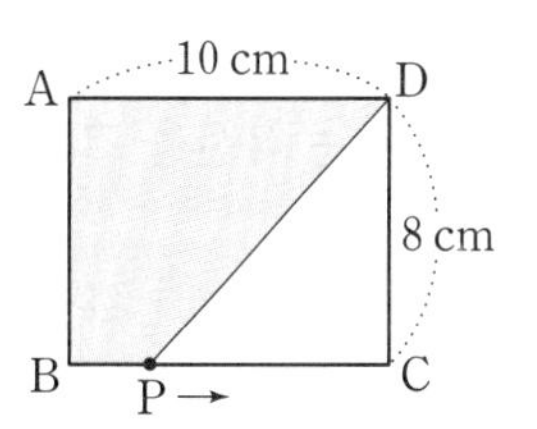

교과서 기본 테스트

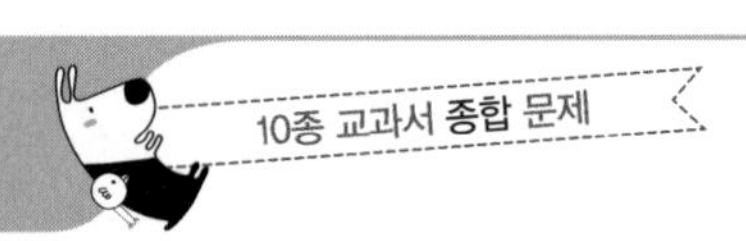

중하

01

출제 예상 85%

기울기가 -3이고 y절편이 8인 직선이 점 $(a,\ 5)$를 지날 때, a의 값을 구하시오.

중하

02

출제 예상 90%

다음 두 조건을 만족시키는 직선을 그래프로 하는 일차함수의 식을 구하시오.

> (가) 일차함수 $y=-\frac{1}{2}x+\frac{3}{2}$의 그래프와 평행하다.
> (나) 일차함수 $y=-3x-2$의 그래프와 y절편이 같다.

중하

03

출제 예상 95%

일차함수 $y=-x+2$의 그래프와 평행하고, 점 $(1,\ 3)$을 지나는 직선을 그래프로 하는 일차함수의 식을 구하시오.

중하

04

출제 예상 90%

x의 값이 3만큼 증가할 때, y의 값은 6만큼 증가하고 점 $(-1,\ 3)$을 지나는 직선을 그래프로 하는 일차함수의 식은?

① $y=-2x-5$　② $y=-2x+5$
③ $y=2x-5$　④ $y=2x+5$
⑤ $y=3x-2$

중

05

출제 예상 90%

다음 일차함수 중 그 그래프가 두 점 $(-3,\ 10)$, $(2,\ -5)$를 지나는 일차함수의 그래프와 y축 위에서 만나는 것은?

① $y=-4x+1$　② $y=-2x+3$
③ $y=-x+\frac{3}{2}$　④ $y=2x-6$
⑤ $y=3x+6$

✓ y축 위에서 만난다. ➡ y절편이 같다.

중

06

출제 예상 95%

오른쪽 그림과 같은 일차함수의 그래프의 x절편을 구하시오.

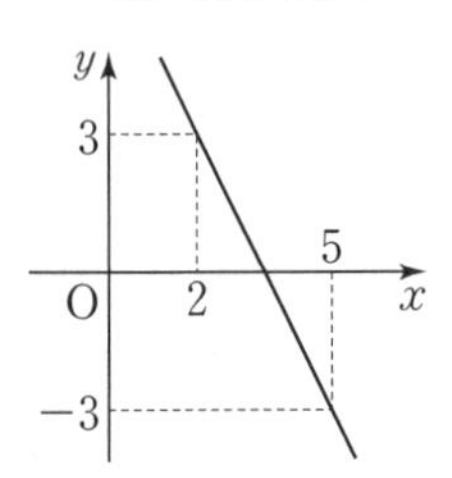

중

07

출제 예상 85%

다음 중 두 점 $(4,\ 0)$, $(0,\ -2)$를 지나는 직선 위의 점은?

① $(-3,\ -5)$ ② $(-2,\ -2)$

③ $(-1,\ -1)$ ④ $(2,\ -1)$

⑤ $(6,\ 2)$

중하

08

출제 예상 90%

x절편이 -3이고 y절편이 2인 직선을 그래프로 하는 일차함수의 식은?

① $y=\frac{2}{3}x-2$ ② $y=\frac{2}{3}x+2$

③ $y=\frac{3}{2}x-2$ ④ $y=\frac{3}{2}x+2$

⑤ $y=3x+2$

중

09

출제 예상 90%

두 점 $(-1,\ a)$, $(2,\ 3a)$를 지나는 직선을 그래프로 하는 일차함수의 식을 $y=2x+b$라 할 때, a, b의 값을 각각 구하시오. (단, b는 상수)

중

10

출제 예상 95%

다음 중 두 점 $(-2,\ 0)$, $(-1,\ 2)$를 지나는 일차함수의 그래프에 대한 설명으로 옳지 않은 것은?

① 기울기는 2이다.

② 점 $(-3,\ -2)$를 지난다.

③ y절편은 4이다.

④ 제1, 2, 4사분면을 지난다.

⑤ x의 값이 증가하면 y의 값도 증가한다.

중

11

출제 예상 90%

휘발유 1 L로 15 km를 달릴 수 있는 자동차에 40 L의 휘발유를 채우고 출발하였다. 자동차가 270 km를 달린 후에 남아 있는 휘발유의 양을 구하시오.

중

12

출제 예상 95%

지면으로부터 10 km 높이 이내에서는 높이가 100 m 높아질 때마다 기온이 0.6 ℃씩 내려간다고 한다. 지면의 온도가 20 ℃일 때, 기온이 -4 ℃가 되는 곳은 지면으로부터 몇 km의 높이인지 구하시오.

정답과 해설 57쪽

상중

13 까다로운 문제

출제 예상 80%

물이 들어 있는 직육면체 모양의 수영장에서 일정한 비율로 물을 빼내고 있다. 물을 빼내기 시작한 지 10분과 20분 후에 수면의 높이를 재었더니 각각 80 cm, 60 cm이었다. 물을 x분 동안 빼낸 후의 수면의 높이를 y cm라 할 때, 다음 물음에 답하시오.

(1) y를 x의 식으로 나타내시오.

(2) 수영장에서 물을 다 빼낼 때까지 걸리는 시간은 몇 분인지 구하시오.

✓ 10분 동안 낮아진 수면의 높이를 이용하여 1분 동안 낮아지는 수면의 높이를 구한다.

상중

14

출제 예상 80%

길이가 20 cm인 용수철의 아래 끝에 추를 매달아 용수철의 길이를 측정하는 실험을 하여 다음 그림과 같은 그래프를 얻었다. 물음에 답하시오.

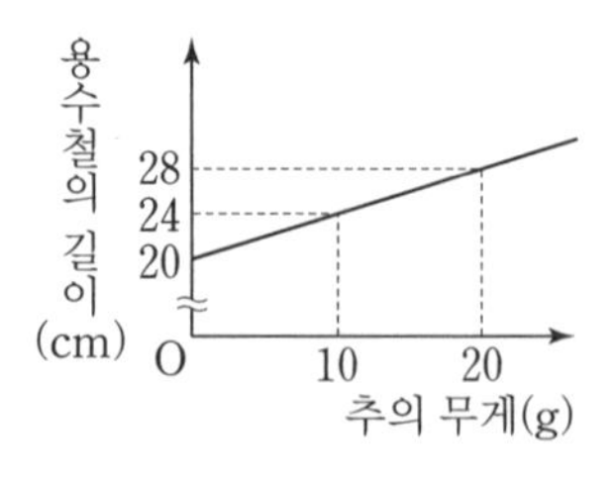

(1) 매단 추의 무게를 x g, 용수철의 길이를 y cm라 할 때, y를 x의 식으로 나타내시오.

(2) 이 용수철에 무게가 30 g인 추를 매달 때, 용수철의 길이를 구하시오.

과정을 평가하는 서술형입니다.

중

15

출제 예상 95%

오른쪽 그림의 직선과 평행하고 x절편이 6인 일차함수의 그래프가 점 $\left(\frac{3}{4}, k\right)$를 지날 때, k의 값을 구하시오.

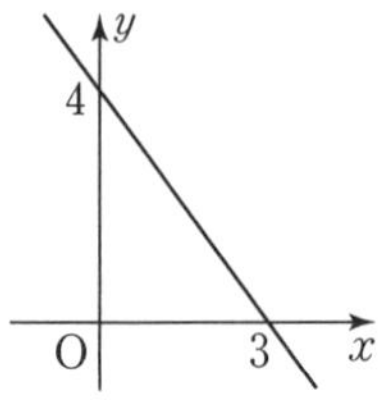

중

16

출제 예상 85%

일차함수 $y=-\frac{1}{2}x+2$의 그래프와 x축 위에서 만나고, 일차함수 $y=3x-1$의 그래프와 y축 위에서 만나는 직선을 그래프로 하는 일차함수의 식을 $y=ax+b$라 할 때, $4a-b$의 값을 구하시오.

(단, a, b는 상수)

중

17

출제 예상 85%

오른쪽 그림과 같은 직사각형 ABCD에서 점 P가 점 B를 출발하여 변 BC를 따라 점 C까지 매초 3 cm씩 움직인다. 점 P가 점 B를 출발한 지 x초 후의 사다리꼴 APCD의 넓이를 $y\text{ cm}^2$라 할 때, 다음 물음에 답하시오.

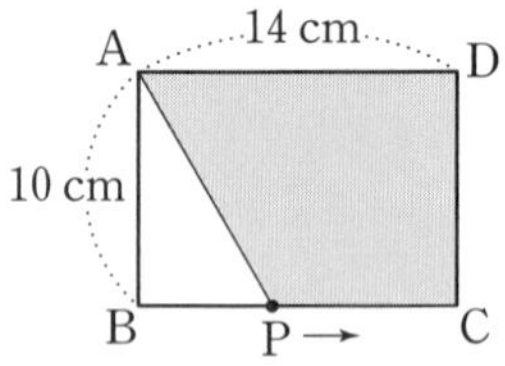

(1) y를 x의 식으로 나타내시오.

(2) 사다리꼴 APCD의 넓이가 80 cm^2가 되는 것은 점 P가 점 B를 출발한 지 몇 초 후인지 구하시오.

정답과 해설 58쪽

1

일차함수 $y=ax+b$의 그래프를 그리는데, 준석이는 x의 계수 a를 잘못 보아 두 점 $(-1, 8)$, $(1, 2)$를 지나는 직선을 그렸고, 연미는 상수항 b를 잘못 보아 두 점 $(-2, 0)$, $(-1, 2)$를 지나는 직선을 그렸다. 다음 물음에 답하시오.

(1) 준석이가 그린 직선을 그래프로 하는 일차함수의 식을 구하시오.

(2) 연미가 그린 직선을 그래프로 하는 일차함수의 식을 구하시오.

(3) 상수 a, b의 값을 각각 구하시오.

2

다음은 물속에서 물체가 받는 압력에 대한 설명이다. 어느 잠수정이 1000기압까지 버틸 수 있다고 할 때, 이 잠수정은 해수면으로부터 몇 m까지 내려갈 수 있는지 구하시오.

- 물속에서 깊이가 10 m 깊어질 때마다 압력은 1기압씩 높아진다.
- 물속의 물체는 그 물체가 있는 지점에서의 수압과 대기압 1기압을 더한 값만큼 압력을 받는다.

3

다음은 민주가 어느 놀이 기구를 타기 위해 늘어선 줄에 대해 관찰한 내용이다. 놀이 기구를 운행한 횟수를 x회, 민주 앞에 서 있는 사람의 수를 y명이라 할 때, 물음에 답하시오.

- 놀이 기구를 한 번에 탈 수 있는 인원은 8명이다.
- 놀이 기구를 1회 운행하는 데 걸리는 시간은 타고 내리는 시간을 모두 포함하여 10분이다.
- 민주 앞에 서 있는 사람의 수는 50명이다.
- 지금 막 놀이 기구가 운행되기 시작하였다.

(1) 아래 표를 완성하시오.

x(회)	0	1	2	3
y(명)	50			

(2) y를 x의 식으로 나타내시오.

(3) 놀이 기구를 6회 운행했을 때, 민주 앞에 서 있는 사람의 수를 구하시오.

(4) 민주가 몇 분을 기다려야 놀이 기구를 탈 차례가 되는지 구하시오.

일차함수와 일차방정식

개념 01 일차함수와 일차방정식

(1) **일차방정식의 그래프** 일차방정식 $ax+by+c=0$(a, b, c는 상수, $a\neq0$, $b\neq0$)의 해 (x, y)를 좌표평면 위에 나타낸 것을 일차방정식의 그래프라 한다.

참고 일차방정식의 그래프
① x, y의 값의 범위가 자연수 또는 정수일 때 ➡ 점
② x, y의 값의 범위가 수 전체일 때 ➡ 직선

(2) **일차방정식과 일차함수의 관계** 미지수가 2개인 일차방정식 $ax+by+c=0$(a, b, c는 상수, $a\neq0$, $b\neq0$)의 그래프는 일차함수 $y=$ ❶ $x-\frac{c}{b}$의 그래프와 같다.

일차방정식		일차함수
$ax+by+c=0$ (단, $a\neq0$, $b\neq0$)	함수의 식 → / ← 방정식	$y=-\frac{a}{b}x-\frac{c}{b}$

예 일차방정식 $2x+y-6=0$의 그래프는 일차함수 $y=-2x+6$의 그래프와 같다.

답 | ❶ $-\frac{a}{b}$

QUIZ

다음 일차방정식과 일차함수 중 그 그래프가 서로 같은 것을 찾아 선으로 연결하시오.

(1) $x+y=3$ • 　　• ㉠ $y=-x+3$
(2) $4x-2y+1=0$ • 　　• ㉡ $y=\frac{1}{2}x+\frac{3}{2}$
(3) $3x-6y+9=0$ • 　　• ㉢ $y=2x+\frac{1}{2}$

정답 |
(1) – ㉠, (2) – ㉢, (3) – ㉡

개념 02 직선의 방정식

(1) **일차방정식 $x=p$, $y=q$의 그래프**
① $x=p$의 그래프 ➡ 점 $(p, 0)$을 지나고 ❶ 에 평행한 직선
② $y=q$의 그래프 ➡ 점 $(0, q)$를 지나고 ❷ 에 평행한 직선

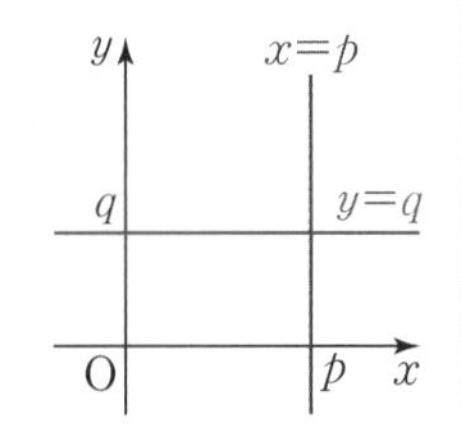

참고 $x=0$의 그래프 ➡ y축
$y=0$의 그래프 ➡ x축

(2) **직선의 방정식** x, y의 값의 범위가 수 전체일 때, 일차방정식 $ax+by+c=0$(a, b, c는 상수, $a\neq0$ 또는 $b\neq0$)의 해는 무수히 많고, 이 해를 좌표평면 위에 나타내면 직선이 된다. 이때 일차방정식 $ax+by+c=0$을 직선의 방정식이라 한다.

참고

$a\neq0$, $b\neq0$이면 일차함수의 그래프	$a\neq0$, $b=0$이면 y축에 평행한 그래프	$a=0$, $b\neq0$이면 x축에 평행한 그래프
$x+y-1=0$ (y, 1, O, 1, x)	$x-1=0$ (y, O, 1, x)	$y-1=0$ (y, 1, O, x)

답 | ❶ y축 ❷ x축

QUIZ

1. 다음 좌표평면을 보고, □ 안에 알맞은 것을 써넣으시오.

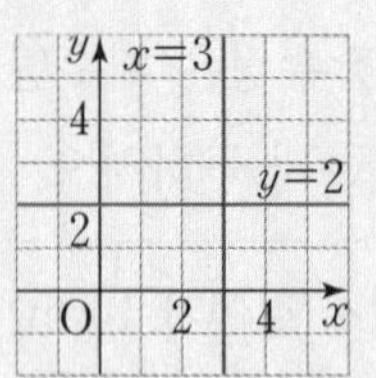

(1) 일차방정식 $x=3$의 그래프는 점 (□, 0)을 지나고 □축에 평행한 직선이다.
(2) 일차방정식 $y=2$의 그래프는 점 (0, □)를 지나고 □축에 평행한 직선이다.

2. 다음 괄호 안의 알맞은 것에 ○표 하시오.
(1) 일차방정식 $x=0$의 그래프는 (x축, y축)을 나타낸다.
(2) 일차방정식 $y=0$의 그래프는 (x축, y축)을 나타낸다.

정답 |
1. (1) 3, y (2) 2, x
2. (1) y축 (2) x축

개념 03 연립방정식의 해와 그래프

연립방정식
$\begin{cases} ax+by+c=0 \\ a'x+b'y+c'=0 \end{cases}$ 의 해는 두 일차방정식 $ax+by+c=0$, $a'x+b'y+c'=0$의 그래프의 ❶ ☐ 의 좌표와 같다.

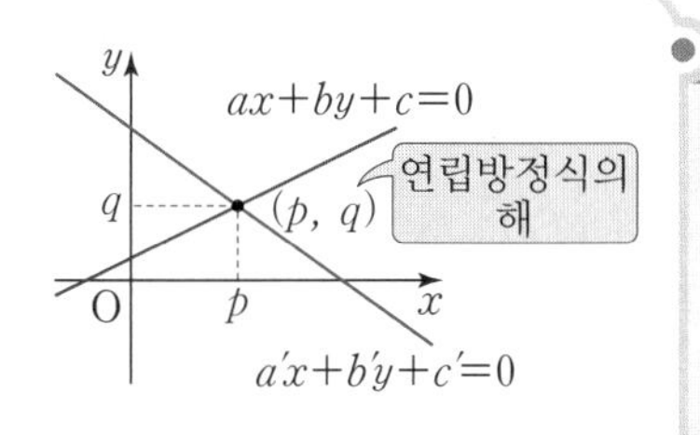

연립방정식의 해 $x=p$, $y=q$	⇄	두 일차방정식의 그래프의 교점의 좌표 (p, q)

답 | ❶ 교점

QUIZ

오른쪽 그림은 연립방정식 $\begin{cases} -x+y=3 \\ 2x+y=-3 \end{cases}$ 을 풀기 위해 두 일차방정식의 그래프를 그린 것이다. 다음 물음에 답하시오.

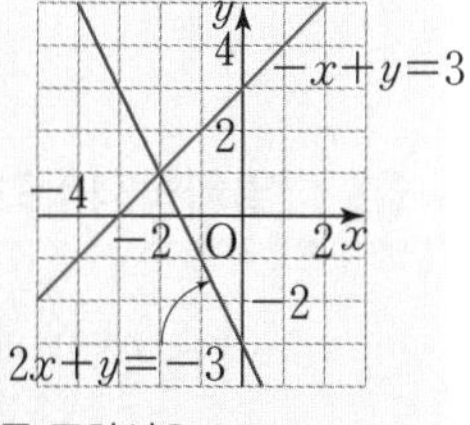

(1) 두 그래프의 교점의 좌표를 구하시오.
(2) 연립방정식의 해를 구하시오.

정답 |
(1) $(-2, 1)$ (2) $x=-2$, $y=1$

개념 04 연립방정식의 해의 개수와 두 그래프의 위치 관계

연립방정식 $\begin{cases} ax+by+c=0 \\ a'x+b'y+c'=0 \end{cases}$ 의 해의 개수는 두 일차방정식 $ax+by+c=0$, $a'x+b'y+c'=0$의 그래프의 교점의 개수와 같다.

두 그래프의 위치 관계	한 점에서 만난다.	평행하다.	일치한다.
두 그래프의 교점의 개수	한 개	없다.	무수히 많다.
연립방정식의 해의 개수	한 쌍	해가 ❶ ☐.	해가 무수히 많다.
기울기와 y절편	기울기가 다르다.	기울기는 같고 y절편이 다르다.	기울기와 y절편이 각각 같다.

예 (1) $\begin{cases} 2x-y=2 \\ 4x-2y=-4 \end{cases}$

➡ 주어진 두 일차방정식에서 y를 각각 x의 식으로 나타내면

$y=2x-2$, $y=2x+2$

이므로 두 일차방정식의 그래프는 오른쪽 그림과 같이 서로 평행하다. 따라서 두 직선의 교점이 없으므로 연립방정식의 해는 없다.

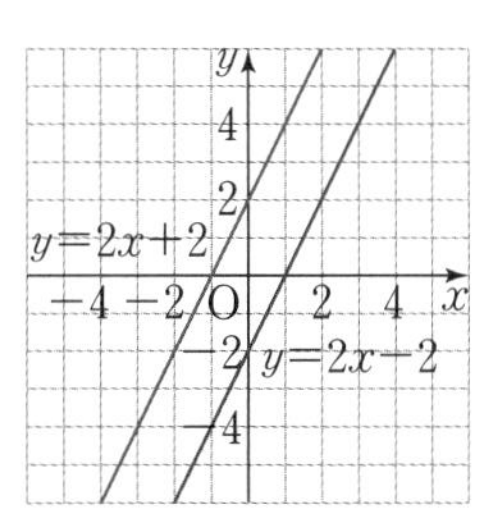

(2) $\begin{cases} x+3y=3 \\ 4x+12y=12 \end{cases}$

➡ 주어진 두 일차방정식에서 y를 각각 x의 식으로 나타내면

$y=-\frac{1}{3}x+1$, $y=-\frac{1}{3}x+1$

이므로 두 일차방정식의 그래프는 오른쪽 그림과 같이 일치한다. 따라서 두 직선의 교점이 무수히 많으므로 연립방정식의 해는 무수히 많다.

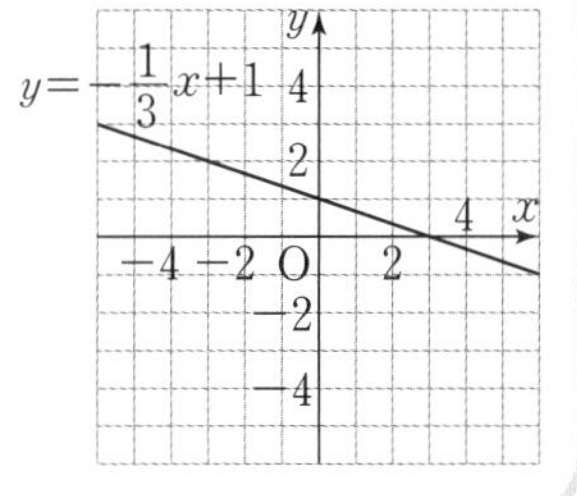

답 | ❶ 없다

QUIZ

두 일차방정식의 그래프의 위치 관계를 이용하여 다음 연립방정식의 해의 개수를 구하려고 한다. ☐ 안에 알맞은 것을 써넣고, 괄호 안의 알맞은 것에 ○표 하시오.

(1) $\begin{cases} 3x+y=-2 \\ 6x+2y=8 \end{cases}$ ➡ $\begin{cases} y=-3x-2 \\ y=\square \end{cases}$

➡ 해가 (한 쌍이다, 없다, 무수히 많다).

(2) $\begin{cases} -y=x-3 \\ x+y=3 \end{cases}$ ➡ $\begin{cases} y=-x+3 \\ y=\square \end{cases}$

➡ 해가 (한 쌍이다, 없다, 무수히 많다).

정답 |
(1) $-3x+4$, 없다 (2) $-x+3$, 무수히 많다

교과서 개념 확인 테스트

01 일차방정식의 그래프 개념 01

1-1 다음 일차방정식의 그래프의 기울기와 y절편을 각각 구하시오.

(1) $3x+2y-4=0$

(2) $-6x+4y+2=0$

(3) $6x-9y-5=0$

1-2 다음 일차방정식의 그래프를 오른쪽 좌표평면 위에 그리시오.

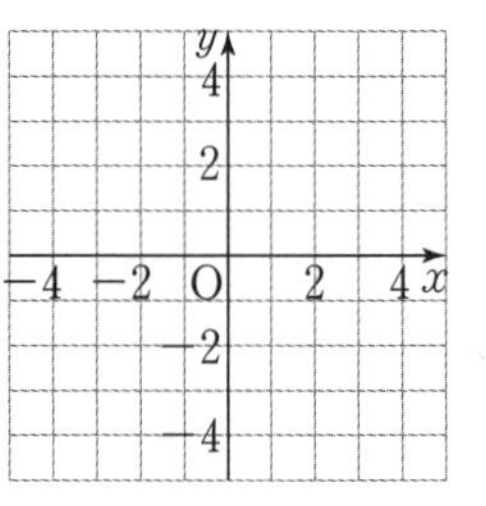

(1) $2x+y+3=0$

(2) $x-3y+6=0$

02 일차방정식 $x=p$, $y=q$의 그래프 개념 02

2-1 다음 일차방정식의 그래프를 오른쪽 좌표평면 위에 그리시오.

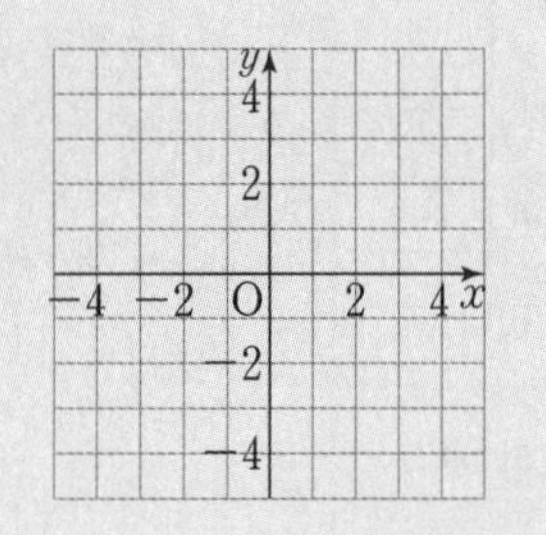

(1) $x=-4$

(2) $y=3$

(3) $x=2$

(4) $y=-1$

2-2 다음 일차방정식의 그래프를 오른쪽 좌표평면 위에 그리시오.

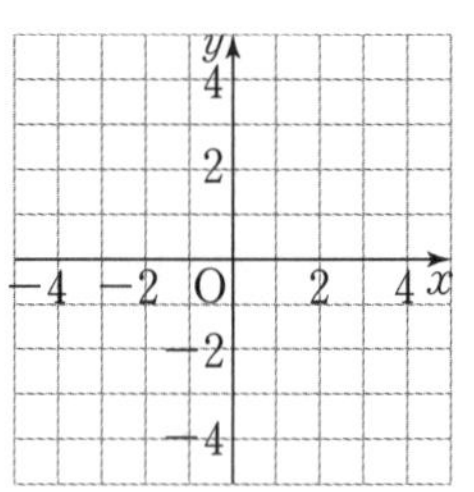

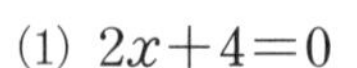

(1) $2x+4=0$

(2) $2y-8=0$

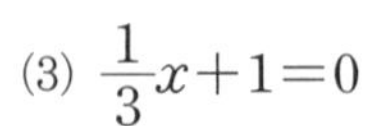

(3) $\frac{1}{3}x+1=0$

(4) $3y+6=0$

03 직선의 방정식 개념 02

3-1 다음 직선의 방정식을 구하시오.

(1) 점 $(3,\ 2)$를 지나고 x축에 평행한 직선

(2) 점 $(-5,\ 3)$을 지나고 y축에 평행한 직선

(3) 점 $(4,\ -1)$을 지나고 x축에 수직인 직선

(4) 점 $(-5,\ -4)$를 지나고 y축에 수직인 직선

3-2 다음 직선의 방정식을 구하시오.

(1) 점 $(1,\ -2)$를 지나고 x축에 평행한 직선

(2) 점 $(1,\ 0)$을 지나고 y축에 평행한 직선

(3) 점 $(-3,\ 1)$을 지나고 x축에 수직인 직선

(4) 점 $(-2,\ -3)$을 지나고 y축에 수직인 직선

04 연립방정식의 해와 그래프 개념 03

4-1 오른쪽 그래프를 이용하여 연립방정식 $\begin{cases} 3x-y=-1 \\ x+2y=-5 \end{cases}$ 를 푸시오.

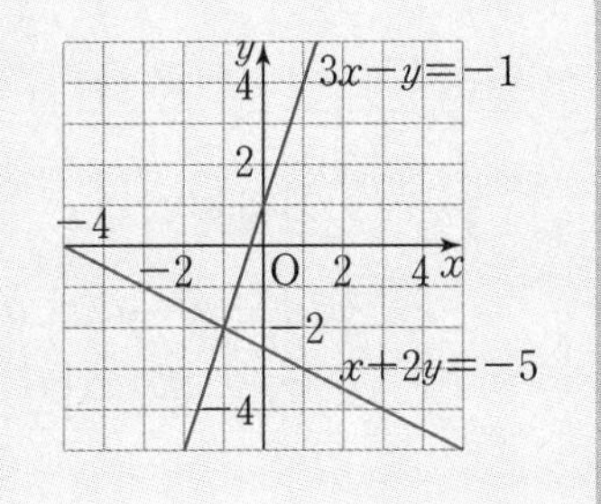

4-2 오른쪽 그래프를 이용하여 다음 연립방정식을 푸시오.

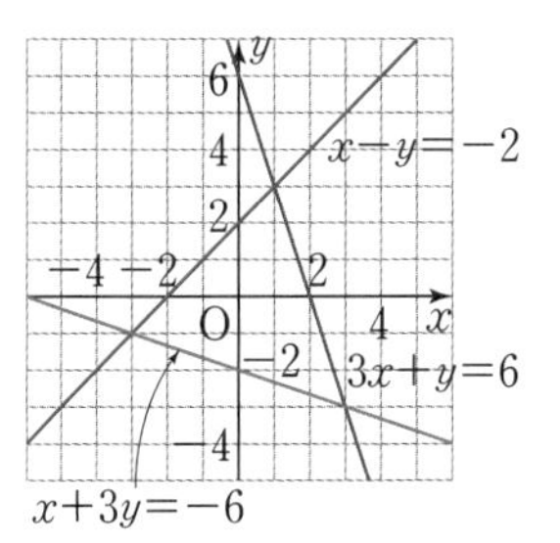

(1) 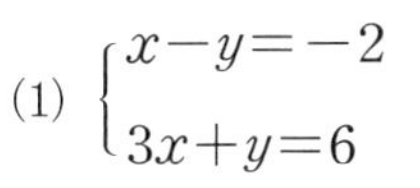 $\begin{cases} x-y=-2 \\ 3x+y=6 \end{cases}$

(2) 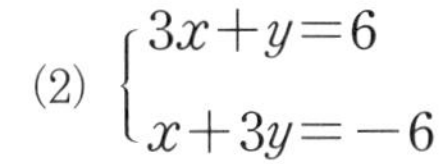 $\begin{cases} 3x+y=6 \\ x+3y=-6 \end{cases}$

05 연립방정식의 해의 개수와 그래프 개념 04

5-1 다음 연립방정식에서 두 일차방정식의 그래프를 오른쪽 좌표평면 위에 그리고, 연립방정식의 해를 구하시오.

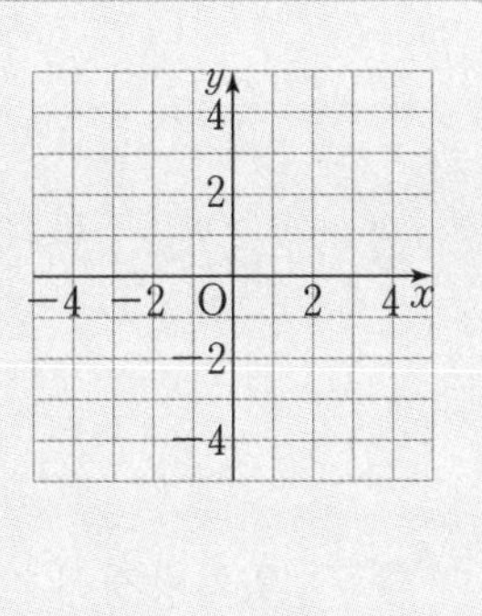

(1) $\begin{cases} 3x+y=1 \\ 9x+3y=6 \end{cases}$　(2) $\begin{cases} 2x-3y=3 \\ 4x-6y=6 \end{cases}$

5-2 다음 연립방정식에서 두 일차방정식의 그래프를 오른쪽 좌표평면 위에 그리고, 연립방정식의 해를 구하시오.

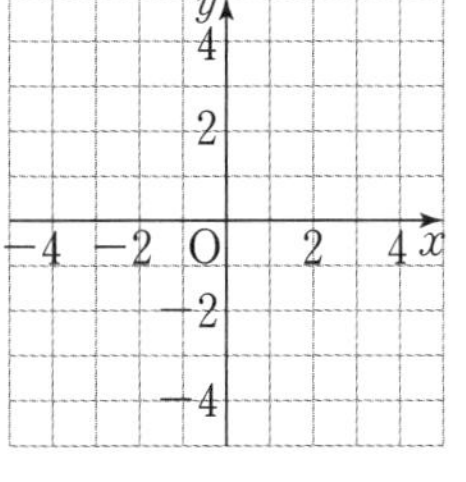

(1) $\begin{cases} y=-x+3 \\ x+y=3 \end{cases}$　(2) $\begin{cases} -x+3y=2 \\ 2x-6y=-12 \end{cases}$

06 연립방정식의 해의 개수에 대한 조건 개념 04

6-1 다음 연립방정식의 해가 한 쌍인지, 해가 없는 지, 해가 무수히 많은지를 각각 말하시오.

(1) $\begin{cases} x+2y=5 \\ 3x+6y=5 \end{cases}$

(2) $\begin{cases} 6x-2y=4 \\ 3x-y=2 \end{cases}$

(3) $\begin{cases} 5x-3y=7 \\ 2x+y=5 \end{cases}$

6-2 아래 보기의 연립방정식 중에서 해가 다음과 같은 것을 모두 고르시오.

보기

ㄱ $\begin{cases} x+2y+3=0 \\ 2x+y-3=0 \end{cases}$　ㄴ $\begin{cases} 4x-3y+1=0 \\ 4x-3y-1=0 \end{cases}$

ㄷ $\begin{cases} 4x+2y+8=0 \\ 2x+y+4=0 \end{cases}$　ㄹ $\begin{cases} x-y+1=0 \\ 3x-y=0 \end{cases}$

(1) 해가 한 쌍이다.

(2) 해가 없다.

(3) 해가 무수히 많다.

기출 기초 테스트

10종 교과서 공통 문제

유형 01 일차방정식과 일차함수의 관계

1-1 일차방정식 $3x-2y+4=0$의 그래프의 기울기를 m, y절편을 n이라 할 때, mn의 값을 구하시오.

(천재(이), 금성, 동아(박) 유사)

1-2 일차방정식 $2x-5y+10=0$의 그래프가 일차함수 $y=ax+b$의 그래프와 같을 때, $a-b$의 값을 구하시오. (단, a, b는 상수)

유형 02 일차방정식 $x=p$, $y=q$의 그래프

2-1 다음 중 직선 $x=-1$에 수직이고, 점 $(-4, 5)$를 지나는 직선의 방정식은?

① $x=-4$ ② $x=5$ ③ $y=-4$
④ $y=-1$ ⑤ $y=5$

(10종 교과서 공통)

2-2 일차방정식 $2x-6=a$의 그래프가 오른쪽 그림과 같을 때, 상수 a의 값을 구하시오.

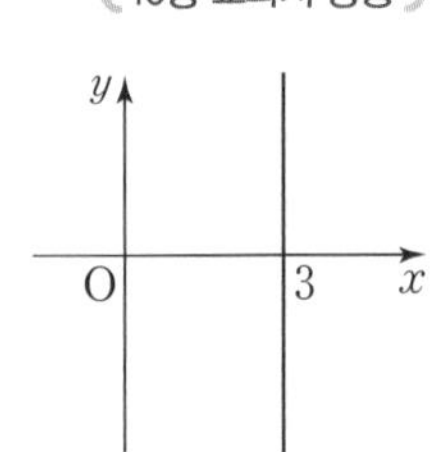

유형 03 좌표축에 평행한 직선에서 미지수의 값 구하기

3-1 두 점 $(2a-3, 3)$, $(a-5, -6)$을 지나는 직선이 x축에 수직일 때, a의 값을 구하시오

(10종 교과서 공통)

3-2 두 점 $(4, -a+5)$, $(-1, 2a+8)$을 지나는 직선이 x축에 평행할 때, a의 값을 구하시오.

정답과 해설 60쪽

유형 04 두 직선의 교점의 좌표를 이용하여 미지수의 값 구하기

4-1 오른쪽 그림은 연립방정식 $\begin{cases} x+y=3b \\ 2x-3y=2a \end{cases}$를 풀기 위해 두 일차방정식의 그래프를 그린 것이다. 이때 $a+b$의 값을 구하시오.

(단, a, b는 상수)

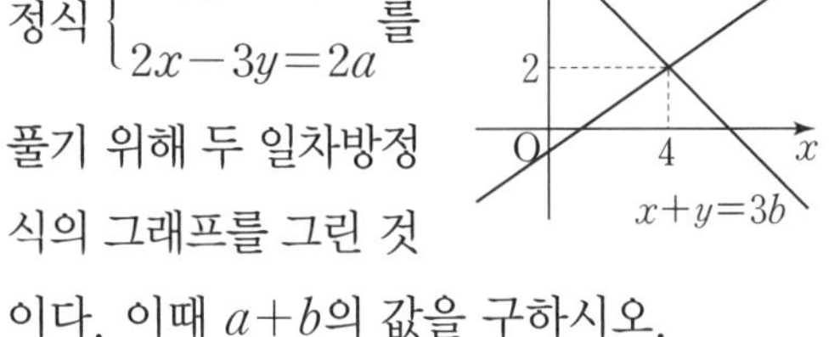

10종 교과서 공통

4-2 오른쪽 그림은 연립방정식 $\begin{cases} x+2y=a \\ bx+y=-3 \end{cases}$을 풀기 위해 두 일차방정식의 그래프를 그린 것이다. 이때 ab의 값을 구하시오. (단, a, b는 상수)

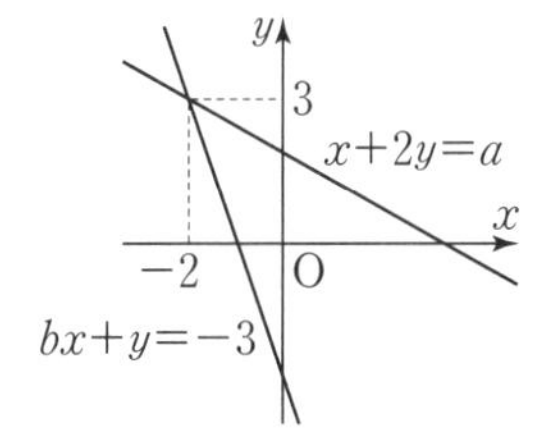

유형 05 연립방정식의 해의 개수와 두 직선의 위치 관계

5-1 연립방정식 $\begin{cases} 10x+2y=-6 \\ ax-5y=b \end{cases}$의 해가 무수히 많을 때, $a-b$의 값을 구하시오.

(단, a, b는 상수)

10종 교과서 공통

5-2 연립방정식 $\begin{cases} 3x-y=-2 \\ 6x-2y=a \end{cases}$의 해가 없을 때, 다음 중 상수 a의 값으로 옳지 <u>않은</u> 것은?

① -4 ② -2 ③ -1
④ 2 ⑤ 4

유형 06 직선으로 둘러싸인 도형의 넓이

6-1 오른쪽 그림과 같은 두 직선 $3x+y=5$, $x-y=3$에 대하여 다음 물음에 답하시오.

(1) 두 직선의 교점의 좌표를 구하시오.

(2) 두 직선과 y축으로 둘러싸인 도형의 넓이를 구하시오.

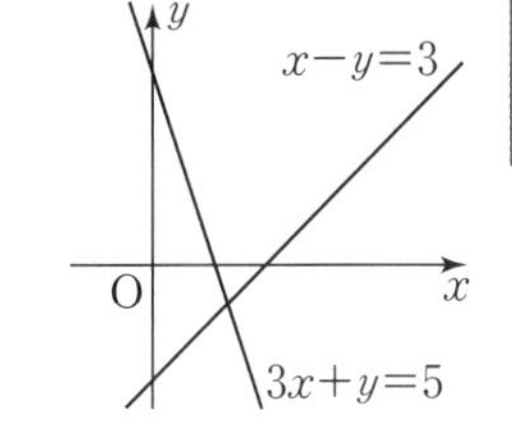

10종 교과서 공통

6-2 두 일차방정식 $x+y-4=0$, $x-5y+2=0$의 그래프와 x축으로 둘러싸인 도형의 넓이를 구하시오.

STEP 3 교과서 기본 테스트

하

01

출제 예상 85%

다음 일차함수 중 그래프가 일차방정식 $x-2y-1=0$의 그래프와 일치하는 것은?

① $y=-\frac{1}{2}x-1$ ② $y=-\frac{1}{2}x-\frac{1}{2}$

③ $y=\frac{1}{2}x-\frac{1}{2}$ ④ $y=\frac{1}{2}x-1$

⑤ $y=\frac{1}{2}x+1$

중

02

출제 예상 85%

다음 중 일차방정식 $2x-5y+4=0$의 그래프에 대한 설명으로 옳은 것을 모두 고르면? (정답 2개)

① 점 $(3, 2)$를 지난다.

② 오른쪽 아래로 향하는 직선이다.

③ 제2사분면을 지나지 않는다.

④ 일차함수 $y=\frac{2}{5}x+3$의 그래프와 평행하다.

⑤ x의 값이 5만큼 증가할 때, y의 값은 2만큼 감소한다.

중하

03

출제 예상 90%

일차방정식 $4x+ay+1=0$의 그래프가 점 $(2, -3)$을 지날 때, 상수 a의 값을 구하시오.

중

04

출제 예상 85%

일차방정식 $x+ay-b=0$의 그래프가 오른쪽 그림과 같을 때, ab의 값을 구하시오.

(단, a, b는 상수)

y
3
−4
O
x

하

05

출제 예상 95%

점 $(2, -5)$를 지나고 x축에 수직인 직선의 방정식은?

① $y=-5$ ② $y=2$ ③ $y=5$

④ $x=-5$ ⑤ $x=2$

중

06

출제 예상 95%

다음 네 직선으로 둘러싸인 도형의 넓이를 구하시오.

$$x-3=0,\ y+5=0,\ x=0,\ x-y=0$$

✓ 직선의 방정식을 $x=p$, $y=q$의 꼴로 고친 후 네 직선을 좌표평면 위에 나타낸다.

중

07

출제 예상 90%

일차방정식 $x+ay+b=0$의 그래프가 오른쪽 그림과 같을 때, 일차함수 $y=bx-a$의 그래프가 지나지 않는 사분면을 구하시오.

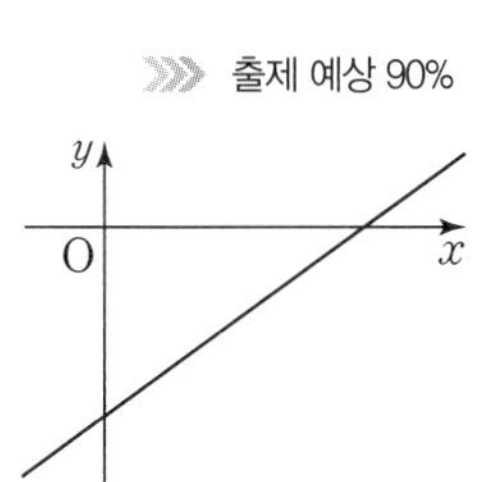

하

08

출제 예상 85%

오른쪽 그림은 연립방정식 $\begin{cases} x-3y=2 \\ 2x-y=-1 \end{cases}$ 을 풀기 위해 두 일차방정식의 그래프를 그린 것이다. 이 연립방정식의 해는?

① $x=-1$, $y=-1$　② $x=-1$, $y=0$

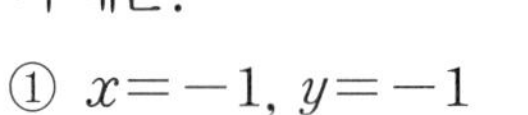

③ $x=0$, $y=-1$　④ $x=0$, $y=0$

⑤ $x=1$, $y=1$

중

09

출제 예상 90%

오른쪽 그림은 연립방정식 $\begin{cases} ax+y=6 \\ 2x-3y=2 \end{cases}$ 의 해를 구하기 위해 두 일차방정식의 그래프를 그린 것이다. 이때 상수 a의 값을 구하시오.

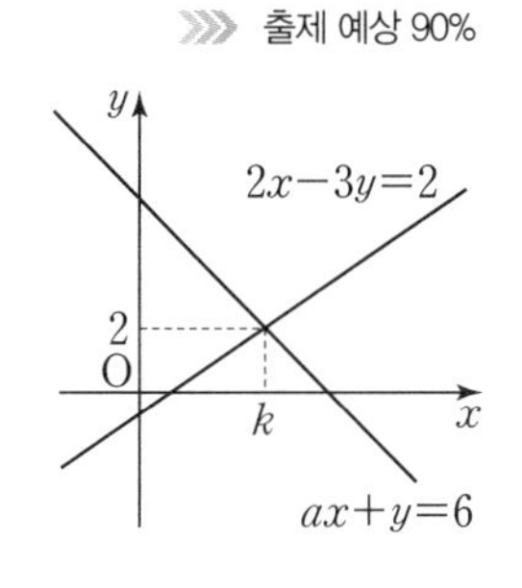

중

10

출제 예상 90%

두 직선 $x-y=1$, $ax+y=3$의 교점의 좌표가 $(2, b)$일 때, $a-b$의 값을 구하시오. (단, a는 상수)

중

11

출제 예상 90%

두 직선 $3x+y=-5$, $x-2y=-4$의 교점을 지나고 y축에 평행한 직선의 방정식을 구하시오.

✓ 두 직선의 교점의 좌표는 두 직선의 방정식을 연립하여 풀어서 구한다.

중

12

출제 예상 95%

두 일차방정식 $3x+2y=-7$, $-x+y=4$의 그래프의 교점을 지나고, 기울기가 $-\frac{1}{2}$인 직선을 그래프로 하는 일차함수의 식을 구하시오.

정답과 해설 62쪽

상중

13

출제 예상 80%

세 직선 $2x-y=5$, $ax-y=2$, $x+2y=-5$가 한 점에서 만날 때, 상수 a의 값을 구하시오.

✓ 미지수를 포함하지 않는 두 직선의 교점의 좌표를 구한 후 미지수를 포함한 직선의 방정식에 대입한다.

중하

14

출제 예상 95%

연립방정식 $\begin{cases} 2x-4y=5 \\ -x+2y=a \end{cases}$의 해가 없을 때, 다음 중 상수 a의 값으로 옳지 않은 것은?

① $-\frac{5}{2}$　　② -1　　③ 0

④ $\frac{3}{2}$　　⑤ 2

중

15

출제 예상 90%

두 일차방정식 $3x+ay+3=0$, $6x+2y-b=0$의 그래프의 교점이 무수히 많을 때, $a+b$의 값을 구하시오. (단, a, b는 상수)

과정을 평가하는 서술형입니다.

중

16

출제 예상 85%

두 점 $(a-2,\ -2)$, $(2a-6,\ 1)$을 지나는 직선이 y축에 평행할 때, a의 값을 구하시오.

중

17

출제 예상 90%

오른쪽 그림은 두 일차방정식 $x+y=m$, $nx+3y=-9$의 그래프이다. 다음 물음에 답하시오.

(단, m, n은 상수)

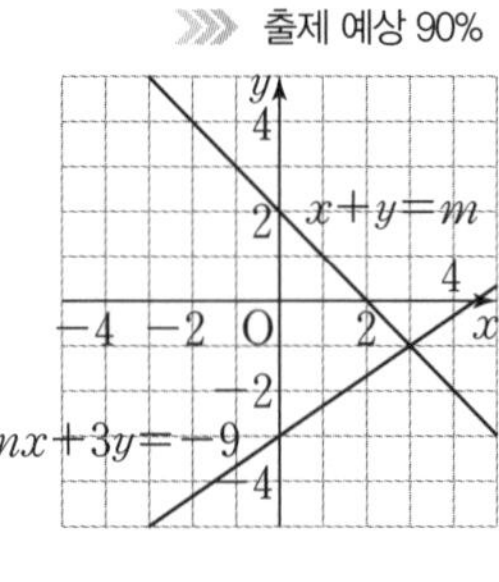

(1) 연립방정식 $\begin{cases} x+y=m \\ nx+3y=-9 \end{cases}$의 해를 구하시오.

(2) m의 값을 구하시오.

(3) n의 값을 구하시오.

상중

18

출제 예상 85%

오른쪽 그림과 같이 두 직선 $x-y+3=0$, $2x+y-4=0$의 교점을 A라 하고, 두 직선과 x축의 교점을 각각 B, C라 할 때, 다음 물음에 답하시오.

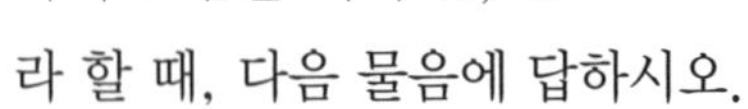

(1) 점 A의 좌표를 구하시오.

(2) 두 점 B, C의 좌표를 각각 구하시오.

(3) 삼각형 ABC의 넓이를 구하시오.

1

다음은 해적왕 골.D.로저의 유서이다.

> 내 몸은 이미 회복이 불가능해. 이렇게 되니 내가 숨겨 놓은 보물들을 어떻게 해야 할까 하는 생각이 들더군. 영영 숨겨 두고 싶었지만 마지막으로 좋은 일을 한 번 하려고 하네. 아래 단서가 자네들에게 보물이 있는 곳을 알려 줄 걸세. 좌표축이 그려진 지도도 같이 남기니 잘 찾아보게. 그럼, 행운을 비네.
>
> 보물은 지도에서 일차방정식 $x+y-2=0$의 그래프와 일차방정식 $2x-y=1$의 그래프가 만나는 곳에 있네.

위의 유서를 읽고, 좌표축이 그려진 다음 지도에서 보물의 위치를 순서쌍 (x, y)로 나타내시오.

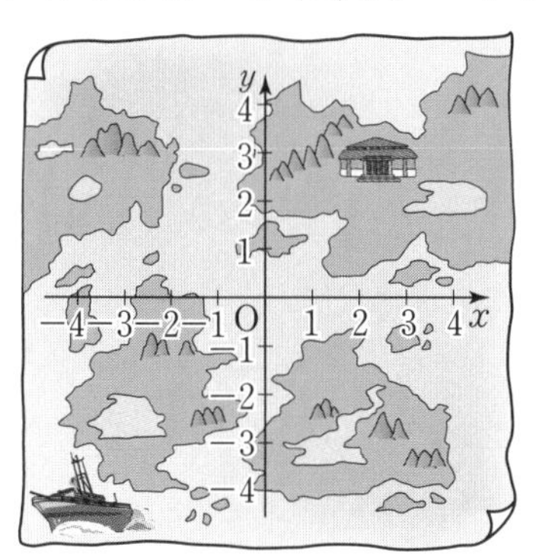

2

다음 그림에서 두 직선은 어느 공장을 운영하였을 때, 총수입과 총비용을 나타내는 그래프이다. 아래 물음에 답하시오.

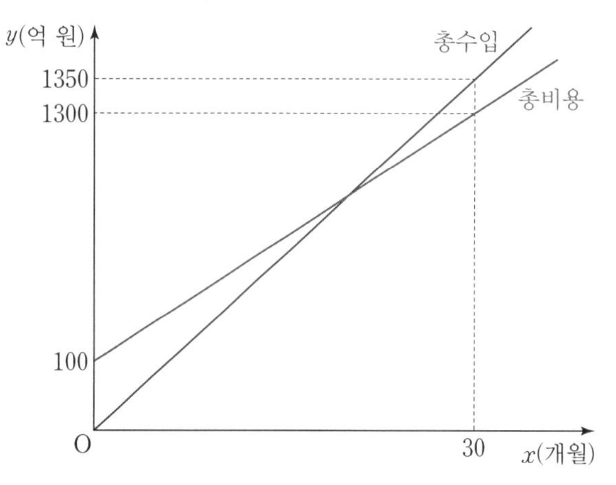

(1) 총수입 그래프를 나타내는 직선의 방정식과 총비용 그래프를 나타내는 직선의 방정식을 각각 구하시오.

(2) 총수입이 총비용 이상이 되려면 공장을 몇 개월 이상 운영해야 하는지 구하시오.

Memo.

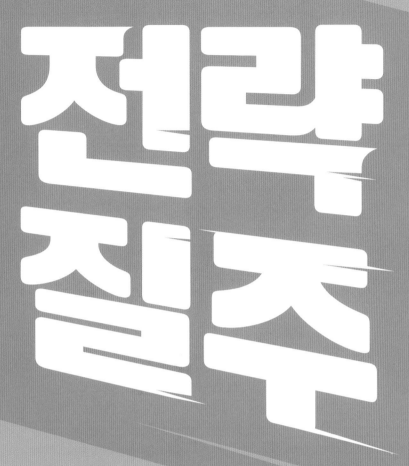

천재교육

교과서

다품

정답과 해설

넌 잘할거야

중학 수학 2-1

교과서

다품

정답과 해설

I. 유리수와 순환소수

01 유리수의 소수 표현

STEP 1 교과서 개념 확인 테스트
본문 8~9쪽

1-1 (1) 유 (2) 무 (3) 무 (4) 유 (5) 유 (6) 무

1-2 (1) 무 (2) 무 (3) 유 (4) 무 (5) 유 (6) 무

2-1 (1) 2, $0.\dot{2}$ (2) 54, $0.\dot{5}\dot{4}$ (3) 7, $0.2\dot{7}$ (4) 2511, $0.\dot{2}51\dot{1}$

2-2 (1) 7, $0.\dot{7}$ (2) 5, $2.3\dot{5}$ (3) 60, $3.\dot{6}\dot{0}$ (4) 634, $4.\dot{6}3\dot{4}$

3-1 (1) 2.5 (2) $0.5\dot{3}$, 순환마디 : 3

3-2 (1) $1.333\cdots$, $1.\dot{3}$ (2) $0.1333\cdots$, $0.1\dot{3}$
(3) $1.484848\cdots$, $1.\dot{4}\dot{8}$ (4) $0.216216216\cdots$, $0.\dot{2}1\dot{6}$

4-1 (1) $\frac{1}{2}$, 소인수 : 2 (2) $\frac{21}{50}$, 소인수 : 2, 5
(3) $\frac{16}{25}$, 소인수 : 5 (4) $\frac{1}{8}$, 소인수 : 2

4-2 (1) $\frac{4}{5}$, 소인수 : 5 (2) $\frac{7}{20}$, 소인수 : 2, 5
(3) $\frac{5}{8}$, 소인수 : 2 (4) $\frac{7}{125}$, 소인수 : 5

5-1 (1) 5, 15, 1.5 (2) 2^2, 2^2, 28, 0.28

5-2 (1) 5^2, 5^2, 100, 1.25 (2) 3, 5^2, 3, 5^2, 75, 0.075

6-1 (1) ○ (2) × (3) × (4) ○

6-2 2개

1-2 (1) $\frac{2}{3}=0.666\cdots$이므로 무한소수이다.
(2) $\frac{1}{6}=0.1666\cdots$이므로 무한소수이다.
(3) $\frac{3}{8}=0.375$이므로 유한소수이다.
(4) $\frac{5}{11}=0.454545\cdots$이므로 무한소수이다.
(5) $\frac{9}{25}=0.36$이므로 유한소수이다.
(6) $\frac{4}{33}=0.121212\cdots$이므로 무한소수이다.

4-1 (1) $0.5=\frac{5}{10}=\frac{1}{2}$이고, 분모의 소인수는 2이다.
(2) $0.42=\frac{42}{100}=\frac{21}{50}$이고, 이때 $50=2\times5^2$이므로 분모의 소인수는 2, 5이다.
(3) $0.64=\frac{64}{100}=\frac{16}{25}$이고, 이때 $25=5^2$이므로 분모의 소인수는 5이다.
(4) $0.125=\frac{125}{1000}=\frac{1}{8}$이고, 이때 $8=2^3$이므로 분모의 소인수는 2이다.

4-2 (1) $0.8=\frac{8}{10}=\frac{4}{5}$이고, 분모의 소인수는 5이다.
(2) $0.35=\frac{35}{100}=\frac{7}{20}$이고, 이때 $20=2^2\times5$이므로 분모의 소인수는 2, 5이다.
(3) $0.625=\frac{625}{1000}=\frac{5}{8}$이고, 이때 $8=2^3$이므로 분모의 소인수는 2이다.
(4) $0.056=\frac{56}{1000}=\frac{7}{125}$이고, 이때 $125=5^3$이므로 분모의 소인수는 5이다.

6-1 (3) $\frac{3}{14}=\frac{3}{2\times7}$ ➡ 분모의 소인수 중에 7이 있으므로 유한소수로 나타낼 수 없다.
(4) $\frac{7}{20}=\frac{7}{2^2\times5}$ ➡ 분모의 소인수가 2와 5뿐이므로 유한소수로 나타낼 수 있다.

6-2 ㉠ $\frac{7}{4}=\frac{7}{2^2}$ ➡ 분모의 소인수가 2뿐이므로 유한소수로 나타낼 수 있다.
㉡ $\frac{4}{5}$ ➡ 분모의 소인수가 5뿐이므로 유한소수로 나타낼 수 있다.
㉢ $\frac{13}{15}=\frac{13}{3\times5}$ ➡ 분모의 소인수 중에 3이 있으므로 순환소수로만 나타낼 수 있다.
㉣ $\frac{22}{55}=\frac{2}{5}$ ➡ 분모의 소인수가 5뿐이므로 유한소수로 나타낼 수 있다.
㉤ $\frac{5}{140}=\frac{1}{28}=\frac{1}{2^2\times7}$ ➡ 분모의 소인수 중에 7이 있으므로 순환소수로만 나타낼 수 있다.
㉥ $\frac{6}{150}=\frac{1}{25}=\frac{1}{5^2}$ ➡ 분모의 소인수가 5뿐이므로 유한소수로 나타낼 수 있다.
따라서 순환소수로만 나타낼 수 있는 것은 ㉢, ㉤의 2개이다.

STEP 2 기출 기초 테스트
본문 10~11쪽

1-1 ㉡, ㉢	**1-2** ①
2-1 ㉢	**2-2** 7
3-1 ④	**3-2** ③
4-1 9	**4-2** 7
5-1 ⑤	**5-2** ②
6-1 $x=18$, $y=5$	**6-2** 32

1-1 ㉠ $2.\dot{1}5\dot{2}$ ㉣ $4.0\dot{6}$ ㉤ $1.17\dot{2}\dot{4}$
따라서 옳은 것은 ㉡, ㉢이다.

1-2 $\frac{9}{110}=0.0818181\cdots=0.0\dot{8}\dot{1}$

2-1 ㉠ $0.\dot{5}$의 순환마디를 이루는 숫자는 5의 1개이므로 소수점 아래 100번째 자리의 숫자는 5이다.
㉡ $0.\dot{7}\dot{3}$의 순환마디를 이루는 숫자는 7, 3의 2개이다.
이때 $100=2\times50$이므로 소수점 아래 100번째 자리의 숫자는 순환마디의 2번째 숫자인 3이다.
㉢ $0.\dot{7}1\dot{4}$의 순환마디를 이루는 숫자는 7, 1, 4의 3개이다.
이때 $100=3\times33+1$이므로 소수점 아래 100번째 자리의 숫자는 순환마디의 1번째 숫자인 7이다.
따라서 소수점 아래 100번째 자리의 숫자가 가장 큰 것은 ㉢이다.

2-2 $0.3\dot{7}\dot{1}$에서 소수점 아래 순환하지 않는 숫자는 1개이고, 순환마디를 이루는 숫자는 7, 1의 2개이므로 소수점 아래 40번째 자리의 숫자는 소수점 아래 첫째 자리의 숫자를 제외하고 순환하는 부분의 39번째 숫자와 같다.
이때 $39=2\times19+1$이므로 소수점 아래 40번째 자리의 숫자는 순환마디의 1번째 숫자인 7이다.

3-1 ① $\frac{1}{27}=\frac{1}{3^3}$ ② $\frac{12}{45}=\frac{4}{15}=\frac{4}{3\times5}$
③ $\frac{7}{12}=\frac{7}{2^2\times3}$ ④ $\frac{78}{3\times5^2\times13}=\frac{2}{5^2}$
⑤ $\frac{2}{2\times3\times5^2}=\frac{1}{3\times5^2}$
따라서 분모의 소인수가 2 또는 5뿐이면 유한소수로 나타낼 수 있으므로 유한소수로 나타낼 수 있는 것은 ④이다.

3-2 ① $\frac{1}{4}=\frac{1}{2^2}$ ② $\frac{21}{30}=\frac{7}{10}=\frac{7}{2\times5}$
③ $\frac{5}{48}=\frac{5}{2^4\times3}$ ④ $\frac{6}{2\times3\times5^2}=\frac{1}{5^2}$
⑤ $\frac{84}{2^2\times5\times7}=\frac{3}{5}$
따라서 분모의 소인수가 2 또는 5뿐이면 유한소수로 나타낼 수 있으므로 유한소수로 나타낼 수 없는 것은 ③이다.

4-1 x는 3^2, 즉 9의 배수이어야 하므로 구하는 가장 작은 자연수는 9이다.

4-2 $\frac{5}{70}=\frac{1}{14}=\frac{1}{2\times7}$
곱하는 어떤 자연수를 x라 할 때, $\frac{1}{2\times7}\times x$가 유한소수로 나타내어지려면 x는 7의 배수이어야 하므로 곱할 수 있는 가장 작은 자연수는 7이다.

5-1 ① $a=3$일 때, $\frac{3}{2\times3}=\frac{1}{2}$
② $a=4$일 때, $\frac{3}{2\times4}=\frac{3}{2^3}$
③ $a=5$일 때, $\frac{3}{2\times5}$
④ $a=6$일 때, $\frac{3}{2\times6}=\frac{1}{2^2}$
⑤ $a=9$일 때, $\frac{3}{2\times9}=\frac{1}{2\times3}$
따라서 분모의 소인수가 2 또는 5뿐이면 유한소수로 나타낼 수 있으므로 a의 값이 될 수 없는 것은 ⑤이다.

5-2 ① $a=30$일 때, $\frac{15}{30}=\frac{1}{2}$
② $a=21$일 때, $\frac{15}{21}=\frac{5}{7}$
③ $a=12$일 때, $\frac{15}{12}=\frac{5}{4}=\frac{5}{2^2}$
④ $a=10$일 때, $\frac{15}{10}=\frac{3}{2}$
⑤ $a=6$일 때, $\frac{15}{6}=\frac{5}{2}$
따라서 분모의 소인수가 2 또는 5뿐이면 유한소수로 나타낼 수 있으므로 x의 값이 될 수 없는 것은 ②이다.

6-1 $\frac{x}{90}=\frac{x}{2\times3^2\times5}$가 유한소수로 나타내어지려면 x는 9의 배수이어야 한다. 이때 $10<x<30$이므로 $x=18$ 또는 $x=27$이다.
(i) $x=18$일 때, $\frac{18}{2\times3^2\times5}=\frac{1}{5}$ (○)
(ii) $x=27$일 때, $\frac{27}{2\times3^2\times5}=\frac{3}{2\times5}$ (×)
(i), (ii)에서 $x=18$, $y=5$

6-2 $\frac{a}{175}=\frac{a}{5^2\times7}$가 유한소수로 나타내어지려면 a는 7의 배수이어야 한다. 이때 $1<a<15$이므로 $a=7$ 또는 $a=14$이다.
(i) $a=7$일 때, $\frac{7}{5^2\times7}=\frac{1}{5^2}=\frac{1}{25}$ (○)
(ii) $a=14$일 때, $\frac{14}{5^2\times7}=\frac{2}{5^2}$ (×)
(i), (ii)에서 $a=7$, $b=25$이므로 $a+b=7+25=32$

STEP 3 교과서 기본 테스트
본문 12~14쪽

01 ⑤	02 3	03 3	04 40.35
05 67	06 ㉠, ㉡	07 −1	08 ③
09 ㉡, ㉣, ㉥	10 3개	11 3개	12 3
13 77	14 ④	15 83	

16 (1) 307692 (2) 0
17 (1) a는 3의 배수이어야 한다.
(2) a는 13의 배수이어야 한다. (3) 39

01 ① $4.0\dot{6}$ ② $2.\dot{0}3\dot{2}$ ③ $0.6\dot{5}\dot{9}$ ④ $1.\dot{1}5\dot{8}$
따라서 순환소수의 표현이 옳은 것은 ⑤이다.

02 $\frac{2}{9}=0.222\cdots=0.\dot{2}$이므로 순환마디를 이루는 숫자는 2의 1개이다. $\therefore a=1$

$\frac{16}{11}=1.454545\cdots=1.\dot{4}\dot{5}$이므로 순환마디를 이루는 숫자는 4, 5의 2개이다. $\therefore b=2$

$\therefore a+b=1+2=3$

03 $\frac{2}{13}=0.153846153846\cdots=0.\dot{1}5384\dot{6}$이므로 순환마디를 이루는 숫자는 1, 5, 3, 8, 4, 6의 6개이다.

이때 $75=6\times12+3$이므로 소수점 아래 75번째 자리의 숫자는 순환마디의 3번째 숫자인 3이다.

04 $A=5$, $B=35$, $C=0.35$이므로

$A+B+C=5+35+0.35=40.35$

05 $\frac{13}{20}=\frac{13}{2^2\times5}=\frac{13\times5}{2^2\times5\times5}=\frac{65}{10^2}=\frac{650}{10^3}=\frac{6500}{10^4}=\cdots$

따라서 $a+n$의 최솟값은 $a=65$, $n=2$일 때이므로

$65+2=67$

06 ㉡ 무한소수 중에는 $\pi=3.141592\cdots$와 같이 순환하지 않는 무한소수도 있다.

㉢ 분모의 소인수가 2뿐인 기약분수는 유한소수로 나타낼 수 있다.

따라서 옳은 것은 ㉠, ㉣이다.

07 $\frac{1}{4}=\frac{1}{2^2}$, $\frac{5}{6}=\frac{5}{2\times3}$, $\frac{13}{26}=\frac{1}{2}$, $\frac{5}{30}=\frac{1}{6}=\frac{1}{2\times3}$

따라서 유한소수는 $\frac{1}{4}$, $\frac{13}{26}$의 2개이므로 $a=2$

무한소수는 $\frac{4}{7}$, $\frac{5}{6}$, $\frac{5}{30}$의 3개이므로 $b=3$

$\therefore a-b=2-3=-1$

08 ① $\frac{2}{9}=\frac{2}{3^2}$ ② $\frac{5}{14}=\frac{5}{2\times7}$

③ $\frac{7}{50}=\frac{7}{2\times5^2}$ ⑤ $\frac{33}{2\times3^2}=\frac{11}{2\times3}$

따라서 유한소수로 나타낼 수 있는 것은 ③이다.

09 ㉠ $\frac{11}{40}=\frac{11}{2^3\times5}$ ㉡ $\frac{6}{45}=\frac{2}{15}=\frac{2}{3\times5}$

㉢ $\frac{21}{125}=\frac{3\times7}{5^3}$ ㉣ $\frac{6}{3\times5^2\times7}=\frac{2}{5^2\times7}$

㉤ $\frac{35}{2^3\times5\times7}=\frac{1}{2^3}$ ㉥ $\frac{30}{2^4\times3^2\times5}=\frac{1}{2^3\times3}$

따라서 유한소수로 나타낼 수 없는 것은 ㉡, ㉣, ㉥이다.

10 수직선 위에서 두 수 0, 1을 나타내는 두 점 사이의 거리를 12등분 하는 11개의 점에 대응하는 유리수는 $\frac{1}{12}$, $\frac{2}{12}$, $\frac{3}{12}$, $\cdots$, $\frac{11}{12}$이다. 이 중 유한소수로 나타낼 수 있는 것은 $\frac{3}{12}=\frac{1}{4}=\frac{1}{2^2}$, $\frac{6}{12}=\frac{1}{2}$, $\frac{9}{12}=\frac{3}{4}=\frac{3}{2^2}$의 3개이다.

11 $\frac{a}{36}=\frac{a}{2^2\times3^2}$가 유한소수로 나타내어지려면 분모의 소인수가 2 또는 5뿐이어야 하므로 a는 3^2, 즉 9의 배수이어야 한다.

따라서 구하는 a의 값은 9, 18, 27의 3개이다.

12 $\frac{21}{72}\times x=\frac{7}{24}\times x=\frac{7}{2^3\times3}\times x$가 유한소수로 나타내어지려면 분모의 소인수가 2 또는 5뿐이어야 하므로 x는 3의 배수이어야 한다.

따라서 x의 값이 될 수 있는 가장 작은 자연수는 3이다.

13 조건 ㈏에서 $\frac{A}{280}=\frac{A}{2^3\times5\times7}$가 유한소수로 나타내어지려면 분모의 소인수가 2 또는 5뿐이어야 하므로 A는 7의 배수이어야 한다.

또한 조건 ㈎에서 A는 11의 배수이고 두 자리의 자연수이므로 A의 값은 7과 11의 공배수인 77의 배수이다.

따라서 구하는 A의 값은 77이다.

14 $\frac{65}{2^2\times5\times a}=\frac{13}{2^2\times a}$

① $a=4$일 때, $\frac{13}{2^2\times4}=\frac{13}{2^4}$

② $a=10$일 때, $\frac{13}{2^2\times10}=\frac{13}{2^3\times5}$

③ $a=13$일 때, $\frac{13}{2^2\times13}=\frac{1}{2^2}$

④ $a=15$일 때, $\frac{13}{2^2\times15}=\frac{13}{2^2\times3\times5}$

⑤ $a=26$일 때, $\frac{13}{2^2\times26}=\frac{1}{2^3}$

따라서 a의 값이 될 수 없는 것은 ④이다.

15 $\frac{a}{450}=\frac{a}{2\times3^2\times5^2}$가 유한소수로 나타내어지려면 a는 3^2, 즉 9의 배수이어야 한다.

이때 $100<a<110$이므로 $a=108$

$\frac{a}{450}$에 $a=108$을 대입하면 $\frac{108}{450}=\frac{6}{25}$이므로 $b=25$

$\therefore a-b=108-25=83$

16 (1) $\frac{4}{13}=0.307692307692\cdots=0.\dot{3}0769\dot{2}$이므로 순환마디는 307692이다. …… ㉮

(2) (1)에서 순환마디를 이루는 숫자의 개수가 6이므로 $50=6\times8+2$이므로 소수점 아래 50번째 자리의 숫자는 순환마디의 2번째 숫자인 0이다. …… ㉯

채점 기준	비율
㉮ 순환마디를 제대로 구한 경우	50 %
㉯ 소수점 아래 50번째 자리의 숫자를 제대로 구한 경우	50 %

17 (1) $\frac{5}{12}\times a=\frac{5}{2^2\times3}\times a$가 유한소수로 나타내어지려면 분모의 소인수가 2 또는 5뿐이어야 하므로 a는 3의 배수이어야 한다. …… ㉮

(2) $\frac{3}{130}\times a=\frac{3}{2\times5\times13}\times a$가 유한소수로 나타내어지려면 분모의 소인수가 2 또는 5뿐이어야 하므로 a는 13의 배수이어야 한다. …… ㉯

(3) a는 3과 13의 공배수인 39의 배수이어야 하므로 가장 작은 자연수 a의 값은 39이다. …… ㉰

채점 기준	비율
㉮ $\frac{5}{12}$에 곱해야 할 자연수 a의 조건을 제대로 구한 경우	35 %
㉯ $\frac{3}{130}$에 곱해야 할 자연수 a의 조건을 제대로 구한 경우	35 %
㉰ ㉮, ㉯의 조건을 모두 만족시키는 가장 작은 자연수 a의 값을 제대로 구한 경우	30 %

창의력 · 융합형 · 서술형 · 코딩

본문 15쪽

1 (1) 동현 : $0.8\dot{2}$, 수민 : $0.\dot{8}\dot{1}$ (2) 동현

2 (1) $0.\dot{5}7142\dot{8}$ (2) 풀이 참조

1 (1) 동현이와 수민이의 자유투 성공률은 다음과 같다.

	시도 횟수	성공 횟수	성공률
동현	45	37	$\frac{37}{45}=0.8222\cdots=0.8\dot{2}$
수민	44	36	$\frac{36}{44}=0.8181\cdots=0.\dot{8}\dot{1}$

(2) 동현이의 자유투 성공률은 $0.8\dot{2}=0.8222\cdots$
수민이의 자유투 성공률은 $0.\dot{8}\dot{1}=0.8181\cdots$
따라서 $0.8222\cdots>0.8181\cdots$이므로 동현이의 자유투 성공률이 더 높다.

2 (2) $\frac{4}{7}=0.\dot{5}7142\dot{8}$이므로 이 소수의 순환마디를 도돌이표가 그려진 오선지 위에 음으로 나타내면 다음과 같다.

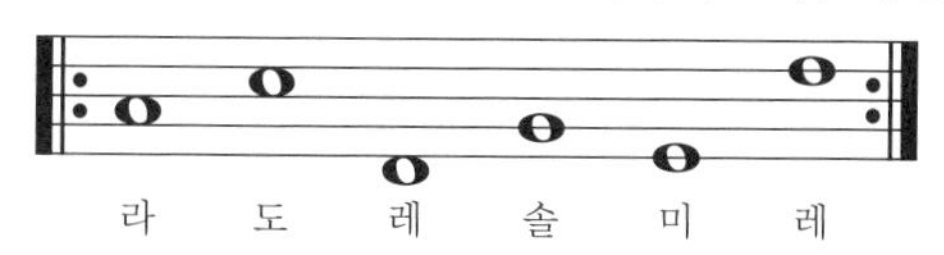

02 순환소수의 분수 표현

STEP 1 교과서 개념 확인 테스트

본문 17쪽

1-1 $x=1.131313\cdots$, $100x=113.131313\cdots$, $99x=112$, $\frac{112}{99}$

1-2 (1) $\frac{5}{9}$ (2) $\frac{4}{11}$ (3) $\frac{46}{37}$ (4) $\frac{43}{90}$ (5) $\frac{7}{6}$ (6) $\frac{86}{165}$

2-1 (1) 9 (2) 1, 90, 11, 90

2-2 (1) $\frac{1}{3}$ (2) $\frac{7}{99}$ (3) $\frac{13}{9}$ (4) $\frac{13}{30}$ (5) $\frac{527}{990}$ (6) $\frac{11}{75}$

3-1 ⑤　**3-2** 4개

1-2 (1) $0.\dot{5}$를 x라 하면 $x=0.555\cdots$

$$10x=5.555\cdots$$
$$-)\quad x=0.555\cdots$$
$$9x=5 \qquad \therefore x=\frac{5}{9}$$

(2) $0.\dot{3}\dot{6}$을 x라 하면 $x=0.363636\cdots$

$$100x=36.363636\cdots$$
$$-)\quad x=0.363636\cdots$$
$$99x=36 \qquad \therefore x=\frac{36}{99}=\frac{4}{11}$$

(3) $1.\dot{2}4\dot{3}$을 x라 하면 $x=1.243243243\cdots$

$$1000x=1243.243243243\cdots$$
$$-)\quad x=1.243243243\cdots$$
$$999x=1242 \qquad \therefore x=\frac{1242}{999}=\frac{46}{37}$$

(4) $0.4\dot{7}$을 x라 하면 $x=0.4777\cdots$

$$100x=47.777\cdots$$
$$-)\quad 10x=4.777\cdots$$
$$90x=43 \qquad \therefore x=\frac{43}{90}$$

(5) $1.1\dot{6}$을 x라 하면 $x=1.1666\cdots$

$$100x=116.666\cdots$$
$$-)\quad 10x=11.666\cdots$$
$$90x=105 \qquad \therefore x=\frac{105}{90}=\frac{7}{6}$$

(6) $0.5\dot{2}\dot{1}$을 x라 하면 $x=0.5212121\cdots$

$$1000x=521.212121\cdots$$
$$-)\quad 10x=5.212121\cdots$$
$$990x=516 \qquad \therefore x=\frac{516}{990}=\frac{86}{165}$$

2-2 (1) $0.\dot{3}=\frac{3}{9}=\frac{1}{3}$

(2) $0.\dot{0}\dot{7}=\frac{7}{99}$

(3) $1.\dot{4}=\frac{14-1}{9}=\frac{13}{9}$

(4) $0.4\dot{3}=\frac{43-4}{90}=\frac{39}{90}=\frac{13}{30}$

(5) $0.5\dot{3}\dot{2}=\frac{532-5}{990}=\frac{527}{990}$

(6) $0.14\dot{6}=\frac{146-14}{900}=\frac{132}{900}=\frac{11}{75}$

3-1 ① $-\frac{2}{9}$는 유리수이다.
②, ④ 순환소수이므로 유리수이다.
③ 정수이므로 유리수이다.
⑤ 순환하지 않는 무한소수이므로 유리수가 아니다.
따라서 유리수가 아닌 것은 ⑤이다.

3-2 ㉠, ㉡ 유한소수이므로 유리수이다.
㉢, ㉣ 순환하지 않는 무한소수이므로 유리수가 아니다.
㉤ 순환소수이므로 유리수이다.
㉥ $-\frac{2}{3}$는 유리수이다.
따라서 유리수는 ㉠, ㉡, ㉤, ㉥의 4개이다.

교과서 계산 문제 | 본문 18쪽

1 (1) $\frac{35}{99}$ (2) $\frac{211}{99}$ (3) $\frac{254}{333}$ (4) $\frac{17}{90}$
(5) $\frac{97}{90}$ (6) $\frac{508}{495}$ (7) $\frac{31}{225}$ (8) $\frac{269}{225}$

2 (1) $\frac{4}{9}$ (2) $\frac{61}{99}$ (3) $\frac{4}{37}$ (4) $\frac{14}{9}$ (5) $\frac{92}{33}$ (6) $\frac{1828}{999}$
(7) $\frac{17}{30}$ (8) $\frac{137}{30}$ (9) $\frac{1}{22}$ (10) $\frac{1279}{495}$ (11) $\frac{371}{450}$ (12) $\frac{5}{4}$

1 (1) $0.\dot{3}\dot{5}$를 x라 하면 $x=0.353535\cdots$

$$\begin{array}{rl} 100x= & 35.353535\cdots \\ -)\quad x= & 0.353535\cdots \\ \hline 99x= & 35 \end{array}\qquad \therefore x=\frac{35}{99}$$

(2) $2.\dot{1}\dot{3}$을 x라 하면 $x=2.131313\cdots$

$$\begin{array}{rl} 100x= & 213.131313\cdots \\ -)\quad x= & 2.131313\cdots \\ \hline 99x= & 211 \end{array}\qquad \therefore x=\frac{211}{99}$$

(3) $0.\dot{7}6\dot{2}$를 x라 하면 $x=0.762762762\cdots$

$$\begin{array}{rl} 1000x= & 762.762762762\cdots \\ -)\quad x= & 0.762762762\cdots \\ \hline 999x= & 762 \end{array}\qquad \therefore x=\frac{762}{999}=\frac{254}{333}$$

(4) $0.1\dot{8}$을 x라 하면 $x=0.1888\cdots$

$$\begin{array}{rl} 100x= & 18.888\cdots \\ -)\quad 10x= & 1.888\cdots \\ \hline 90x= & 17 \end{array}\qquad \therefore x=\frac{17}{90}$$

(5) $1.0\dot{7}$을 x라 하면 $x=1.0777\cdots$

$$\begin{array}{rl} 100x= & 107.777\cdots \\ -)\quad 10x= & 10.777\cdots \\ \hline 90x= & 97 \end{array}\qquad \therefore x=\frac{97}{90}$$

(6) $1.0\dot{2}\dot{6}$을 x라 하면 $x=1.0262626\cdots$

$$\begin{array}{rl} 1000x= & 1026.262626\cdots \\ -)\quad 10x= & 10.262626\cdots \\ \hline 990x= & 1016 \end{array}\qquad \therefore x=\frac{1016}{990}=\frac{508}{495}$$

(7) $0.13\dot{7}$을 x라 하면 $x=0.13777\cdots$

$$\begin{array}{rl} 1000x= & 137.777\cdots \\ -)\quad 100x= & 13.777\cdots \\ \hline 900x= & 124 \end{array}\qquad \therefore x=\frac{124}{900}=\frac{31}{225}$$

(8) $1.19\dot{5}$를 x라 하면 $x=1.19555\cdots$

$$\begin{array}{rl} 1000x= & 1195.555\cdots \\ -)\quad 100x= & 119.555\cdots \\ \hline 900x= & 1076 \end{array}\qquad \therefore x=\frac{1076}{900}=\frac{269}{225}$$

2 (1) $0.\dot{4}=\frac{4}{9}$ (2) $0.\dot{6}\dot{1}=\frac{61}{99}$

(3) $0.\dot{1}0\dot{8}=\frac{108}{999}=\frac{4}{37}$ (4) $1.\dot{5}=\frac{15-1}{9}=\frac{14}{9}$

(5) $2.\dot{7}\dot{8}=\frac{278-2}{99}=\frac{276}{99}=\frac{92}{33}$

(6) $1.\dot{8}2\dot{9}=\frac{1829-1}{999}=\frac{1828}{999}$

(7) $0.5\dot{6}=\frac{56-5}{90}=\frac{51}{90}=\frac{17}{30}$

(8) $4.5\dot{6}=\frac{456-45}{90}=\frac{411}{90}=\frac{137}{30}$

(9) $0.0\dot{4}\dot{5}=\frac{45}{990}=\frac{1}{22}$

(10) $2.5\dot{8}\dot{3}=\frac{2583-25}{990}=\frac{2558}{990}=\frac{1279}{495}$

(11) $0.82\dot{4}=\frac{824-82}{900}=\frac{742}{900}=\frac{371}{450}$

(12) $1.24\dot{9}=\frac{1249-124}{900}=\frac{1125}{900}=\frac{5}{4}$

STEP 2 기출 기초 테스트 | 본문 19~20쪽

1-1 ②
1-2 (1) ㉠ (2) ㉣ (3) ㉢ (4) ㉡
2-1 ③ **2-2** ⑤
3-1 7 **3-2** 17
4-1 9 **4-2** 3
5-1 $0.\dot{2}$ **5-2** $0.\dot{1}\dot{3}$
6-1 ③, ⑤ **6-2** ②

1-1 $x=1.3\dot{6}=1.363636\cdots$이므로

$$\begin{array}{rl} 100x= & 136.363636\cdots \\ -)\quad x= & 1.363636\cdots \\ \hline 100x-x= & 135 \end{array}$$

즉 $99x=135$이므로 $x=\frac{135}{99}=\frac{15}{11}$

따라서 가장 편리한 식은 ② $100x-x$이다.

1-2 (1) $x=0.2\dot{7}=0.2777\cdots$이므로

$$\begin{array}{rl} 100x= & 27.777\cdots \\ -)\quad 10x= & 2.777\cdots \\ \hline 100x-10x= & 25 \end{array}$$

즉 $90x=25$이므로 $x=\frac{25}{90}=\frac{5}{18}$

따라서 가장 편리한 식은 ㉠ $100x-10x$이다.

(2) $x=2.17\dot{5}=2.17555\cdots$이므로

$$\begin{array}{rl} 1000x= & 2175.555\cdots \\ -)\quad 100x= & 217.555\cdots \\ \hline 1000x-100x= & 1958 \end{array}$$

즉 $900x=1958$이므로 $x=\frac{1958}{900}=\frac{979}{450}$

따라서 가장 편리한 식은 ㉣ $1000x-100x$이다.

(3) $x=1.0\dot{2}\dot{8}=1.0282828\cdots$이므로

$$\begin{array}{rl} 1000x= & 1028.282828\cdots \\ -)\quad 10x= & 10.282828\cdots \\ \hline 1000x-10x= & 1018 \end{array}$$

즉 $990x=1018$이므로 $x=\frac{1018}{990}=\frac{509}{495}$

따라서 가장 편리한 식은 ㉢ $1000x-10x$이다.

(4) $x=0.\dot{1}2\dot{5}=0.125125125\cdots$이므로

$$\begin{array}{rl} 1000x= & 125.125125125\cdots \\ -)\quad x= & 0.125125125\cdots \\ \hline 1000x-x= & 125 \end{array}$$

즉 $999x=125$이므로 $x=\frac{125}{999}$

따라서 가장 편리한 식은 ㉡ $1000x-x$이다.

2-1 ① $0.\dot{2}\dot{1}=\frac{21}{99}=\frac{7}{33}$

② $0.\dot{4}0\dot{7}=\frac{407}{999}=\frac{11}{27}$

③ $0.1\dot{7}=\frac{17-1}{90}=\frac{16}{90}=\frac{8}{45}$

④ $2.\dot{0}\dot{2}=\frac{202-2}{99}=\frac{200}{99}$

⑤ $0.0\dot{3}=\frac{3}{90}=\frac{1}{30}$

따라서 옳지 않은 것은 ③이다.

2-2 ⑤ $1.3\dot{2}\dot{5}=\frac{1325-13}{990}$

3-1 $0.3\dot{8}=\frac{38-3}{90}=\frac{35}{90}=\frac{7}{18}$ $\therefore x=7$

3-2 $0.5\dot{6}=\frac{56-5}{90}=\frac{51}{90}=\frac{17}{30}$ $\therefore a=17$

4-1 $0.2\dot{7}=\frac{27-2}{90}=\frac{25}{90}=\frac{5}{18}=\frac{5}{2\times3^2}$이므로

$0.2\dot{7}\times x$가 유한소수가 되려면 x는 3^2, 즉 9의 배수이어야 한다. 따라서 가장 작은 자연수 x의 값은 9이다.

4-2 $1.2\dot{3}=\frac{123-12}{90}=\frac{111}{90}=\frac{37}{30}=\frac{37}{2\times3\times5}$이므로

$1.2\dot{3}\times a$가 유한소수가 되려면 a는 3의 배수이어야 한다.

따라서 a의 값이 될 수 있는 가장 작은 자연수는 3이다.

5-1 $0.4=\frac{4}{10}=\frac{2}{5}$이므로 처음 기약분수의 분자는 2이고,

$0.\dot{5}=\frac{5}{9}$이므로 처음 기약분수의 분모는 9이다.

따라서 처음 기약분수는 $\frac{2}{9}$이므로 순환소수로 나타내면

$\frac{2}{9}=0.222\cdots=0.\dot{2}$

5-2 $0.1\dot{4}=\frac{14-1}{90}=\frac{13}{90}$이므로 처음 기약분수의 분자는

13이고, $0.\dot{1}\dot{7}=\frac{17}{99}$이므로 처음 기약분수의 분모는 99이다.

따라서 처음 기약분수는 $\frac{13}{99}$이므로 순환소수로 나타내면

$\frac{13}{99}=0.131313\cdots=0.\dot{1}\dot{3}$

6-1 ① 유한소수이므로 유리수이다.

② $-\frac{4}{7}$는 유리수이다.

③, ⑤ 순환하지 않는 무한소수이므로 유리수가 아니다.

④ 순환소수이므로 유리수이다.

따라서 유리수가 아닌 것은 ③, ⑤이다.

6-2 ① 유리수 중에는 순환소수도 있다.

③ 순환하지 않는 무한소수는 유리수가 아니다.

④ 정수가 아닌 유리수는 유한소수 또는 순환소수로 나타낼 수 있다.

⑤ 순환소수는 모두 분수로 나타낼 수 있다.

따라서 옳은 것은 ②이다.

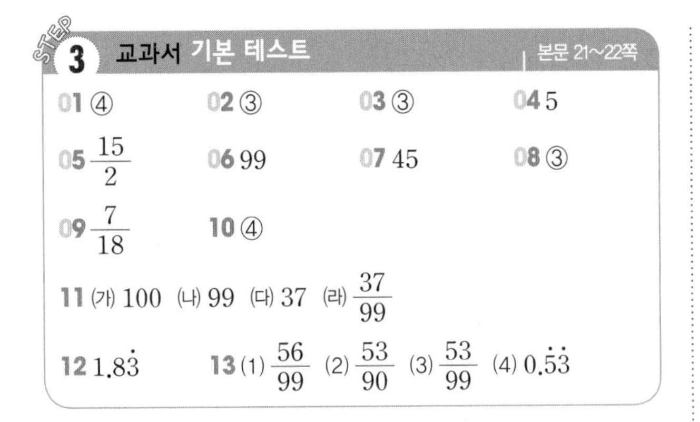

STEP 3 교과서 기본 테스트 본문 21~22쪽

01 ④ **02** ③ **03** ③ **04** 5

05 $\frac{15}{2}$ **06** 99 **07** 45 **08** ③

09 $\frac{7}{18}$ **10** ④

11 (가) 100 (나) 99 (다) 37 (라) $\frac{37}{99}$

12 $1.8\dot{3}$ **13** (1) $\frac{56}{99}$ (2) $\frac{53}{90}$ (3) $\frac{53}{99}$ (4) $0.\dot{5}\dot{3}$

01 $x=1.2\dot{8}\dot{6}=1.2868686\cdots$이므로

$$\begin{array}{rl} & 1000x=1286.868686\cdots \\ -) & 10x=\ \ 12.868686\cdots \\ \hline & 1000x-10x=1274 \end{array}$$

즉 $990x=1274$이므로 $x=\frac{1274}{990}=\frac{637}{495}$

따라서 가장 편리한 식은 ④ $1000x-10x$이다.

02 ② $0.4\dot{6}=\frac{46-4}{90}=\frac{42}{90}=\frac{7}{15}$

③ $0.5\dot{1}=\frac{51-5}{90}=\frac{46}{90}=\frac{23}{45}$

④ $2.\dot{3}\dot{4}=\frac{234-2}{99}=\frac{232}{99}$

⑤ $1.02\dot{6}=\frac{1026-102}{900}=\frac{924}{900}=\frac{77}{75}$

따라서 옳지 않은 것은 ③이다.

03 ② 순환소수이므로 유리수이다.

③ 순환마디는 05이다.

④ 분수로 나타내면 $x=0.2\dot{0}\dot{5}=\frac{205-2}{990}=\frac{203}{990}$

⑤ $x=0.2050505\cdots$이므로

$$\begin{array}{rl} & 1000x=205.050505\cdots \\ -) & 10x=\ \ 2.050505\cdots \\ \hline & 1000x-10x=203 \end{array}$$

즉 $990x=203$이므로 $x=\frac{203}{990}$

즉 분수로 나타낼 때 가장 편리한 식은 $1000x-10x$이다.

따라서 옳지 않은 것은 ③이다.

04 $0.13\dot{8}=\frac{138-13}{900}=\frac{125}{900}=\frac{5}{36}$ $\therefore a=5$

05 $0.\dot{6}=\frac{6}{9}=\frac{2}{3}$이므로 $a=\frac{3}{2}$

$0.1\dot{9}=\frac{19-1}{90}=\frac{18}{90}=5$이므로 $b=5$

$\therefore ab=\frac{3}{2}\times5=\frac{15}{2}$

06 $0.58\dot{3}=\frac{583-58}{900}=\frac{525}{900}=\frac{7}{12}=\frac{7}{2^2\times3}$이므로

$0.58\dot{3}\times x$가 유한소수가 되려면 x는 3의 배수이어야 한다. 따라서 x의 값이 될 수 있는 가장 큰 두 자리의 자연수는 99이다.

07 어떤 자연수를 x라 하면 $x\times0.2=x\times0.\dot{2}-1$

$x\times\frac{2}{10}=x\times\frac{2}{9}-1$, $\frac{1}{5}x=\frac{2}{9}x-1$

$9x=10x-45$ $\therefore x=45$

따라서 어떤 자연수는 45이다.

08 ① $1.\dot{8}=1.888\cdots$이므로 $1.\dot{8}<1.9$

② $3.\dot{6}=3.666\cdots$이므로 $3.\dot{6}>3.6$

③ $4.5\dot{7}=4.5777\cdots$, $4.\dot{5}\dot{7}=4.575757\cdots$이므로 $4.5\dot{7}>4.\dot{5}\dot{7}$

④ $2.\dot{6}\dot{0}=2.606060\cdots$이므로 $2.6<2.\dot{6}\dot{0}$

⑤ $0.\dot{2}=0.222\cdots$, $0.2\dot{1}=0.2111\cdots$이므로 $0.\dot{2}>0.2\dot{1}$

따라서 옳은 것은 ③이다.

09 $\frac{2}{5}=x+0.0\dot{1}$에서 $\frac{2}{5}=x+\frac{1}{90}$

$\therefore x=\frac{2}{5}-\frac{1}{90}=\frac{36-1}{90}=\frac{35}{90}=\frac{7}{18}$

10 ㉠ 순환하지 않는 무한소수는 분수로 나타낼 수 없다.

㉢ 모든 유리수는 정수 또는 유한소수 또는 순환소수로 나타낼 수 있다.

따라서 옳은 것은 ㉡, ㉣, ㉤이다.

11 $0.\dot{3}\dot{7}$을 x라 하면

$x=0.373737\cdots$ …… ㉠

㉠의 양변에 [100]을 곱하면

[100] $x=37.373737\cdots$ …… ㉡ …… ㉮

㉡에서 ㉠을 변끼리 빼면

[99] $x=$ [37] $\therefore x=$ [$\frac{37}{99}$] …… ㉯

채점 기준	비율
㉮ (가)에 알맞은 수를 제대로 구한 경우	40 %
㉯ (나), (다), (라)에 알맞은 수를 제대로 구한 경우	60 %

12 $0.\dot{5}\dot{4}=\frac{54}{99}=\frac{6}{11}$이므로 $a=11$, $b=6$ …… ㉮

$\therefore \frac{a}{b}=\frac{11}{6}=1.8333\cdots=1.8\dot{3}$ …… ㉯

채점 기준	비율
㉮ a, b의 값을 각각 제대로 구한 경우	60 %
㉯ $\frac{a}{b}$를 순환소수로 바르게 나타낸 경우	40 %

13 (1) $0.\dot{5}\dot{6}=\frac{56}{99}$ …… ㉮

(2) $0.5\dot{8}=\frac{58-5}{90}=\frac{53}{90}$ …… ㉯

(3) 윤호는 분모를 제대로 보았으므로 처음 기약분수의 분모는 99이고, 지선이는 분자를 제대로 보았으므로 처음 기약분수의 분자는 53이다.

따라서 처음 기약분수는 $\frac{53}{99}$이다. …… ㉰

(4) $\frac{53}{99}=0.535353\cdots=0.\dot{5}\dot{3}$ …… ㉱

채점 기준	비율
㉮ 윤호가 잘못 본 기약분수를 제대로 구한 경우	30 %
㉯ 지선이가 잘못 본 기약분수를 제대로 구한 경우	30 %
㉰ 처음 기약분수를 제대로 구한 경우	20 %
㉱ 처음 기약분수를 순환소수로 바르게 나타낸 경우	20 %

창의력 · 융합형 · 서술형 · 코딩

본문 23쪽

1 (1)

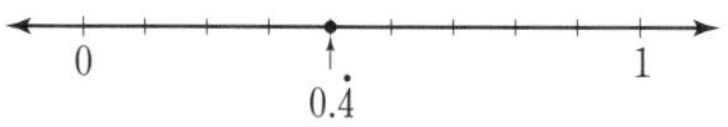

(2)

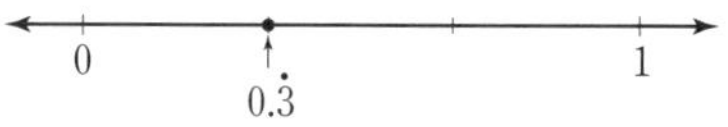

2 풀이 참조

1 (1) $0.\dot{4}=\frac{4}{9}$

(2) $0.\dot{3}=\frac{3}{9}=\frac{1}{3}$

2 [승빈]

판단 : 옳다.

근거 : 순환소수는 분수로 나타낼 수 있으므로 모든 순환소수는 유리수이다.

[하윤]

판단 : 옳지 않다.

근거 : 예를 들어 0.1010010001⋯은 순환하지 않는 무한소수이다.

[성호]

판단 : 옳다.

근거 : 무한소수 중 0.333⋯, 0.090909⋯와 같이 소수점 아래의 어떤 자리에서부터 일정한 숫자의 배열이 한없이 되풀이되는 소수가 순환소수이다.

[아름]

판단 : 옳지 않다.

근거 : 예를 들어 기약분수 $\frac{1}{3}$을 소수로 나타내면 $\frac{1}{3}=0.333\cdots=0.\dot{3}$이므로 기약분수를 소수로 나타내면 순환소수인 것도 있다.

II. 식의 계산

03 단항식의 계산

STEP 1 교과서 개념 확인 테스트

본문 27~28쪽

1-1 (1) a^{10} (2) x^9y^5 (3) a^{15} (4) a^{10} (5) $x^{10}y^{12}$

1-2 (1) 5^5 (2) x^{10} (3) a^8b^2 (4) a^{26} (5) $x^{17}y^6$

2-1 (1) a^5 (2) x^{12} (3) 1 (4) $\frac{1}{x^2}$

2-2 (1) 3^2 (2) a^5 (3) $\frac{1}{x^6}$ (4) $\frac{1}{x}$

3-1 (1) $4x^2$ (2) x^3y^6 (3) $\frac{y^4}{x^{12}}$ (4) $\frac{16x^8}{25y^4}$

3-2 (1) x^8y^4 (2) $8a^6b^9$ (3) $\frac{8x^3}{y^3}$ (4) $\frac{a^4b^8}{81}$

4-1 (1) $-12ab$ (2) $-6x^7$ (3) $7x^9y^5$ (4) $24ab^4$

4-2 (1) $-8a^2b$ (2) $-24x^5$ (3) $5x^6y^7$ (4) $27x^9y^5$

5-1 (1) $4a^2$ (2) $9xy^2$ (3) $-2a^2$ (4) $\frac{16y}{x}$

5-2 (1) $5a^2$ (2) $5xy$ (3) $\frac{3}{2}xy$ (4) $-24a^7b^8$

6-1 (1) $12a^4$ (2) $\frac{1}{9}a^2$ (3) $\frac{5}{2x^2y^7}$

6-2 (1) $-a^3b^2$ (2) $12x^7y^8$ (3) $\frac{x}{2y}$

1-1 (1) $a^3\times a^2\times a^5=a^{3+2+5}=a^{10}$

(2) $x^4\times y^2\times x^5\times y^3=x^4\times x^5\times y^2\times y^3$
$=x^{4+5}\times y^{2+3}$
$=x^9y^5$

(3) $(a^3)^5=a^{3\times5}=a^{15}$

(4) $(a^2)^3\times a^4=a^{2\times3}\times a^4=a^6\times a^4$
$=a^{6+4}=a^{10}$

(5) $(x^2)^4\times x^2\times(y^4)^3=x^{2\times4}\times x^2\times y^{4\times3}$
$=x^8\times x^2\times y^{12}$
$=x^{8+2}\times y^{12}$
$=x^{10}y^{12}$

1-2 (1) $5^4\times5=5^{4+1}=5^5$

(2) $x^3\times x^6\times x=x^{3+6+1}=x^{10}$

(3) $a^5\times a^3\times b^2=a^{5+3}\times b^2=a^8b^2$

(4) $(a^3)^2\times(a^4)^5=a^{3\times2}\times a^{4\times5}=a^6\times a^{20}$
$=a^{6+20}=a^{26}$

(5) $(x^3)^4\times(y^2)^3\times x^5=x^{3\times4}\times y^{2\times3}\times x^5$
$=x^{12}\times y^6\times x^5$
$=x^{12+5}\times y^6=x^{17}y^6$

2-1 (1) $a^7 \div a^2 = a^{7-2} = a^5$

(2) $(x^9)^2 \div (x^3)^2 = x^{9\times2} \div x^{3\times2}$
$= x^{18} \div x^6$
$= x^{18-6} = x^{12}$

(3) $a^{16} \div (a^8)^2 = a^{16} \div a^{8\times2}$
$= a^{16} \div a^{16}$
$= 1$

(4) $(x^2)^5 \div (x^4)^3 = x^{2\times5} \div x^{4\times3}$
$= x^{10} \div x^{12}$
$= \dfrac{1}{x^{12-10}} = \dfrac{1}{x^2}$

2-2 (1) $3^8 \div 3^6 = 3^{8-6} = 3^2$

(2) $(a^2)^4 \div a^3 = a^{2\times4} \div a^3$
$= a^8 \div a^3$
$= a^{8-3} = a^5$

(3) $(x^2)^3 \div (x^3)^4 = x^{2\times3} \div x^{3\times4}$
$= x^6 \div x^{12}$
$= \dfrac{1}{x^{12-6}} = \dfrac{1}{x^6}$

(4) $(x^7)^2 \div (x^3)^3 \div x^6 = x^{7\times2} \div x^{3\times3} \div x^6$
$= x^{14} \div x^9 \div x^6$
$= x^{14-9} \div x^6$
$= x^5 \div x^6$
$= \dfrac{1}{x^{6-5}} = \dfrac{1}{x}$

3-1 (1) $(-2x)^2 = (-2)^2 \times x^2 = 4x^2$

(2) $(xy^2)^3 = x^3 \times (y^2)^3 = x^3 \times y^{2\times3} = x^3y^6$

(3) $\left(\dfrac{y}{x^3}\right)^4 = \dfrac{y^4}{(x^3)^4} = \dfrac{y^4}{x^{3\times4}} = \dfrac{y^4}{x^{12}}$

(4) $\left(\dfrac{-4x^4}{5y^2}\right)^2 = \dfrac{(-4x^4)^2}{(5y^2)^2} = \dfrac{(-4)^2 \times (x^4)^2}{5^2 \times (y^2)^2}$
$= \dfrac{16 \times x^{4\times2}}{25 \times y^{2\times2}} = \dfrac{16x^8}{25y^4}$

3-2 (1) $(x^2y)^4 = (x^2)^4 \times y^4 = x^{2\times4} \times y^4 = x^8y^4$

(2) $(2a^2b^3)^3 = 2^3 \times (a^2)^3 \times (b^3)^3$
$= 2^3 \times a^{2\times3} \times b^{3\times3}$
$= 8a^6b^9$

(3) $\left(\dfrac{2x}{y}\right)^3 = \dfrac{(2x)^3}{y^3} = \dfrac{2^3 \times x^3}{y^3} = \dfrac{8x^3}{y^3}$

(4) $\left(-\dfrac{ab^2}{3}\right)^4 = (-1)^4 \times \dfrac{(ab^2)^4}{3^4} = 1 \times \dfrac{a^4 \times b^{2\times4}}{81} = \dfrac{a^4b^8}{81}$

4-1 (1) $-4a \times 3b = -4 \times 3 \times a \times b = -12ab$

(2) $-4x^3 \times \dfrac{3}{2}x^4 = -4 \times \dfrac{3}{2} \times x^3 \times x^4 = -6x^7$

(3) $7x^3y \times (x^3y^2)^2 = 7x^3y \times x^6y^4 = 7x^9y^5$

(4) $(-3ab) \times (-2b)^3 = (-3ab) \times (-8b^3)$
$= -3 \times (-8) \times ab \times b^3$
$= 24ab^4$

4-2 (1) $4ab \times (-2a) = 4 \times (-2) \times ab \times a = -8a^2b$

(2) $-3x^2 \times (2x)^3 = -3x^2 \times 8x^3$
$= -3 \times 8 \times x^2 \times x^3$
$= -24x^5$

(3) $5x^2y \times (x^2y^3)^2 = 5x^2y \times x^4y^6 = 5x^6y^7$

(4) $(3xy)^3 \times (-x^3y)^2 = 27x^3y^3 \times x^6y^2 = 27x^9y^5$

5-1 (1) $8a^3 \div 2a = \dfrac{8a^3}{2a} = 4a^2$

(2) $(3xy)^3 \div 3x^2y = 27x^3y^3 \div 3x^2y = \dfrac{27x^3y^3}{3x^2y} = 9xy^2$

(3) $2a^5b^3 \div (-ab)^3 = 2a^5b^3 \div (-a^3b^3) = \dfrac{2a^5b^3}{-a^3b^3} = -2a^2$

(4) $(2xy)^2 \div \dfrac{x^3y}{4} = 4x^2y^2 \div \dfrac{x^3y}{4} = 4x^2y^2 \times \dfrac{4}{x^3y}$
$= 4 \times 4 \times x^2y^2 \times \dfrac{1}{x^3y}$
$= \dfrac{16y}{x}$

5-2 (1) $35a^5 \div 7a^3 = \dfrac{35a^5}{7a^3} = 5a^2$

(2) $(-5xy)^2 \div 5xy = 25x^2y^2 \div 5xy = \dfrac{25x^2y^2}{5xy} = 5xy$

(3) $xy^2 \div \dfrac{2}{3}y = xy^2 \times \dfrac{3}{2y} = \dfrac{3}{2}xy$

(4) $(-2a^4b^3)^3 \div \dfrac{1}{3}a^5b = -8a^{12}b^9 \div \dfrac{1}{3}a^5b$
$= -8a^{12}b^9 \times \dfrac{3}{a^5b}$
$= -8 \times 3 \times a^{12}b^9 \times \dfrac{1}{a^5b}$
$= -24a^7b^8$

6-1 (1) $9a^3b \div \dfrac{3}{4}b^4 \times ab^3 = 9a^3b \times \dfrac{4}{3b^4} \times ab^3$
$= 9 \times \dfrac{4}{3} \times a^3b \times \dfrac{1}{b^4} \times ab^3$
$= 12a^4$

(2) $2a^4 \times \dfrac{1}{3}a^2 \div 6a^4 = 2a^4 \times \dfrac{1}{3}a^2 \times \dfrac{1}{6a^4}$
$= 2 \times \dfrac{1}{3} \times \dfrac{1}{6} \times a^4 \times a^2 \times \dfrac{1}{a^4}$
$= \dfrac{1}{9}a^2$

(3) $(-10x^3y)^2 \div (2xy^2)^3 \div 5x^5y^3$
$=100x^6y^2 \div 8x^3y^6 \div 5x^5y^3$
$=100x^6y^2 \times \dfrac{1}{8x^3y^6} \times \dfrac{1}{5x^5y^3}$
$=100 \times \dfrac{1}{8} \times \dfrac{1}{5} \times x^6y^2 \times \dfrac{1}{x^3y^6} \times \dfrac{1}{x^5y^3}$
$=\dfrac{5}{2x^2y^7}$

6-2 (1) $6ab^4 \div (-2b^2) \times \dfrac{1}{3}a^2$
$=6ab^4 \times \left(\dfrac{1}{-2b^2}\right) \times \dfrac{1}{3}a^2$
$=6 \times \left(-\dfrac{1}{2}\right) \times \dfrac{1}{3} \times ab^4 \times \dfrac{1}{b^2} \times a^2$
$=-a^3b^2$
(2) $(3x^2y)^3 \times (-2xy^3)^2 \div 9xy$
$=27x^6y^3 \times 4x^2y^6 \div 9xy$
$=27x^6y^3 \times 4x^2y^6 \times \dfrac{1}{9xy}$
$=27 \times 4 \times \dfrac{1}{9} \times x^6y^3 \times x^2y^6 \times \dfrac{1}{xy}$
$=12x^7y^8$
(3) $x^2y \div 3y^2 \div \dfrac{2}{3}x = x^2y \times \dfrac{1}{3y^2} \times \dfrac{3}{2x}$
$=\dfrac{1}{3} \times \dfrac{3}{2} \times x^2y \times \dfrac{1}{y^2} \times \dfrac{1}{x}$
$=\dfrac{x}{2y}$

STEP 2 기출 기초 테스트

본문 29~32쪽

1-1 ㉠	1-2 ⑤
2-1 ㉡	2-2 ③
3-1 (1) 12 (2) 5 (3) 14 (4) 4	
3-2 (1) 4 (2) 3 (3) 6 (4) 2	
4-1 (1) □=4 (2) □=10 (3) □=3, ■=−8 (4) □=4, ■=4	
4-2 (1) □=6 (2) □=5 (3) □=2, ■=8 (4) □=7, ■=6	
5-1 13	5-2 6^5
6-1 13	6-2 2
7-1 ④	7-2 ⑤
8-1 11자리	8-2 7자리
9-1 ③	9-2 ⑤
10-1 $\dfrac{2y^{11}}{x}$	10-2 $9ab^4$
11-1 $-8x^3y^3$, $-x^2y^3$	11-2 $-4x^3$
12-1 $\dfrac{3}{2}a$	12-2 $4b^2$

1-1 ㉡ $x \times x^2 \times x^5 = x^{1+2+5} = x^8$
㉢ $(x^3)^3 = x^{3\times3} = x^9$
㉣ $x^3 \times (x^2)^4 = x^3 \times x^{2\times4} = x^3 \times x^8$
$=x^{3+8} = x^{11}$
따라서 옳은 것은 ㉠이다.

1-2 ① $a^2 \times a^5 = a^{2+5} = a^7$
② $a^3 + a^3 = 2a^3$
③ $(x^3)^2 = x^{3\times2} = x^6$
④ $(a^3)^4 = a^{3\times4} = a^{12}$
⑤ $(a^2)^4 \times a = a^{2\times4} \times a = a^8 \times a = a^{8+1} = a^9$
따라서 옳은 것은 ⑤이다.

2-1 ㉠ $x^{10} \div x^2 = x^{10-2} = x^8$
㉢ $(x^2y^3)^2 = x^{2\times2} \times y^{3\times2} = x^4y^6$
㉣ $\left(-\dfrac{y^2}{2x}\right)^3 = (-1)^3 \times \dfrac{y^{2\times3}}{2^3 \times x^3} = -\dfrac{y^6}{8x^3}$
따라서 옳은 것은 ㉡이다.

2-2 ① $a^3 \div a^3 = 1$
② $a^8 \div a^2 = a^{8-2} = a^6$
③ $a^3 \div a^7 = \dfrac{1}{y^{7-3}} = \dfrac{1}{a^4}$
④ $(3xy^2)^3 = 3^3 \times x^3 \times y^{2\times3} = 27x^3y^6$
⑤ $\left(-\dfrac{x^2}{y^5}\right)^3 = (-1)^3 \times \dfrac{x^{2\times3}}{y^{5\times3}} = -\dfrac{x^6}{y^{15}}$
따라서 옳은 것은 ③이다.

3-1 (1) $x^2 \times x^{\square} = x^{2+\square} = x^{14}$에서
$2+\square=14$ $\quad\therefore \square=12$
(2) $x^6 \times x^5 \times x^{\square} = x^{6+5+\square} = x^{11+\square} = x^{16}$에서
$11+\square=16$ $\quad\therefore \square=5$
(3) $(x^{\square})^2 = x^{\square\times2} = x^{28}$에서
$\square\times2=28$ $\quad\therefore \square=14$
(4) $(3^2)^4 \times 3^{\square} = 3^{2\times4+\square} = 3^{8+\square} = 3^{12}$에서
$8+\square=12$ $\quad\therefore \square=4$

3-2 (1) $2^{\square} \times 2^2 = 2^{\square+2} = 2^6$에서
$\square+2=6$ $\quad\therefore \square=4$
(2) $(x^3)^{\square} \times x^6 = x^{3\times\square+6} = x^{15}$에서
$3\times\square+6=15$ $\quad\therefore \square=3$
(3) $x^5 \times (x^2)^{\square} \times x^3 = x^{5+2\times\square+3} = x^{2\times\square+8} = x^{20}$에서
$2\times\square+8=20$ $\quad\therefore \square=6$
(4) $(5^4)^{\square} \times (5^2)^5 = 5^{4\times\square+2\times5} = 5^{4\times\square+10} = 5^{18}$에서
$4\times\square+10=18$ $\quad\therefore \square=2$

4-1 (1) $a^5\times a^{\square}\div a^6=a^{5+\square}\div a^6=a^{5+\square-6}=a^3$에서

$5+\square-6=3 \quad \therefore \square=4$

(2) $(a^2)^3\div a^{\square}=a^6\div a^{\square}=\dfrac{1}{a^{\square-6}}=\dfrac{1}{a^4}$에서

$\square-6=4 \quad \therefore \square=10$

(3) $(-2x^4)^{\square}=(-2)^{\square}\times x^{4\times\square}=\blacksquare x^{12}$에서

$(-2)^{\square}=\blacksquare$, $4\times\square=12$

$\therefore \square=3$, $\blacksquare=(-2)^3=-8$

(4) $\left(\dfrac{3x^{\square}}{y^2}\right)^2=\dfrac{3^2\times x^{\square\times2}}{y^{2\times2}}=\dfrac{9x^8}{y^{\blacksquare}}$에서

$\square\times2=8$, $2\times2=\blacksquare$

$\therefore \square=4$, $\blacksquare=4$

4-2 (1) $a^4\div a\div a^{\square}=a^3\div a^{\square}=\dfrac{1}{a^{\square-3}}=\dfrac{1}{a^3}$에서

$\square-3=3 \quad \therefore \square=6$

(2) $(x^4)^4\div(x^{\square})^2=x^{4\times4}\div x^{\square\times2}=x^{16-\square\times2}=x^6$에서

$16-\square\times2=6$, $\square\times2=10$

$\therefore \square=5$

(3) $(3ab^4)^{\square}=3^{\square}\times a^{\square}\times b^{4\times\square}=9a^2b^{\blacksquare}$에서

$\square=2$, $4\times\square=\blacksquare$

$\therefore \square=2$, $\blacksquare=8$

(4) $\left(\dfrac{x^{\square}}{y^2}\right)^3=\dfrac{x^{\square\times3}}{y^{2\times3}}=\dfrac{x^{21}}{y^{\blacksquare}}$에서

$\square\times3=21$, $2\times3=\blacksquare$

$\therefore \square=7$, $\blacksquare=6$

5-1 (가) $3^3+3^3+3^3=3\times3^3=3^{1+3}=3^4$

$\therefore a=4$

(나) $3^3\times3^3\times3^3=3^{3+3+3}=3^9$

$\therefore b=9$

$\therefore a+b=4+9=13$

5-2 $6^4+6^4+6^4+6^4+6^4+6^4=6\times6^4=6^{1+4}=6^5$

6-1 $8^3\times4^2=(2^3)^3\times(2^2)^2=2^9\times2^4=2^{9+4}=2^{13}=2^x$

$\therefore x=13$

6-2 $16^a\times32\div4^4=(2^4)^a\times2^5\div(2^2)^4$

$=2^{4a}\times2^5\div2^8$

$=2^{4a+5}\div2^8$

$=2^{4a+5-8}$

$=2^{4a-3}=2^5$

따라서 $4a-3=5$이므로 $a=2$

7-1 $9^6=(3^2)^6=3^{12}=3^{3\times4}=(3^3)^4=A^4$

7-2 $8^{10}=(2^3)^{10}=2^{30}=2^{5\times6}=(2^5)^6=A^6$

8-1 $2^{12}\times5^{10}=2^2\times2^{10}\times5^{10}=2^2\times(2\times5)^{10}=4\times10^{10}$

따라서 $2^{12}\times5^{10}$은 11자리 자연수이다.

8-2 $2^9\times5^6=2^3\times2^6\times5^6=2^3\times(2\times5)^6=8\times10^6$

따라서 $2^9\times5^6$은 7자리 자연수이다.

9-1 ③ $(-2x)^3\times(-4xy)=-8x^3\times(-4xy)$

$=32x^4y$

9-2 ⑤ $(-ab^2)^3\div a^2b^2=-a^3b^6\div a^2b^2$

$=\dfrac{-a^3b^6}{a^2b^2}=-ab^4$

10-1 $(-3x^4y^3)^2\div\dfrac{4}{3}y\times\left(\dfrac{2y^2}{3x^3}\right)^3=9x^8y^6\div\dfrac{4}{3}y\times\dfrac{8y^6}{27x^9}$

$=9x^8y^6\times\dfrac{3}{4y}\times\dfrac{8y^6}{27x^9}$

$=\dfrac{2y^{11}}{x}$

10-2 $18b^3\times\dfrac{1}{2}a^2b^3\div ab^2=18b^3\times\dfrac{1}{2}a^2b^3\times\dfrac{1}{ab^2}=9ab^4$

11-1 $3x^2y\div A\times(-2xy)^3=24x^3y$에서

$A=3x^2y\times(-2xy)^3\div24x^3y$

$=3x^2y\times(\boxed{-8x^3y^3})\times\dfrac{1}{24x^3y}$

$=\boxed{-x^2y^3}$

11-2 $3xy^2\times\boxed{}\div(-2x^3y)=6xy$에서

$\boxed{}=6xy\div3xy^2\times(-2x^3y)$

$=6xy\times\dfrac{1}{3xy^2}\times(-2x^3y)$

$=-4x^3$

12-1 $2a\times5b\times$(높이)$=15a^2b$이므로

$10ab\times$(높이)$=15a^2b$

$\therefore$ (높이)$=15a^2b\div10ab=\dfrac{15a^2b}{10ab}=\dfrac{3}{2}a$

12-2 $\dfrac{1}{2}\times6ab\times$(높이)$=12ab^3$이므로

$3ab\times$(높이)$=12ab^3$

$\therefore$ (높이)$=12ab^3\div3ab=\dfrac{12ab^3}{3ab}=4b^2$

STEP 3 교과서 기본 테스트

본문 33~35쪽

01 ③	02 ②	03 5	04 ⑤
05 ③	06 ③	07 12	08 ④
09 12자리	10 21	11 ⑤	12 ①
13 (1) $36x^3y^2$ (2) $12x^2y$ (3) $30x^2y^2$			14 $8a^6$
15 $6ab^5$	16 $a=3$, $b=10$, $c=15$		17 20
18 $\frac{2}{ab}$			

01 ① $x^2 \times x^8 = x^{2+8} = x^{10}$

② $(x^3)^3 = x^{3\times3} = x^9$

④ $(3x^2)^3 = 3^3 \times x^{2\times3} = 27x^6$

⑤ $\left(-\frac{x}{2}\right)^4 = (-1)^4 \times \frac{x^4}{2^4} = \frac{x^4}{16}$

따라서 옳은 것은 ③이다.

02 $(x^2)^3 \div x^6 = x^6 \div x^6 = 1$

03 $\left(\frac{2x^2}{y^3}\right)^3 = \frac{2^3 \times x^{2\times3}}{y^{3\times3}} = \frac{8x^6}{y^9} = \frac{ax^b}{y^c}$에서

$a=8$, $b=6$, $c=9$

$\therefore a+b-c=8+6-9=5$

04 ① $x^3 \times x^{\square} = x^{3+\square} = x^6$에서 $3+\square=6$ $\quad\therefore \square=3$

② $(x^{\square})^4 = x^{\square\times4} = x^8$에서 $\square\times4=8$ $\quad\therefore \square=2$

③ $x^{\square} \div x^4 = 1$에서 $\square=4$

④ $x^6 \div x^9 = \frac{1}{x^{9-6}} = \frac{1}{x^3}$이므로 $\square=3$

⑤ $(x^3y^{\square})^2 = x^{3\times2} \times y^{\square\times2} = x^6y^2$에서

$\square\times2=2$ $\quad\therefore \square=1$

따라서 $\square$ 안에 들어갈 수가 가장 작은 것은 ⑤이다.

05 $(x^4)^3 \div x^{\square} \times x^2 = x^{12} \div x^{\square} \times x^2 = x^{12-\square+2} = x^{14-\square} = x^{10}$

에서 $14-\square=10$ $\quad\therefore \square=4$

06 (가) $3^{n+2} = 3^n \times 3^2 = 3^n \times 9$ $\quad\therefore a=9$

(나) $16^2 = (2^4)^2 = 2^{4\times2} = 2^8$ $\quad\therefore b=8$

(다) $2^2 \times 2^5 \times 2 = 2^{2+5+1} = 2^8$ $\quad\therefore c=8$

$\therefore a+b+c=9+8+8=25$

07 $5^4+5^4+5^4+5^4+5^4 = 5\times5^4 = 5^5$

$\therefore a=5$

$9^3+9^3+9^3 = 3\times9^3 = 3\times(3^2)^3 = 3\times3^6 = 3^7$

$\therefore b=7$

$\therefore a+b=5+7=12$

08 $\frac{1}{25^3} = \frac{1}{(5^2)^3} = \frac{1}{5^6} = \frac{1}{(5^3)^2} = \frac{1}{A^2}$

09 $2^8\times3^2\times5^{11} = 3^2\times2^8\times5^{11} = 3^2\times2^8\times5^8\times5^3$

$= 3^2\times5^3\times(2\times5)^8$

$= 1125\times10^8$

따라서 $2^8\times3^2\times5^{11}$은 12자리 자연수이다.

10 $(a^2b^4)^2\times(a^4b)^3\div(ab^2)^2 = a^4b^8\times a^{12}b^3\div a^2b^4$

$= a^4b^8\times a^{12}b^3\times\frac{1}{a^2b^4}$

$= a^{14}b^7$

따라서 $m=14$, $n=7$이므로

$m+n=14+7=21$

11 ① $(a^5)^3\times(ab^2)^6\div a^6 = a^{15}\times a^6b^{12}\div a^6$

$= a^{15}\times a^6b^{12}\times\frac{1}{a^6}$

$= a^{15}b^{12}$

② $(a^3b)^2\div a^2b^3\times\left(\frac{b}{a^2}\right)^2 = a^6b^2\div a^2b^3\times\frac{b^2}{a^4}$

$= a^6b^2\times\frac{1}{a^2b^3}\times\frac{b^2}{a^4}$

$= b$

③ $(-3x^2)^2\times(2x)^2 = 9x^4\times4x^2 = 36x^6$

④ $-2x^2y\div(2xy)^2 = -2x^2y\div4x^2y^2$

$= \frac{-2x^2y}{4x^2y^2} = -\frac{1}{2y}$

⑤ $-6a^2b\div3ab\times2ab^2 = -6a^2b\times\frac{1}{3ab}\times2ab^2$

$= -4a^2b^2$

따라서 옳은 것은 ⑤이다.

12 $(4x^5y)^2\div\square\times(-3x^2y^4) = 8x^4y^3$에서

$\square = (4x^5y)^2\times(-3x^2y^4)\div8x^4y^3$

$= 16x^{10}y^2\times(-3x^2y^4)\times\frac{1}{8x^4y^3}$

$= -6x^8y^3$

13 (1) (다)$\div(6xy)^2 = x$이므로

(다)$= x\times(6xy)^2 = x\times36x^2y^2 = 36x^3y^2$

(2) (나)$\times3xy=$(다)이므로 (나)$\times3xy = 36x^3y^2$

$\therefore$ (나)$= 36x^3y^2\div3xy = \frac{36x^3y^2}{3xy} = 12x^2y$

(3) (가)$\div\frac{5}{2}y=$(나)이므로 (가)$\div\frac{5}{2}y = 12x^2y$

$\therefore$ (가)$= 12x^2y\times\frac{5}{2}y = 30x^2y^2$

14 $(6a^4b)^2=\frac{1}{2}\times 9a^2b^2\times$(높이)이므로

$36a^8b^2=\frac{9}{2}a^2b^2\times$(높이)

$\therefore$ (높이)$=36a^8b^2\div\frac{9}{2}a^2b^2=36a^8b^2\times\frac{2}{9a^2b^2}=8a^6$

15 $\frac{1}{3}\times\pi\times(3a^2b)^2\times h=18\pi a^5b^7$이므로

$\frac{1}{3}\times\pi\times 9a^4b^2\times h=18\pi a^5b^7$

$3\pi a^4b^2\times h=18\pi a^5b^7$

$\therefore h=18\pi a^5b^7\div 3\pi a^4b^2=\frac{18\pi a^5b^7}{3\pi a^4b^2}=6ab^5$

16 $\left(\frac{3}{2^a}\right)^4=\frac{3^4}{2^{a\times 4}}=\frac{3^4}{2^{12}}$에서

$a\times 4=12 \quad \therefore a=3$ …… ㉮

$\left(\frac{2^a}{7^2}\right)^5=\left(\frac{2^3}{7^2}\right)^5=\frac{2^{3\times 5}}{7^{2\times 5}}=\frac{2^{15}}{7^{10}}=\frac{2^c}{7^b}$에서

$b=10$, $c=15$ …… ㉯

채점 기준	비율
㉮ a의 값을 제대로 구한 경우	40 %
㉯ b, c의 값을 각각 제대로 구한 경우	60 %

17 $8^3\times 12^5\div 9^2=(2^3)^3\times(2^2\times 3)^5\div(3^2)^2$

$=2^9\times 2^{10}\times 3^5\div 3^4$

$=2^{19}\times 3$ …… ㉮

따라서 $a=19$, $b=1$이므로 …… ㉯

$a+b=19+1=20$ …… ㉰

채점 기준	비율
㉮ 좌변의 식을 제대로 간단히 한 경우	60 %
㉯ a, b의 값을 각각 제대로 구한 경우	20 %
㉰ $a+b$의 값을 제대로 구한 경우	20 %

18 어떤 식을 ☐라 하면

☐$\times 7a^2b^3=98a^3b^5$

$\therefore$ ☐$=98a^3b^5\div 7a^2b^3=\frac{98a^3b^5}{7a^2b^3}=14ab^2$ …… ㉮

따라서 바르게 계산하면

$14ab^2\div 7a^2b^3=\frac{14ab^2}{7a^2b^3}=\frac{2}{ab}$ …… ㉯

채점 기준	비율
㉮ 어떤 식을 제대로 구한 경우	50 %
㉯ 바르게 계산한 식을 제대로 구한 경우	50 %

창의력·융합형·서술형·코딩

본문 36~37쪽

1 500초

2 (1) 고양이의 수 : 3^2, 쥐의 수 : 3^3

(2) 보리 이삭의 수 : 3^4, 보리 낱알의 수 : 3^5

(3) 9알

3 (1) 9, 3, 12, 12 (2) 12, 2, 4, 4, 4

4 $\frac{8}{3}$배

1 지구에서 태양까지의 거리는 1.5×10^8 km, 빛의 속도는 초속 3.0×10^5 km이므로

$\frac{1.5\times 10^8}{3.0\times 10^5}=\frac{10^3}{2}=500$(초)

따라서 현재 우리가 보고 있는 태양의 빛은 500초 전에 태양을 출발한 것이다.

2 (1) 고양이의 수는 $3\times 3=3^2$

쥐의 수는 $3^2\times 3=3^3$

(2) 보리 이삭의 수는 $3^3\times 3=3^4$

보리 낱알의 수는 $3^4\times 3=3^5$

(3) $3^5\div 3^3=3^{5-3}=3^2=9$(알)

3 (1) $512\times 8=2^{\boxed{9}}\times 2^{\boxed{3}}=2^{9+3}=2^{\boxed{12}}$ (MiB)

따라서 용량이 512 MiB인 동영상 8편의 전체 용량은 $2^{\boxed{12}}$ MiB이다.

(2) 2^{10} MiB는 1 GiB이므로

$2^{\boxed{12}}$ (MiB)$=2^{\boxed{2}}\times 2^{10}$ (MiB)

$=\boxed{4}\times 2^{10}$ (MiB)

$=\boxed{4}$ (GiB)

따라서 용량이 512 MiB인 동영상 8편의 전체 용량은 $\boxed{4}$ GiB이다.

4 ㈎의 부피는 $\pi r^2\times 3a=3\pi ar^2$

㈏의 부피는 $\pi\times(2r)^2\times 2a=8\pi ar^2$

따라서 ㈏의 부피는 ㈎의 부피의 $\frac{8\pi ar^2}{3\pi ar^2}=\frac{8}{3}$(배)이다.

04 다항식의 계산

STEP 1 교과서 개념 확인 테스트 본문 39~40쪽

1-1 (1) $4a-3b$ (2) $x-y-4$ (3) $-a+b$ (4) $2x-y-3$
1-2 (1) $3a+2b$ (2) $2y-2$ (3) $-5a-12b$
(4) $-3x+9y-6$
2-1 (1) $3x^2-5x+5$ (2) $4x^2-x-1$ (3) $-10x^2-3x-8$
2-2 (1) $-4x-4$ (2) $6x^2-2x-4$ (3) $-6x^2-17x+9$
3-1 (1) $-2x^2+6x$ (2) $-2x^2y-10x^2$ (3) $3a^3+a^2-4a$
(4) $x^2-2xy+x$
3-2 (1) $-4x^2+8xy$ (2) $-6x^2+3xy$ (3) $10x^2-6xy$
(4) $-10x^2y+20x^2y^2-15x^2$
4-1 (1) $4a^2+a$ (2) $3x^2+xy$ (3) $6x^2+2xy-12y^2$
4-2 (1) $7a^2+2a$ (2) x^2+4xy (3) $2x^2+23xy$
5-1 (1) $-4x-3y+2$ (2) $6x^3y-3x$ (3) $6xy-9y$
5-2 (1) $-2x+3y$ (2) $2x-6y$ (3) $-2x+10y-8$
6-1 (1) $2ab$ (2) $3x^2+6xy$
6-2 (1) $24xy-12x$ (2) $4x$

1-1 (1) $(3a-2b)+(a-b)=3a-2b+a-b$
$=3a+a-2b-b$
$=4a-3b$
(2) $(4x-2y-3)+(-3x+y-1)$
$=4x-2y-3-3x+y-1$
$=4x-3x-2y+y-3-1$
$=x-y-4$
(3) $2(a-2b)-(3a-5b)=2a-4b-3a+5b$
$=2a-3a-4b+5b$
$=-a+b$
(4) $(5x-3y-4)-(3x-2y-1)$
$=5x-3y-4-3x+2y+1$
$=5x-3x-3y+2y-4+1$
$=2x-y-3$

1-2 (1) $(a+5b)+(2a-3b)=a+5b+2a-3b$
$=a+2a+5b-3b$
$=3a+2b$
(2) $(2x-3y+1)+(-2x+5y-3)$
$=2x-3y+1-2x+5y-3$
$=2x-2x-3y+5y+1-3$
$=2y-2$
(3) $(a-4b)-2(3a+4b)=a-4b-6a-8b$
$=a-6a-4b-8b$
$=-5a-12b$
(4) $2(-x+3y-2)-(x-3y+2)$
$=-2x+6y-4-x+3y-2$
$=-2x-x+6y+3y-4-2$
$=-3x+9y-6$

2-1 (1) $(5x^2-3x-2)+(-2x^2-2x+7)$
$=5x^2-3x-2-2x^2-2x+7$
$=5x^2-2x^2-3x-2x-2+7$
$=3x^2-5x+5$
(2) $(3x^2-4x+1)-(-x^2-3x+2)$
$=3x^2-4x+1+x^2+3x-2$
$=3x^2+x^2-4x+3x+1-2$
$=4x^2-x-1$
(3) $3(x-2x^2)-2(2x^2+3x+4)$
$=3x-6x^2-4x^2-6x-8$
$=-6x^2-4x^2+3x-6x-8$
$=-10x^2-3x-8$

2-2 (1) $(3x^2+x-5)+(-3x^2-5x+1)$
$=3x^2+x-5-3x^2-5x+1$
$=3x^2-3x^2+x-5x-5+1$
$=-4x-4$
(2) $(4x^2-3x+2)-(-2x^2-x+6)$
$=4x^2-3x+2+2x^2+x-6$
$=4x^2+2x^2-3x+x+2-6$
$=6x^2-2x-4$
(3) $(1-x-2x^2)-4(x^2+4x-2)$
$=1-x-2x^2-4x^2-16x+8$
$=-2x^2-4x^2-x-16x+1+8$
$=-6x^2-17x+9$

3-1 (1) $2x(-x+3)=2x\times(-x)+2x\times3$
$=-2x^2+6x$
(2) $(xy+5x)\times(-2x)=xy\times(-2x)+5x\times(-2x)$
$=-2x^2y-10x^2$
(3) $a(3a^2+a-4)=a\times3a^2+a\times a+a\times(-4)$
$=3a^3+a^2-4a$
(4) $-x(-x+2y-1)$
$=(-x)\times(-x)+(-x)\times2y+(-x)\times(-1)$
$=x^2-2xy+x$

3-2 (1) $-4x(x-2y)=(-4x)\times x+(-4x)\times(-2y)$
$=-4x^2+8xy$
(2) $(2x-y)\times(-3x)=2x\times(-3x)+(-y)\times(-3x)$
$=-6x^2+3xy$

(3) $(15x-9y)\times\frac{2}{3}x=15x\times\frac{2}{3}x+(-9y)\times\frac{2}{3}x$

$=10x^2-6xy$

(4) $-5x^2(2y-4y^2+3)$

$=(-5x^2)\times 2y+(-5x^2)\times(-4y^2)+(-5x^2)\times 3$

$=-10x^2y+20x^2y^2-15x^2$

4-1 (1) $2a(a+2)+a(2a-3)$

$=2a\times a+2a\times 2+a\times 2a+a\times(-3)$

$=2a^2+4a+2a^2-3a$

$=2a^2+2a^2+4a-3a$

$=4a^2+a$

(2) $3x(2x-y)-x(3x-4y)$

$=3x\times 2x+3x\times(-y)+(-x)\times 3x+(-x)\times(-4y)$

$=6x^2-3xy-3x^2+4xy$

$=6x^2-3x^2-3xy+4xy$

$=3x^2+xy$

(3) $2x(3x-y)-4y(-x+3y)$

$=2x\times 3x+2x\times(-y)+(-4y)\times(-x)+(-4y)\times 3y$

$=6x^2-2xy+4xy-12y^2$

$=6x^2+2xy-12y^2$

4-2 (1) $3a(2a-1)+a(a+5)$

$=3a\times 2a+3a\times(-1)+a\times a+a\times 5$

$=6a^2-3a+a^2+5a$

$=6a^2+a^2-3a+5a$

$=7a^2+2a$

(2) $x(3x-2y)-2x(x-3y)$

$=x\times 3x+x\times(-2y)+(-2x)\times x+(-2x)\times(-3y)$

$=3x^2-2xy-2x^2+6xy$

$=3x^2-2x^2-2xy+6xy$

$=x^2+4xy$

(3) $5x(x+y)-3x(x-6y)$

$=5x\times x+5x\times y+(-3x)\times x+(-3x)\times(-6y)$

$=5x^2+5xy-3x^2+18xy$

$=5x^2-3x^2+5xy+18xy$

$=2x^2+23xy$

5-1 (1) $(8x^2+6xy-4x)\div(-2x)$

$=\frac{8x^2+6xy-4x}{-2x}$

$=\frac{8x^2}{-2x}+\frac{6xy}{-2x}-\frac{4x}{-2x}$

$=-4x-3y+2$

(2) $(18x^4y^2-9x^2y)\div 3xy=\frac{18x^4y^2-9x^2y}{3xy}$

$=\frac{18x^4y^2}{3xy}-\frac{9x^2y}{3xy}$

$=6x^3y-3x$

(3) $(2x^2y^2-3xy^2)\div\frac{1}{3}xy=(2x^2y^2-3xy^2)\times\frac{3}{xy}$

$=2x^2y^2\times\frac{3}{xy}-3xy^2\times\frac{3}{xy}$

$=6xy-9y$

5-2 (1) $(4x^2y-6xy^2)\div(-2xy)=\frac{4x^2y-6xy^2}{-2xy}$

$=\frac{4x^2y}{-2xy}-\frac{6xy^2}{-2xy}$

$=-2x+3y$

(2) $(-8x^2+24xy)\div(-4x)=\frac{-8x^2+24xy}{-4x}$

$=\frac{-8x^2}{-4x}+\frac{24xy}{-4x}$

$=2x-6y$

(3) $(5x^2-25xy+20x)\div\left(-\frac{5}{2}x\right)$

$=(5x^2-25xy+20x)\times\left(-\frac{2}{5x}\right)$

$=5x^2\times\left(-\frac{2}{5x}\right)-25xy\times\left(-\frac{2}{5x}\right)+20x\times\left(-\frac{2}{5x}\right)$

$=-2x+10y-8$

6-1 (1) $a(5a-b)-(10a^2b-6ab^2)\div 2b$

$=a\times 5a-a\times b-\frac{10a^2b-6ab^2}{2b}$

$=5a^2-ab-\left(\frac{10a^2b}{2b}-\frac{6ab^2}{2b}\right)$

$=5a^2-ab-(5a^2-3ab)$

$=5a^2-ab-5a^2+3ab$

$=5a^2-5a^2-ab+3ab$

$=2ab$

(2) $2x(x+y)+(4x^2y^2+x^3y)\div xy$

$=2x\times x+2x\times y+\frac{4x^2y^2+x^3y}{xy}$

$=2x^2+2xy+\frac{4x^2y^2}{xy}+\frac{x^3y}{xy}$

$=2x^2+2xy+4xy+x^2$

$=2x^2+x^2+2xy+4xy$

$=3x^2+6xy$

6-2 (1) $(8xy^2-4xy)\div(xy)^2\times3x^2y$
$=(8xy^2-4xy)\div x^2y^2\times3x^2y$
$=(8xy^2-4xy)\times\frac{1}{x^2y^2}\times3x^2y$
$=(8xy^2-4xy)\times\frac{3}{y}$
$=8xy^2\times\frac{3}{y}-4xy\times\frac{3}{y}$
$=24xy-12x$

(2) $(3x^2+5xy)\div x+(-5x^2+25xy)\div(-5x)$
$=\frac{3x^2+5xy}{x}+\frac{-5x^2+25xy}{-5x}$
$=\frac{3x^2}{x}+\frac{5xy}{x}+\frac{-5x^2}{-5x}+\frac{25xy}{-5x}$
$=3x+5y+x-5y$
$=3x+x+5y-5y$
$=4x$

STEP 2 기출 기초 테스트

본문 41~43쪽

1-1 ⑤	1-2 ④
2-1 (1) $5a+b$ (2) $5x-4y$	2-2 (1) $6a+2b$ (2) b
3-1 $A=x^2+2$, $B=x^2+8$	3-2 $x+8y-3$
4-1 $-3x^2+7x-5$	4-2 6
5-1 $7x-9y+15$	5-2 $x-10y$
6-1 ③, ④	6-2 ②, ⑤
7-1 (1) $7x-5y$ (2) $7x-3y-3xy+2$	
7-2 (1) $-2x-7y$ (2) $2x-13y$	
8-1 $4a-2b+8$	8-2 $3b^2-5a^2$
9-1 $8a^2b^2-6a^2b$	9-2 $9x^2y+9xy^2$

1-1 ⑤ $(7a+2b)-(-4a+5b)=7a+2b+4a-5b$
$=11a-3b$

1-2 ④ $(a-3b+1)-(2a-b+2)$
$=a-3b+1-2a+b-2$
$=-a-2b-1$

2-1 (1) $3a-\{b-4a+2(a-b)\}$
$=3a-(b-4a+2a-2b)$
$=3a-(-2a-b)$
$=3a+2a+b$
$=5a+b$

(2) $5x-3y-[x-\{2x-2y-(x-y)\}]$
$=5x-3y-\{x-(2x-2y-x+y)\}$
$=5x-3y-\{x-(x-y)\}$
$=5x-3y-(x-x+y)$
$=5x-3y-y$
$=5x-4y$

2-2 (1) $5a-2b+\{3a-2(a-2b)\}$
$=5a-2b+(3a-2a+4b)$
$=5a-2b+(a+4b)$
$=5a-2b+a+4b$
$=6a+2b$

(2) $a-[b-\{3a+(-a+2b)\}+3a]$
$=a-\{b-(3a-a+2b)+3a\}$
$=a-\{b-(2a+2b)+3a\}$
$=a-(b-2a-2b+3a)$
$=a-(a-b)$
$=a-a+b$
$=b$

3-1 (가) $A-(-x^2+3)=2x^2-1$에서
$A=(2x^2-1)+(-x^2+3)$
$=2x^2-1-x^2+3$
$=x^2+2$

(나) $2x^2-x-5+B=3x^2-x+3$에서
$B=(3x^2-x+3)-(2x^2-x-5)$
$=3x^2-x+3-2x^2+x+5$
$=x^2+8$

3-2 $3x+4y-8-\square=2x-4y-5$에서
$\square=(3x+4y-8)-(2x-4y-5)$
$=3x+4y-8-2x+4y+5$
$=x+8y-3$

4-1 어떤 식을 A라 하면
$A-(2x^2+3x-1)=-7x^2+x-3$
$A=(-7x^2+x-3)+(2x^2+3x-1)$
$=-7x^2+x-3+2x^2+3x-1$
$=-5x^2+4x-4$
따라서 바르게 계산한 식은
$(-5x^2+4x-4)+(2x^2+3x-1)$
$=-5x^2+4x-4+2x^2+3x-1$
$=-3x^2+7x-5$

4-2 어떤 식을 A라 하면

$(x^2+x-2)+A=2x^2-3x-5$

$A=(2x^2-3x-5)-(x^2+x-2)$

$=2x^2-3x-5-x^2-x+2$

$=x^2-4x-3$

따라서 바르게 계산한 식은

$(x^2+x-2)-(x^2-4x-3)=x^2+x-2-x^2+4x+3$

$=5x+1$

이때 $a=0$, $b=5$, $c=1$이므로

$a+b+c=0+5+1=6$

5-1 $A-2B+5=(3x-y)-2(-2x+4y-5)+5$

$=3x-y+4x-8y+10+5$

$=7x-9y+15$

5-2 $2A-(B-A)=2A-B+A$

$=3A-B$

$=3(x-2y)-(2x+4y)$

$=3x-6y-2x-4y$

$=x-10y$

6-1 ① $3a(2a+b)=6a^2+3ab$

② $-3xy(x^2-2y)=-3x^3y+6xy^2$

③ $(9a^2-15a)\div3a=\frac{9a^2-15a}{3a}=3a-5$

④ $(10x^2y^2+5xy)\div5xy=\frac{10x^2y^2+5xy}{5xy}=2xy+1$

⑤ $(6a^2b^5-3a^6b^7)\div\left(-\frac{1}{3}ab\right)$

$=(6a^2b^5-3a^6b^7)\times\left(-\frac{3}{ab}\right)$

$=-18ab^4+9a^5b^6$

따라서 옳은 것은 ③, ④이다.

6-2 ① $x(x-6y)=x^2-6xy$

② $a(3a^2+a-4)=3a^3+a^2-4a$

③ $2b(4a^2b^2+5a^2b-6ab^2)=8a^2b^3+10a^2b^2-12ab^3$

④ $(24a^2-8a)\div(-4a)=\frac{24a^2-8a}{-4a}=-6a+2$

⑤ $(7x^2-28xy-14x)\div\left(-\frac{7}{2}x\right)$

$=(7x^2-28xy-14x)\times\left(-\frac{2}{7x}\right)$

$=-2x+8y+4$

따라서 옳은 것은 ②, ⑤이다.

7-1 (1) $\frac{12x^2-8xy}{4x}-\frac{-12x^2y+9xy^2}{3xy}$

$=3x-2y-(-4x+3y)$

$=3x-2y+4x-3y$

$=7x-5y$

(2) $(14x^2-6xy)\div2x-(9x^2y-6x)\times\frac{1}{3x}$

$=\frac{14x^2-6xy}{2x}-(3xy-2)$

$=7x-3y-3xy+2$

7-2 (1) $\frac{6x^2-12xy}{3x}-\frac{20xy+15y^2}{5y}$

$=2x-4y-(4x+3y)$

$=2x-4y-4x-3y$

$=-2x-7y$

(2) $(12xy^2-18x^2y)\div6xy-5(-x+3y)$

$=\frac{12xy^2-18x^2y}{6xy}+5x-15y$

$=2y-3x+5x-15y$

$=2x-13y$

8-1 $A\times\frac{1}{4}ab=a^2b-\frac{1}{2}ab^2+2ab$에서

$A=\left(a^2b-\frac{1}{2}ab^2+2ab\right)\div\frac{1}{4}ab$

$=\left(a^2b-\frac{1}{2}ab^2+2ab\right)\times\frac{4}{ab}$

$=4a-2b+8$

8-2 $(6a^2b^2-10a^4)\div\square=2a^2$에서

$\square=(6a^2b^2-10a^4)\div2a^2=\frac{6a^2b^2-10a^4}{2a^2}=3b^2-5a^2$

9-1 (직육면체의 부피)$=a\times2b\times(4ab-3a)$

$=2ab(4ab-3a)$

$=8a^2b^2-6a^2b$

9-2 (사다리꼴의 넓이)

$=\frac{1}{2}\times\{(3x+2y)+(6x+7y)\}\times2xy$

$=\frac{1}{2}\times(9x+9y)\times2xy$

$=xy(9x+9y)$

$=9x^2y+9xy^2$

STEP 3 교과서 기본 테스트

본문 44~46쪽

01 ④ 02 $-x^2-2x-2$ 03 ④
04 -20 05 $11x^2-6x-2$
06 (1) $-2x^2-6x+3$ (2) $-7x^2-13x+8$
07 $-7x-4y+6$ 08 ④ 09 ⑤
10 ② 11 (1) $x+2y$ (2) 2
12 $x^3y^2-\frac{2}{3}x^2y^3$ 13 $20xy^3-16y^2$
14 $x^2+2x-10$ 15 20
16 $-a+2b$
17 (1) $6ab-3b$ (2) $6ab-6a$ (3) $6a+3b-3$

01 $5(x+2y)-3(-2x+y)=5x+10y+6x-3y$
$=11x+7y$

02 $(3x^2+6x+4)-2(2x^2+4x+3)$
$=3x^2+6x+4-4x^2-8x-6$
$=-x^2-2x-2$

03 ④ $-3x(2x+y-4)=-6x^2-3xy+12x$

04 $x-[7y-3x-\{2x-(x-3y)\}]$
$=x-\{7y-3x-(2x-x+3y)\}$
$=x-\{7y-3x-(x+3y)\}$
$=x-(7y-3x-x-3y)$
$=x-(4y-4x)$
$=x-4y+4x$
$=5x-4y$
따라서 $a=5$, $b=-4$이므로
$ab=5\times(-4)=-20$

05 (가) $A-(3x^2-2)=2x^2-5x$에서
$A=(2x^2-5x)+(3x^2-2)$
$=5x^2-5x-2$
(나) $A+(x^2+4x+2)=B$에서
$(5x^2-5x-2)+(x^2+4x+2)=6x^2-x=B$
$\therefore A+B=(5x^2-5x-2)+(6x^2-x)$
$=11x^2-6x-2$

06 (1) 어떤 식을 A라 하면
$A+(5x^2+7x-5)=3x^2+x-2$
$A=(3x^2+x-2)-(5x^2+7x-5)$
$=3x^2+x-2-5x^2-7x+5$
$=-2x^2-6x+3$

(2) $(-2x^2-6x+3)-(5x^2+7x-5)$
$=-2x^2-6x+3-5x^2-7x+5$
$=-7x^2-13x+8$

07 $-2A+B=-2(2x+3y-1)+(-3x+2y+4)$
$=-4x-6y+2-3x+2y+4$
$=-7x-4y+6$

08 $-4x^2(y-3y^2+5)=-4x^2y+12x^2y^2-20x^2$ (④)

09 $3x(2x-y+6)-x(x-2)$
$=6x^2-3xy+18x-x^2+2x$
$=5x^2-3xy+20x$
따라서 x^2의 계수는 5, x의 계수는 20이므로 그 합은
$5+20=25$

10 $3x(x-2xy)-\frac{x^2y-5x^2y^2}{y}$
$=3x^2-6x^2y-(x^2-5x^2y)$
$=3x^2-6x^2y-x^2+5x^2y$
$=2x^2-x^2y$

11 (1) $(12x^2-8xy)\div 2x-(15xy-18y^2)\times\frac{1}{3y}$
$=\frac{12x^2-8xy}{2x}-(15xy-18y^2)\times\frac{1}{3y}$
$=6x-4y-(5x-6y)$
$=6x-4y-5x+6y$
$=x+2y$
(2) $x+2y$에서 x의 계수는 1, y의 계수는 2이므로
그 곱은 $1\times 2=2$

12 어떤 다항식을 A라 하면
$A\div\left(-\frac{1}{3}xy\right)=9x-6y$
$A=(9x-6y)\times\left(-\frac{1}{3}xy\right)=-3x^2y+2xy^2$
따라서 바르게 계산한 식은
$(-3x^2y+2xy^2)\times\left(-\frac{1}{3}xy\right)=x^3y^2-\frac{2}{3}x^2y^3$

13 $\frac{3}{4}xy\times$(세로의 길이)$=15x^2y^4-12xy^3$에서
(세로의 길이)$=(15x^2y^4-12xy^3)\div\frac{3}{4}xy$
$=(15x^2y^4-12xy^3)\times\frac{4}{3xy}$
$=20xy^3-16y^2$

14 (밑면의 넓이)$\times 3x=3x^3+6x^2-30x$에서

(밑면의 넓이)$=(3x^3+6x^2-30x)\div 3x$

$=\dfrac{3x^3+6x^2-30x}{3x}$

$=x^2+2x-10$

15 $3x(-3y+2)+(15x^2-10x^2y)\div(-5x)$

$=-9xy+6x+\dfrac{15x^2-10x^2y}{-5x}$

$=-9xy+6x-3x+2xy$

$=-7xy+3x$

$x=2$, $y=-1$을 대입하면

$-7xy+3x=-7\times 2\times(-1)+3\times 2$

$=14+6=20$

16 서로 마주 보는 면에 적혀 있는 두 다항식은 각각 $a+6b$와 $2a-3b$, A와 $4a+b$이다. …… ㉮

이때 서로 마주 보는 면에 적혀 있는 두 다항식의 합은 모두 같으므로

$A+(4a+b)=(a+6b)+(2a-3b)$ …… ㉯

$\therefore A=(a+6b)+(2a-3b)-(4a+b)$

$=a+6b+2a-3b-4a-b$

$=-a+2b$ …… ㉰

채점 기준	비율
㉮ 서로 마주 보는 면에 적혀 있는 두 다항식을 제대로 구한 경우	20 %
㉯ 다항식 A를 구하는 식을 제대로 세운 경우	20 %
㉰ 다항식 A를 제대로 구한 경우	60 %

17 (1) $\overline{BE}=4a-2$이므로 삼각형 ABE의 넓이는

$\dfrac{1}{2}\times(4a-2)\times 3b=6ab-3b$ …… ㉮

(2) $\overline{DF}=3b-3$이므로 삼각형 DAF의 넓이는

$\dfrac{1}{2}\times 4a\times(3b-3)=6ab-6a$ …… ㉯

(3) 삼각형 AEF의 넓이는

(사각형 ABCD의 넓이)$-${(삼각형 ABE의 넓이)

$+$(삼각형 ECF의 넓이)$+$(삼각형 DAF의 넓이)}

이므로

$4a\times 3b-\left\{(6ab-3b)+\dfrac{1}{2}\times 2\times 3+(6ab-6a)\right\}$

$=12ab-\{(6ab-3b)+3+(6ab-6a)\}$

$=12ab-(12ab-6a-3b+3)$

$=12ab-12ab+6a+3b-3$

$=6a+3b-3$ …… ㉰

채점 기준	비율
㉮ 삼각형 ABE의 넓이를 제대로 나타낸 경우	20 %
㉯ 삼각형 DAF의 넓이를 제대로 나타낸 경우	20 %
㉰ 삼각형 AEF의 넓이를 제대로 나타낸 경우	60 %

창의력 · 융합형 · 서술형 · 코딩

본문 47쪽

1 $4x^2-2x+7$

2 $\left(\dfrac{5}{12}a+\dfrac{1}{3}b\right)$원

3 풀이 참조

1 $A=(-3x+4)+(x^2+3x-1)=x^2+3$

$\therefore B=(3x^2-2x+4)+(x^2+3)=4x^2-2x+7$

2 (1인당 입장료의 평균)$=\dfrac{(\text{총입장료})}{(\text{총입장객 수})}$이므로

$\left(a\times n+b\times 2n+\dfrac{a}{2}\times 3n\right)\div(n+2n+3n)$

$=\left(an+2bn+\dfrac{3}{2}an\right)\div 6n$

$=\left(\dfrac{5}{2}an+2bn\right)\div 6n$

$=\left(\dfrac{5}{2}an+2bn\right)\times\dfrac{1}{6n}$

$=\dfrac{5}{12}a+\dfrac{1}{3}b$(원)

3 민경 : 다항식의 덧셈은 동류항끼리만 할 수 있다.

따라서 바르게 고치면

$(4a+5b)+(a-3b)=4a+5b+a-3b$

$=5a+2b$

가희 : 괄호 앞의 부호가 $-$이면 괄호 안의 부호는 반대가 된다.

따라서 바르게 고치면

$2x^2+3x-5-(x^2-2x+2)$

$=2x^2+3x-5-x^2+2x-2$

$=x^2+5x-7$

지훈 : 분수 앞의 부호가 $-$이면 분자의 부호는 반대가 된다.

따라서 바르게 고치면

$-(6xy^2+10x^4y)\div 2xy$

$=-\dfrac{6xy^2+10x^4y}{2xy}$

$=-(3y+5x^3)$

$=-3y-5x^3$

III. 일차부등식과 연립일차방정식

05 일차부등식

STEP 1 교과서 개념 확인 테스트

본문 52~54쪽

1-1 ㉡, ㉣ **1-2** ②, ④

2-1 (1) × (2) × (3) ○ (4) ○

2-2 2, 3

3-1 (1) $>$ (2) $>$ (3) $>$ (4) $<$

3-2 (1) $<$ (2) $>$ (3) $<$ (4) $>$

4-1 (1) $x\ge4$ / 그림은 풀이 참조
(2) $x>3$ / 그림은 풀이 참조

4-2 (1) $x\le-3$ / 그림은 풀이 참조
(2) $x>2$ / 그림은 풀이 참조
(3) $x\le2$ / 그림은 풀이 참조
(4) $x>1$ / 그림은 풀이 참조

5-1 (1) ○ (2) ○ (3) × (4) ×

5-2 ㉠, ㉡

6-1 (1) $x<2$ (2) $x\ge4$ (3) $x<3$ (4) $x\le-2$

6-2 (1) $x\le2$ (2) $x>4$ (3) $x<9$ (4) $x\le-3$

7-1 (1) $x<6$ (2) $x>-2$ (3) $x\ge\frac{9}{4}$ (4) $x\ge-5$

7-2 (1) $x>-2$ (2) $x<1$ (3) $x\le\frac{25}{7}$ (4) $x\le\frac{9}{4}$

8-1 (1) $x\le-2$ (2) $x>5$ (3) $x<2$ (4) $x\le\frac{3}{2}$

8-2 (1) $x>2$ (2) $x\ge2$ (3) $x\le16$ (4) $x>7$

9-1 (1) $x<-20$ (2) $x\ge-\frac{6}{5}$ (3) $x\le-2$ (4) $x>-6$

9-2 (1) $x>-3$ (2) $x\ge3$ (3) $x\le-5$ (4) $x>-2$

1-1 ㉠ 다항식 ㉢ 방정식
따라서 부등식인 것은 ㉡, ㉣이다.

1-2 ② 다항식 ④ 방정식
따라서 부등식이 아닌 것은 ②, ④이다.

2-1 (1) $2\times3-2>4$ (거짓)
(2) $-3+6\le1$ (거짓)
(3) $-4\times3+7\ge-5$ (참)
(4) $9-4\times3<2$ (참)

2-2 $x=-1$일 때, $5\times(-1)-3>2$ (거짓)
$x=0$일 때, $5\times0-3>2$ (거짓)
$x=1$일 때, $5\times1-3>2$ (거짓)
$x=2$일 때, $5\times2-3>2$ (참)
$x=3$일 때, $5\times3-3>2$ (참)
따라서 주어진 부등식의 해는 2, 3이다.

3-2 (1) $a<b$이면 $3a<3b$이므로 $3a-2<3b-2$
(2) $a<b$이면 $-a>-b$이므로 $-a+2>-b+2$
(3) $a<b$이면 $\frac{a}{4}<\frac{b}{4}$이므로 $\frac{a}{4}-3<\frac{b}{4}-3$
(4) $a<b$이면 $-\frac{2}{3}a>-\frac{2}{3}b$이므로 $-\frac{2}{3}a+1>-\frac{2}{3}b+1$

4-1 (1) $\frac{1}{4}x\ge1$) 양변에 4를 곱한다.
$\frac{1}{4}x\times4\ge1\times4$) 양변을 정리한다.
$\therefore x\ge4$
이 해를 수직선 위에 나타내면 오른쪽 그림과 같다.

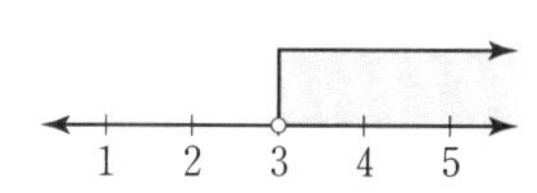

(2) $-2x<-6$) 양변을 -2로 나눈다.
$-2x\div(-2)>-6\div(-2)$) 양변을 정리한다.
$\therefore x>3$
이 해를 수직선 위에 나타내면 오른쪽 그림과 같다.

4-2 (1) $x+1\le-2$) 양변에서 1을 뺀다.
$x+1-1\le-2-1$) 양변을 정리한다.
$\therefore x\le-3$
이 해를 수직선 위에 나타내면 오른쪽 그림과 같다.

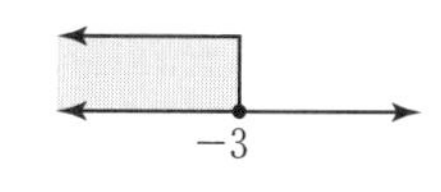

(2) $4x-2>6$) 양변에 2를 더한다.
$4x-2+2>6+2$) 양변을 정리한다.
$4x>8$) 양변을 4로 나눈다.
$4x\div4>8\div4$) 양변을 정리한다.
$\therefore x>2$
이 해를 수직선 위에 나타내면 오른쪽 그림과 같다.

(3) $-7x+5\ge-9$) 양변에서 5를 뺀다.
$-7x+5-5\ge-9-5$) 양변을 정리한다.
$-7x\ge-14$) 양변을 -7로 나눈다.
$-7x\div(-7)\le-14\div(-7)$) 양변을 정리한다.
$\therefore x\le2$
이 해를 수직선 위에 나타내면 오른쪽 그림과 같다.

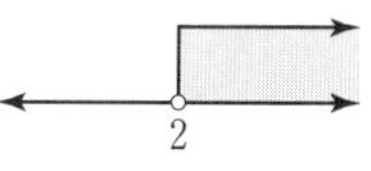

(4)
$$\begin{aligned} 2-x&<2x-1 \\ 2-x-2x&<2x-1-2x \\ 2-3x&<-1 \\ 2-3x-2&<-1-2 \\ -3x&<-3 \\ -3x\div(-3)&>-3\div(-3) \\ \therefore x&>1 \end{aligned}$$

양변에서 $2x$를 뺀다.
양변을 정리한다.
양변에서 2를 뺀다.
양변을 정리한다.
양변을 -3으로 나눈다.
양변을 정리한다.

이 해를 수직선 위에 나타내면 오른쪽 그림과 같다.

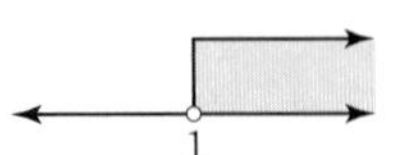

5-1 (1) $3x+1\le-2$에서 $3x+3\le0$ ➡ 일차부등식이다.
(2) $2x+3\ge x-1$에서 $x+4\ge0$ ➡ 일차부등식이다.
(3) $2x-1<3+2x$에서 $-4<0$ ➡ 일차부등식이 아니다.
(4) $x^2-x>2$에서 $x^2-x-2>0$ ➡ 일차부등식이 아니다.

5-2 ㉠ $2x-5>3$에서 $2x-8>0$ ➡ 일차부등식이다.
㉡ $x^2+4x<x^2-1$에서 $4x+1<0$ ➡ 일차부등식이다.
㉢ $3x+2\le3x-5$에서 $7\le0$ ➡ 일차부등식이 아니다.
㉣ $x^2\ge x-3$에서 $x^2-x+3\ge0$ ➡ 일차부등식이 아니다.
따라서 일차부등식인 것은 ㉠, ㉡이다.

6-1 (1) $2x-5<-x+1$에서 $3x<6$
$\therefore x<2$
(2) $3x-2\le5x-10$에서 $-2x\le-8$
$\therefore x\ge4$
(3) $1-4x>-8-x$에서 $-3x>-9$
$\therefore x<3$
(4) $x+1\le-2x-5$에서 $3x\le-6$
$\therefore x\le-2$

6-2 (1) $-3x+11\ge4x-3$에서 $-7x\ge-14$
$\therefore x\le2$
(2) $x+8<2x+4$에서 $-x<-4$
$\therefore x>4$
(3) $5x-31<x+5$에서 $4x<36$
$\therefore x<9$
(4) $2x-3\ge5x+6$에서 $-3x\ge9$
$\therefore x\le-3$

7-1 (1) $3(x-1)<x+9$에서 $3x-3<x+9$
$2x<12$ $\quad\therefore x<6$
(2) $x+8>-2(x-1)$에서 $x+8>-2x+2$
$3x>-6$ $\quad\therefore x>-2$
(3) $-(x-3)\le3(x-2)$에서 $-x+3\le3x-6$
$-4x\le-9$ $\quad\therefore x\ge\frac{9}{4}$
(4) $4-(5+3x)\le-2(x-2)$에서 $4-5-3x\le-2x+4$
$-1-3x\le-2x+4$, $-x\le5$ $\quad\therefore x\ge-5$

7-2 (1) $-(4x+2)<2(x+5)$에서 $-4x-2<2x+10$
$-6x<12$ $\quad\therefore x>-2$
(2) $3-4(x+1)>5(x-2)$에서 $3-4x-4>5x-10$
$-4x-1>5x-10$, $-9x>-9$ $\quad\therefore x<1$
(3) $2(3x-6)\le8-(x-5)$에서 $6x-12\le8-x+5$
$6x-12\le-x+13$, $7x\le25$ $\quad\therefore x\le\frac{25}{7}$
(4) $5(1-x)\ge-(x+4)$에서 $5-5x\ge-x-4$
$-4x\ge-9$ $\quad\therefore x\le\frac{9}{4}$

8-1 (1) $0.2x+1\le0.1x+0.8$의 양변에 10을 곱하면
$2x+10\le x+8$ $\quad\therefore x\le-2$
(2) $-0.4x+1.2<0.1x-1.3$의 양변에 10을 곱하면
$-4x+12<x-13$, $-5x<-25$ $\quad\therefore x>5$
(3) $0.3x+0.2>x-1.2$의 양변에 10을 곱하면
$3x+2>10x-12$, $-7x>-14$ $\quad\therefore x<2$
(4) $0.2x+0.06\ge0.4x-0.24$의 양변에 100을 곱하면
$20x+6\ge40x-24$, $-20x\ge-30$ $\quad\therefore x\le\frac{3}{2}$

8-2 (1) $1-0.4x<0.2$의 양변에 10을 곱하면
$10-4x<2$, $-4x<-8$ $\quad\therefore x>2$
(2) $0.1x+0.2\ge1-0.3x$의 양변에 10을 곱하면
$x+2\ge10-3x$, $4x\ge8$ $\quad\therefore x\ge2$
(3) $0.7x+1\ge0.8x-0.6$의 양변에 10을 곱하면
$7x+10\ge8x-6$, $-x\ge-16$ $\quad\therefore x\le16$
(4) $0.16x-0.05>0.05x+0.72$의 양변에 100을 곱하면
$16x-5>5x+72$, $11x>77$ $\quad\therefore x>7$

9-1 (1) $\frac{x}{4}-\frac{x+2}{3}>1$의 양변에 12를 곱하면
$3x-4(x+2)>12$, $3x-4x-8>12$
$-x>20$ $\quad\therefore x<-20$
(2) $\frac{1}{2}x\le x+\frac{3}{5}$의 양변에 10을 곱하면
$5x\le10x+6$, $-5x\le6$ $\quad\therefore x\ge-\frac{6}{5}$
(3) $\frac{x-3}{5}\ge\frac{2x+1}{3}$의 양변에 15를 곱하면
$3(x-3)\ge5(2x+1)$, $3x-9\ge10x+5$
$-7x\ge14$ $\quad\therefore x\le-2$

(4) $\frac{x}{4}-3<\frac{5}{6}x+\frac{1}{2}$의 양변에 12를 곱하면

$3x-36<10x+6$, $-7x<42$ $\quad\therefore x>-6$

9-2 (1) $x+1>\frac{x-1}{2}$의 양변에 2를 곱하면

$2(x+1)>x-1$, $2x+2>x-1$ $\quad\therefore x>-3$

(2) $\frac{1}{3}x-\frac{1}{2}\geq\frac{1}{6}x$의 양변에 6을 곱하면

$2x-3\geq x$ $\quad\therefore x\geq 3$

(3) $\frac{1}{5}x-\frac{x-3}{4}\geq 1$의 양변에 20을 곱하면

$4x-5(x-3)\geq 20$, $4x-5x+15\geq 20$

$-x\geq 5$ $\quad\therefore x\leq -5$

(4) $\frac{1}{3}x-\frac{1}{2}<\frac{3}{4}x+\frac{1}{3}$의 양변에 12를 곱하면

$4x-6<9x+4$, $-5x<10$ $\quad\therefore x>-2$

STEP 2 기출 기초 테스트

본문 55~57쪽

1-1 ②	1-2 ㉡, ㉢
2-1 ㉡, ㉣	2-2 ⑤
3-1 ⑤	3-2 ④
4-1 ②	4-2 3개
5-1 ④	5-2 ⑤
6-1 $x\leq\frac{1}{a}$	6-2 $x<\frac{3}{a}$
7-1 9	7-2 1
8-1 0	8-2 $\frac{4}{5}$
9-1 (1) $a+7$ (2) 풀이 참조 (3) $-4\leq a<-3$	
9-2 $4<a\leq 6$	

1-2 ㉡ $x+3000\geq 20000$ ㉢ $2x+3>40$

따라서 옳지 않은 것은 ㉡, ㉢이다.

2-1 [ ] 안의 수를 주어진 부등식에 각각 대입하면

㉠ $3\times 4-4<8$ (거짓)

㉡ $3-(-2)\geq 2$ (참)

㉢ $6\times 0+4\leq 5\times 0+3$ (거짓)

㉣ $2\times 1-1>1-2$ (참)

따라서 [ ] 안의 수가 주어진 부등식의 해인 것은 ㉡, ㉣이다.

2-2 $x=2$를 주어진 부등식에 각각 대입하면

① $3\times 2-2>4\times 2$ (거짓) ② $-2-2>0$ (거짓)

③ $2\times 2+1\leq 4$ (거짓) ④ $2+1\geq 4$ (거짓)

⑤ $1-2\leq 2-3$ (참)

따라서 $x=2$가 해인 것은 ⑤이다.

3-1 ① $a<b$이면 $\frac{a}{3}<\frac{b}{3}$

② $a<b$이면 $-2a>-2b$

③ $a<b$이면 $3a<3b$이므로 $3a+2<3b+2$

④ $a<b$이면 $4a<4b$이므로 $4a-2<4b-2$

⑤ $a<b$이면 $-a>-b$이므로 $-(-a)<-(-b)$

$\therefore 2-(-a)<2-(-b)$

따라서 옳은 것은 ⑤이다.

3-2 ① $a\leq b$이면 $a+2\leq b+2$

② $a\leq b$이면 $a-3\leq b-3$

③ $a\leq b$이면 $2a\leq 2b$이므로 $2a-1\leq 2b-1$

④ $a\leq b$이면 $-5a\geq -5b$

⑤ $a\leq b$이면 $\frac{2}{3}a\leq\frac{2}{3}b$이므로 $\frac{2}{3}a+7\leq\frac{2}{3}b+7$

따라서 부등호의 방향이 나머지 넷과 다른 하나는 ④이다.

4-1 ① $x^2-x>2x$에서 $x^2-3x>0$

➡ 일차부등식이 아니다.

② $3x-1>1-3x$에서 $6x-2>0$

➡ 일차부등식이다.

③ 다항식

④ $x(x+1)\geq x-5$에서 $x^2+x\geq x-5$

$\therefore x^2+5\geq 0$ ➡ 일차부등식이 아니다.

⑤ 방정식

따라서 일차부등식인 것은 ②이다.

4-2 ㉠ 방정식

㉡ $2x-x^2>2x+1$에서 $-x^2-1>0$

➡ 일차부등식이 아니다.

㉢ $-3x+4\leq 5$에서 $-3x-1\leq 0$

➡ 일차부등식이다.

㉣ $4-x\geq 3-x$에서 $1\geq 0$

➡ 일차부등식이 아니다.

㉤ $2x^2+3<x(1+2x)$에서 $2x^2+3<x+2x^2$

$\therefore -x+3<0$ ➡ 일차부등식이다.

㉥ $x+2>2$에서 $x>0$ ➡ 일차부등식이다.

따라서 일차부등식인 것은 ㉢, ㉤, ㉥의 3개이다.

5-1 ① $4x<2x-6$에서 $2x<-6$ $\quad\therefore x<-3$

② $2x-3<3(x-1)$에서 $2x-3<3x-3$

$-x<0$ $\quad\therefore x>0$

③ $5-\frac{x}{4}<4$의 양변에 4를 곱하면

$20-x<16$, $-x<-4$ $\quad\therefore x>4$

④ $0.5x-1.2<0.8x-0.3$의 양변에 10을 곱하면

$5x-12<8x-3$, $-3x<9$ $\quad\therefore x>-3$

⑤ $\frac{1}{5}(3x+2)>0.4x+1$의 양변에 5를 곱하면

$3x+2>2x+5$ $\quad\therefore x>3$

따라서 해가 $x>-3$인 것은 ④이다.

5-2 ① $3x+2>2x$에서 $x>-2$

② $x-8<3x-4$에서 $-2x<4$ $\quad\therefore x>-2$

③ $-4(x+1)>-5x-6$에서

$-4x-4>-5x-6$ $\quad\therefore x>-2$

④ $\frac{4-x}{5}<0.2(x+8)$의 양변에 5를 곱하면

$4-x<x+8$, $-2x<4$ $\quad\therefore x>-2$

⑤ $0.07x<0.12x+1$의 양변에 100을 곱하면

$7x<12x+100$, $-5x<100$ $\quad\therefore x>-20$

따라서 해가 나머지 넷과 다른 하나는 ⑤이다.

6-1 $-1+ax\geq0$에서 $ax\geq1$

이때 $a<0$이므로 $x\leq\frac{1}{a}$

6-2 $ax+3>6$에서 $ax>3$

이때 $a<0$이므로 $x<\frac{3}{a}$

7-1 $2x-1>a$에서 $2x>a+1$ $\quad\therefore x>\frac{a+1}{2}$

이때 해가 $x>5$이므로 $\frac{a+1}{2}=5$

$a+1=10$ $\quad\therefore a=9$

7-2 $\frac{x}{3}-\frac{x-1}{2}\geq a$의 양변에 6을 곱하면

$2x-3(x-1)\geq6a$, $2x-3x+3\geq6a$

$-x\geq6a-3$ $\quad\therefore x\leq-6a+3$

이때 해가 $x\leq-3$이므로 $-6a+3=-3$

$-6a=-6$ $\quad\therefore a=1$

8-1 $x-1\leq4(x+2)$에서 $x-1\leq4x+8$

$-3x\leq9$ $\quad\therefore x\geq-3$ $\quad\cdots\cdots$ ㉠

따라서 $x\geq a-3$과 ㉠이 같으므로

$a-3=-3$ $\quad\therefore a=0$

8-2 $7x+8>5x-2$에서 $2x>-10$ $\quad\therefore x>-5$

$ax-4<x-3$에서 $(a-1)x<1$

두 일차부등식의 해가 같으므로

$a-1<0$ $\quad\therefore x>\frac{1}{a-1}$

따라서 $\frac{1}{a-1}=-5$이므로 $-5a+5=1$

$-5a=-4$ $\quad\therefore a=\frac{4}{5}$

9-1 (1) $x-a\leq7$에서 $x\leq a+7$

(2) 부등식을 만족시키는 자연수 x가 3개이려면 오른쪽 그림과 같아야 한다.

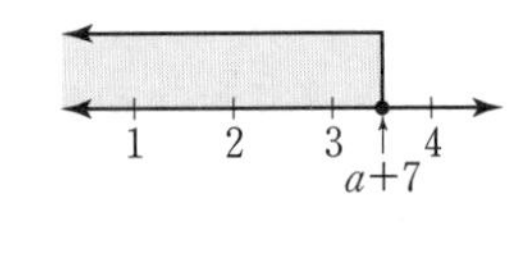

(3) $3\leq a+7<4$이므로 $-4\leq a<-3$

9-2 $3x+2a>7x$에서 $-4x>-2a$ $\quad\therefore x<\frac{a}{2}$

이때 부등식을 만족시키는 자연수 x가 2개이려면 오른쪽 그림과 같아야 하므로

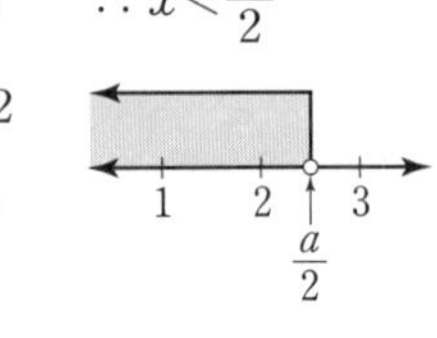

$2<\frac{a}{2}\leq3$ $\quad\therefore 4<a\leq6$

STEP 3 교과서 기본 테스트

본문 58~60쪽

01 ③, ⑤	**02** ②	**03** ②, ④	**04** ③
05 $A>-5$	**06** ③	**07** ⑤	**08** ①
09 ㉠, $x>-6$		**10** ⑤	**11** 7
12 $x<2$	**13** 2	**14** 11	**15** $5<a\leq7$
16 4	**17** -2		
18 (1) $x<-1$ (2) $x<\frac{a+4}{5}$ (3) -9			

01 ① 다항식 ② 등식 ④ 방정식

따라서 부등식인 것은 ③, ⑤이다.

02 ① $20x\geq324$ ③ $3x<100$

④ $2x+3\geq x+8$ ⑤ $4x\leq40$

따라서 옳은 것은 ②이다.

03 $x=-2$를 주어진 부등식에 각각 대입하면

① $2\times(-2)+5\leq1$ (참)

② $-(-2)+2>5$ (거짓)

③ $-2+1<0$ (참)

④ $4-3\times(-2)>10$ (거짓)

⑤ $3\times(-2)+2\le-2$ (참)

따라서 $x=-2$를 해로 갖지 않는 부등식은 ②, ④이다.

04 $5a+3\le5b+3$에서 $5a\le5b$　　$\therefore a\le b$

① $a\le b$이면 $a-2\le b-2$

② $5a\le5b$이면 $5a+1\le5b+1$

③ $a\le b$이면 $\frac{a}{4}\le\frac{b}{4}$이므로 $\frac{a}{4}-1\le\frac{b}{4}-1$

④ $a\le b$이면 $-2a\ge-2b$이므로 $-2a+1\ge-2b+1$

⑤ $a\le b$이면 $a+1\le b+1$이므로 $\frac{a+1}{3}\le\frac{b+1}{3}$

$\therefore -\frac{a+1}{3}\ge-\frac{b+1}{3}$

따라서 옳지 않은 것은 ③이다.

05 $x>-1$에서 $3x>-3$, $3x-2>-5$　　$\therefore A>-5$

06 ① $-1<5$에서 $-6<0$

➡ 일차부등식이 아니다.

②, ④ 일차부등식이 아니다.

③ $x-3<4x+7$에서 $-3x-10<0$

➡ 일차부등식이다.

⑤ $2(x-1)<2x$에서 $2x-2<2x$　　$\therefore -2<0$

➡ 일차부등식이 아니다.

따라서 일차부등식인 것은 ③이다.

07 수직선 위에 나타낸 부등식의 해는 $x\ge3$이다.

① $2x\le6$에서 $x\le3$

② $-2x+1\le7$에서 $-2x\le6$　　$\therefore x\ge-3$

③ $x+1\ge2x-2$에서 $-x\ge-3$　　$\therefore x\le3$

④ $-5x\le-2x+9$에서 $-3x\le9$　　$\therefore x\ge-3$

⑤ $6x-14\ge-5+3x$에서 $3x\ge9$　　$\therefore x\ge3$

따라서 해가 주어진 그림과 같은 것은 ⑤이다.

08 $3x+4>-2(x+3)$에서 $3x+4>-2x-6$

$5x>-10$　　$\therefore x>-2$

따라서 일차부등식의 해가 아닌 것은 ①이다.

09 $\frac{x}{3}-1<\frac{x}{2}$의 양변에 6을 곱하면

$2x-6<3x$, $-x<6$　　$\therefore x>-6$

10 $\frac{1}{4}x-0.3>0.2x-\frac{1}{5}$의 양변에 20을 곱하면

$5x-6>4x-4$　　$\therefore x>2$

따라서 해를 수직선 위에 바르게 나타낸 것은 ⑤이다.

11 $\frac{1}{5}x+0.8>x-5$의 양변에 5를 곱하면

$x+4>5x-25$, $-4x>-29$

$\therefore x<\frac{29}{4}=7\frac{1}{4}$

따라서 부등식을 만족시키는 x의 값 중 가장 큰 자연수는 7이다.

12 $ax+6<3x+2a$에서 $ax-3x<2a-6$

$(a-3)x<2(a-3)$

이때 $a-3>0$이므로 $x<2$

13 $3(a-x)+4<1$에서 $3a-3x+4<1$

$-3x<-3a-3$, $-3x<-3(a+1)$

$\therefore x>a+1$

이때 해가 $x>3$이므로

$a+1=3$　　$\therefore a=2$

14 $-6+3a\ge9x$에서 $x\le\frac{-6+3a}{9}=\frac{a-2}{3}$

이때 해 중 가장 큰 수가 3이므로

$\frac{a-2}{3}=3$, $a-2=9$　　$\therefore a=11$

15 $3(2x-1)<4x+a$에서 $6x-3<4x+a$

$2x<a+3$　　$\therefore x<\frac{a+3}{2}$

이때 부등식을 만족시키는 자연수 x가 4개이려면 오른쪽 그림과 같아야 하므로

$4<\frac{a+3}{2}\le5$, $8<a+3\le10$

$\therefore 5<a\le7$

16 $4(2x-5)>11-(x+2)$에서

$8x-20>11-x-2$

$9x>29$　　$\therefore x>\frac{29}{9}=3\frac{2}{9}$　　…… ㉮

따라서 부등식을 만족시키는 x의 값 중 가장 작은 정수는 4이다.　　…… ㉯

채점 기준	비율
㉮ 일차부등식의 해를 제대로 구한 경우	60 %
㉯ 부등식을 만족시키는 x의 값 중 가장 작은 정수를 제대로 구한 경우	40 %

17 $5x-3\le a-bx$에서 $5x+bx\le a+3$

$(5+b)x\le a+3$ ······ ㉮

이때 해가 $x\le 1$이므로 $5+b>0$

$\therefore x\le \frac{a+3}{5+b}$ ······ ㉯

따라서 $\frac{a+3}{5+b}=1$이므로 $a+3=5+b$

$\therefore b-a=-2$ ······ ㉰

채점 기준	비율
㉮ 일차부등식을 $Ax\le B$의 꼴로 바르게 나타낸 경우	30 %
㉯ 일차부등식의 해를 $x\le \frac{B}{A}$의 꼴로 바르게 나타낸 경우	40 %
㉰ $b-a$의 값을 제대로 구한 경우	30 %

18 (1) $\frac{x-1}{2}>\frac{4x+1}{3}$의 양변에 6을 곱하면

$3(x-1)>2(4x+1)$, $3x-3>8x+2$

$-5x>5$ $\therefore x<-1$ ······ ㉮

(2) $2(3x-2)<x+a$에서 $6x-4<x+a$

$5x<a+4$ $\therefore x<\frac{a+4}{5}$ ······ ㉯

(3) 두 일차부등식의 해가 같으므로 $\frac{a+4}{5}=-1$

$a+4=-5$ $\therefore a=-9$ ······ ㉰

채점 기준	비율
㉮ 일차부등식 $\frac{x-1}{2}>\frac{4x+1}{3}$의 해를 제대로 구한 경우	40 %
㉯ 일차부등식 $2(3x-2)<x+a$의 해를 제대로 구한 경우	40 %
㉰ 상수 a의 값을 제대로 구한 경우	20 %

창의력 · 융합형 · 서술형 · 코딩 본문 61쪽

1 (1) $x\le 3.5$ (2) $x\ge 50$ 2 $b<a<c$

1 (1) 주어진 그림은 차의 높이가 3.5 m를 넘지 않아야 한다는 뜻이다.

따라서 차의 높이가 x m이므로 $x\le 3.5$

(2) 주어진 그림은 차의 최저속력이 시속 50 km이어야 한다는 뜻이다.

따라서 차의 속력이 시속 x km이므로 $x\ge 50$

2 유찬 : $ab<0$이고 $a>b$이므로 $a>0$, $b<0$

현영 : $ac>0$이고 $a>0$이므로 $c>0$

재준 : $b<0$이므로 $ab>bc$의 양변을 b로 나누면 $a<c$

$\therefore b<a<c$

06 일차부등식의 활용

STEP 1 교과서 개념 확인 테스트 본문 63쪽

1-1 (1) $x-1$ (2) $(x-1)+x<29$ (3) 13, 14

1-2 15, 16, 17

2-1 (1) $\frac{1}{2}\times 10\times x\ge 60$ (2) 12 cm

2-2 5 cm

1-1 (3) $(x-1)+x<29$에서 $2x<30$ $\therefore x<15$

따라서 x의 값 중 가장 큰 자연수는 14이므로 구하는 두 자연수는 13, 14이다.

1-2 연속하는 세 자연수를 $x-1$, x, $x+1$이라 하면

$(x-1)+x+(x+1)<51$, $3x<51$ $\therefore x<17$

따라서 x의 값 중 가장 큰 자연수는 16이므로 구하는 세 자연수는 15, 16, 17이다.

2-1 (2) $\frac{1}{2}\times 10\times x\ge 60$에서 $5x\ge 60$ $\therefore x\ge 12$

따라서 높이는 12 cm 이상이어야 한다.

2-2 윗변의 길이를 x cm라 하면

$\frac{1}{2}\times(x+15)\times 8\ge 80$

$4(x+15)\ge 80$, $4x+60\ge 80$

$4x\ge 20$ $\therefore x\ge 5$

따라서 사다리꼴의 윗변의 길이는 5 cm 이상이어야 한다.

STEP 2 기출 기초 테스트 본문 64쪽

1-1 5송이 1-2 17개

2-1 16곡 2-2 4개

3-1 $\frac{12}{7}$ km 3-2 800 m

1-1 장미꽃을 x송이 산다고 하면

$3000+1200x\le 10000$, $1200x\le 7000$ $\therefore x\le \frac{35}{6}$

따라서 장미꽃은 최대 5송이까지 살 수 있다.

1-2 상자에 물건을 x개 넣었다고 하면

3 kg=3000 g이므로

$150x+400\le 3000$, $150x\le 2600$ $\therefore x\le \frac{52}{3}$

따라서 상자에 물건을 최대 17개까지 넣을 수 있다.

2-1 한 달에 x곡을 내려받는다고 하면

$500x>7800$ $\therefore x>\frac{78}{5}$

따라서 한 달에 16곡 이상 내려받을 경우 정액제를 이용하는 것이 더 유리하다.

2-2 음료수를 x개 산다고 하면 $1000x>500x+1600$

$500x>1600$ $\therefore x>\frac{16}{5}$

따라서 음료수를 4개 이상 살 경우 할인 매장에서 사는 것이 더 유리하다.

3-1 올라갈 때 걸은 거리를 x km라 하면 내려올 때 걸은 거리도 x km이므로 $\frac{x}{3}+\frac{x}{4}\le 1$

$4x+3x\le 12$, $7x\le 12$ $\therefore x\le\frac{12}{7}$

따라서 올라갈 수 있는 거리는 최대 $\frac{12}{7}$ km이다.

3-2 집에서 시장까지의 거리를 x m라 하면

$\frac{x}{50}+14+\frac{x}{40}\le 50$

$4x+2800+5x\le 10000$, $9x\le 7200$ $\therefore x\le 800$

따라서 집에서 시장까지의 거리는 최대 800 m이다.

STEP 3 교과서 기본 테스트

본문 65~66쪽

01 7	02 93점	03 16개	04 16개월
05 8권	06 6명	07 13750원	08 27 cm
09 2 km	10 (1) $3000x>63000$ (2) 22명		
11 (1) $\le$ (2) $\frac{x}{5}+\frac{12}{60}+\frac{x}{5}\le 1$ (3) 2 km			

01 어떤 홀수를 x라 하면 $3x-6<2x+2$ $\therefore x<8$

따라서 이를 만족시키는 홀수 중 가장 큰 수는 7이다.

02 세 번째 수학 시험에서 x점을 받는다고 하면

$\frac{76+83+x}{3}\ge 84$

$159+x\ge 252$ $\therefore x\ge 93$

따라서 세 번째 수학 시험에서 93점 이상을 받아야 한다.

03 한 번에 운반할 수 있는 상자를 x개라 하면

$52+40x\le 700$

$40x\le 648$ $\therefore x\le\frac{81}{5}$

따라서 한 번에 운반할 수 있는 상자는 최대 16개이다.

04 x개월 후부터 동생의 예금액이 형의 예금액의 2배보다 많아진다고 하면

$2(25000+1000x)<20000+4000x$

$50000+2000x<20000+4000x$

$-2000x<-30000$ $\therefore x>15$

따라서 동생의 예금액이 형의 예금액의 2배보다 많아지는 것은 16개월 후부터이다.

05 공책을 x권 산다고 하면

$1000x>800x+1500$

$200x>1500$ $\therefore x>\frac{15}{2}$

따라서 공책을 8권 이상 살 경우 할인 매장에서 사는 것이 더 유리하다.

06 어른의 수를 x명이라 하면 어린이의 수는 $(10-x)$명이므로

$5000x+3000(10-x)\le 42000$

$5000x+30000-3000x\le 42000$

$2000x\le 12000$ $\therefore x\le 6$

따라서 어른은 최대 6명이 탈 수 있다.

07 정가를 x원이라 하면 판매 가격은 $x\left(1-\frac{20}{100}\right)=\frac{4}{5}x$(원)

원가 10000원의 10 %에 해당하는 이익은

$10000\times\frac{10}{100}=1000$(원)

이때 (이익)=(판매 가격)−(원가)이고, 원가의 10 % 이상의 이익을 얻어야 하므로

$\frac{4}{5}x-10000\ge 1000$

$\frac{4}{5}x\ge 11000$ $\therefore x\ge 13750$

따라서 정가는 13750원 이상으로 정해야 한다.

08 세로의 길이를 x cm라 하면 가로의 길이는 $(x-4)$ cm이므로

$2\{(x-4)+x\}\le 100$

$4x-8\le 100$, $4x\le 108$ $\therefore x\le 27$

따라서 세로의 길이는 27 cm 이하이어야 한다.

09 뛰어간 거리를 x km라 하면 걸어간 거리는 $(5-x)$ km이므로

$\frac{x}{4}+\frac{5-x}{2}\le 2$

$x+2(5-x)\le 8$, $x+10-2x\le 8$

$-x\le -2$ $\therefore x\ge 2$

따라서 뛰어간 거리는 2 km 이상이다.

10 (1) 1인당 입장료가 3000원이므로 x명이 입장할 때 입장료는 $3000x$원

30 %를 할인한 30명의 단체 입장료는

$3000\times\left(1-\frac{30}{100}\right)\times30=63000$(원)

이때 x명의 입장료가 30명의 단체 입장료보다 많아야 하므로 $3000x>63000$ …… ㉮

(2) $3000x>63000$에서 $x>21$

따라서 22명 이상이면 30명의 단체 입장권을 구입하는 것이 더 유리하다. …… ㉯

채점 기준	비율
㉮ 부등식을 제대로 세운 경우	60 %
㉯ 답을 제대로 구한 경우	40 %

11 (1) $\le$ …… ㉮

(2) $\frac{x}{5}+\frac{12}{60}+\frac{x}{5}\le1$ …… ㉯

(3) $\frac{x}{5}+\frac{12}{60}+\frac{x}{5}\le1$에서 $12x+12+12x\le60$

$24x\le48$ $\therefore x\le2$

따라서 역에서 2 km 이내의 상점을 이용할 수 있다. …… ㉰

채점 기준	비율
㉮ 부등호를 제대로 나타낸 경우	20 %
㉯ 부등식을 제대로 세운 경우	40 %
㉰ 답을 제대로 구한 경우	40 %

창의력 · 융합형 · 서술형 · 코딩

본문 67쪽

1 270분
2 (1) $(5000+9000x)$원 (2) $(15000x-30000)$원 (3) 6명

1 x분 동안 주차한다고 하면 3시간 30분은 210분이므로

$2000+100(x-210)\le8000$

$2000+100x-21000\le8000$

$100x\le27000$ $\therefore x\le270$

따라서 최대 270분 동안 주차할 수 있다.

2 (1) $5000+15000\times x\times\left(1-\frac{40}{100}\right)=5000+9000x$(원)

(2) $15000\times4\times\left(1-\frac{50}{100}\right)+15000(x-4)$

$=30000+15000x-60000$

$=15000x-30000$(원)

(3) $5000+9000x<15000x-30000$

$-6000x<-35000$ $\therefore x>\frac{35}{6}$

따라서 인원이 6명 이상일 때, 회원 카드 할인을 받는 것이 더 유리하다.

07 연립일차방정식과 그 해

STEP 1 교과서 개념 확인 테스트

본문 69쪽

1-1 ㉢ 1-2 ㉢, ㉣
2-1 8, 5, 2, -1 / 해 : (1, 8), (2, 5), (3, 2)
2-2 $\frac{7}{2}$, 2, $\frac{1}{2}$, -1 / 해 : (2, 2)
3-1 ㉠ 4, 3, 2, 1 ㉡ -2, -1, 0, 1 / 해 : $x=4$, $y=1$
3-2 ㉠ -2, 0, 2, 4 ㉡ 5, $\frac{7}{2}$, 2, $\frac{1}{2}$ / 해 : $x=3$, $y=2$

1-1 ㉠ 미지수가 x의 1개뿐이므로 미지수가 2개인 일차방정식이 아니다.

㉡ $x+3y=3(x+y)$에서 $x+3y=3x+3y$

$\therefore -2x=0$

즉 미지수가 x의 1개뿐이므로 미지수가 2개인 일차방정식이 아니다.

㉢ $3x-4y=1$에서 $3x-4y-1=0$

즉 미지수가 x, y의 2개이고 차수가 모두 1이므로 미지수가 2개인 일차방정식이다.

㉣ $y=5x^2-2$에서 $-5x^2+y+2=0$

즉 미지수가 x, y의 2개이지만 x의 차수가 2이므로 미지수가 2개인 일차방정식이 아니다.

따라서 미지수가 2개인 일차방정식은 ㉢이다.

1-2 ㉠ 미지수가 x, y의 2개이고 차수가 모두 1이지만 등호(=)가 없으므로 미지수가 2개인 일차방정식이 아니다.

㉡ $x^2+y=-2y+x^2+7$에서 $x^2+y+2y-x^2-7=0$

$\therefore 3y-7=0$

즉 미지수가 y의 1개뿐이므로 미지수가 2개인 일차방정식이 아니다.

㉢ $y=3x+4$에서 $-3x+y-4=0$

즉 미지수가 x, y의 2개이고 차수가 모두 1이므로 미지수가 2개인 일차방정식이다.

㉣ 미지수가 x, y의 2개이고 차수가 모두 1이므로 미지수가 2개인 일차방정식이다.

따라서 미지수가 2개인 일차방정식은 ㉢, ㉣이다.

2-1 $3x+y=11$의 x에 1, 2, 3, 4, …를 차례대로 대입하여 y의 값을 구하면 다음 표와 같다.

x	1	2	3	4	…
y	8	5	2	-1	…

따라서 x, y가 자연수일 때, 일차방정식 $3x+y=11$의 해는 (1, 8), (2, 5), (3, 2)이다.

2-2 $3x+2y=10$의 x에 1, 2, 3, 4, …를 차례대로 대입하여 y의 값을 구하면 다음 표와 같다.

x	1	2	3	4	…
y	$\frac{7}{2}$	2	$\frac{1}{2}$	-1	…

따라서 x, y가 자연수일 때, 일차방정식 $3x+2y=10$의 해는 $(2, 2)$이다.

3-1 ㉠ $x+y=5$의 x에 1, 2, 3, 4, …를 차례대로 대입하여 y의 값을 구하면 다음 표와 같다.

x	1	2	3	4	…
y	4	3	2	1	…

㉡ $x-y=3$의 x에 1, 2, 3, 4, …를 차례대로 대입하여 y의 값을 구하면 다음 표와 같다.

x	1	2	3	4	…
y	-2	-1	0	1	…

따라서 x, y가 자연수일 때, 연립방정식 $\begin{cases} x+y=5 \\ x-y=3 \end{cases}$의 해는 $x=4$, $y=1$이다.

3-2 ㉠ $2x-y=4$의 x에 1, 2, 3, 4, …를 차례대로 대입하여 y의 값을 구하면 다음 표와 같다.

x	1	2	3	4	…
y	-2	0	2	4	…

㉡ $3x+2y=13$의 x에 1, 2, 3, 4, …를 차례대로 대입하여 y의 값을 구하면 다음 표와 같다.

x	1	2	3	4	…
y	5	$\frac{7}{2}$	2	$\frac{1}{2}$	…

따라서 x, y가 자연수일 때, 연립방정식 $\begin{cases} 2x-y=4 \\ 3x+2y=13 \end{cases}$의 해는 $x=3$, $y=2$이다.

STEP 2 기출 기초 테스트

본문 70~71쪽

1-1 ①, ④	1-2 ③
2-1 ㉡, ㉤	2-2 ④
3-1 2개	3-2 3개
4-1 4	4-2 (1) 4 (2) -1
5-1 ㉢	5-2 ㉡
6-1 $a=9$, $b=-5$	6-2 6

1-1 ② $x+2y+4=2(x+y)$에서 $x+2y+4=2x+2y$

$\therefore -x+4=0$

즉 미지수가 x의 1개뿐이므로 미지수가 2개인 일차방정식이 아니다.

③ $2x+y+3=3-x+y$에서 $3x=0$

즉 미지수가 x의 1개뿐이므로 미지수가 2개인 일차방정식이 아니다.

④ $5x-y=y$에서 $5x-2y=0$

즉 미지수가 x, y의 2개이고 차수가 모두 1이므로 미지수가 2개인 일차방정식이다.

⑤ $x-2y=x(x-1)$에서 $x-2y=x^2-x$

$\therefore -x^2+2x-2y=0$

즉 미지수가 x, y의 2개이지만 x의 차수가 2이므로 미지수가 2개인 일차방정식이 아니다.

따라서 미지수가 2개인 일차방정식은 ①, ④이다.

1-2 ① 미지수가 x, y의 2개이고 차수가 모두 1이지만 등호 $(=)$가 없으므로 미지수가 2개인 일차방정식이 아니다.

② $4x+y=4x-1$에서 $y+1=0$

즉 미지수가 y의 1개뿐이므로 미지수가 2개인 일차방정식이 아니다.

④ $3(x-1)+2=4$에서 $3x-3+2=4$ $\quad\therefore 3x-5=0$

즉 미지수가 x의 1개뿐이므로 미지수가 2개인 일차방정식이 아니다.

⑤ $x^2+y=3$에서 $x^2+y-3=0$

즉 미지수가 x, y의 2개이지만 x의 차수가 2이므로 미지수가 2개인 일차방정식이 아니다.

따라서 미지수가 2개인 일차방정식은 ③이다.

2-1 $x+3y=10$에

㉠ $x=1$, $y=1$을 대입하면 $1+3\times1\neq10$

㉡ $x=1$, $y=3$을 대입하면 $1+3\times3=10$

㉢ $x=2$, $y=4$를 대입하면 $2+3\times4\neq10$

㉣ $x=3$, $y=1$을 대입하면 $3+3\times1\neq10$

㉤ $x=4$, $y=2$를 대입하면 $4+3\times2=10$

㉥ $x=5$, $y=1$을 대입하면 $5+3\times1\neq10$

따라서 일차방정식 $x+3y=10$의 해인 것은 ㉡, ㉤이다.

2-2 ① $x+2y=5$에 $x=2$, $y=2$를 대입하면

$2+2\times2\neq5$

② $x-3y=5$에 $x=2$, $y=2$를 대입하면

$2-3\times2\neq5$

③ $x-6y=0$에 $x=2$, $y=2$를 대입하면

$2-6\times2\neq0$

④ $2x-y=2$에 $x=2$, $y=2$를 대입하면
$2\times2-2=2$
⑤ $3y=2x+8$에 $x=2$, $y=2$를 대입하면
$3\times2\neq2\times2+8$
따라서 $x=2$, $y=2$를 해로 갖는 것은 ④이다.

3-1 $3x+2y=15$의 x에 1, 2, 3, 4, 5, …를 차례대로 대입하여 y의 값을 구하면 다음 표와 같다.

x	1	2	3	4	5	…
y	6	$\frac{9}{2}$	3	$\frac{3}{2}$	0	…

따라서 x, y가 자연수일 때, 일차방정식 $3x+2y=15$의 해는 $(1, 6)$, $(3, 3)$의 2개이다.

3-2 $x+2y=8$의 x에 1, 2, 3, 4, 5, 6, 7, 8, …을 차례대로 대입하여 y의 값을 구하면 다음 표와 같다.

x	1	2	3	4	5	6	7	8	…
y	$\frac{7}{2}$	3	$\frac{5}{2}$	2	$\frac{3}{2}$	1	$\frac{1}{2}$	0	…

따라서 x, y가 자연수일 때, 일차방정식 $x+2y=8$의 해는 $(2, 3)$, $(4, 2)$, $(6, 1)$의 3개이다.

4-1 일차방정식 $ax-3y=6$의 한 해가 $(3, 2)$이므로
$ax-3y=6$에 $x=3$, $y=2$를 대입하면
$3a-6=6$, $3a=12$ $\therefore a=4$

4-2 (1) 일차방정식 $2x-y=m$의 한 해가 $(1, -2)$이므로
$2x-y=m$에 $x=1$, $y=-2$를 대입하면
$2-(-2)=m$ $\therefore m=4$
(2) 일차방정식 $3x+my=5$의 한 해가 $(1, -2)$이므로
$3x+my=5$에 $x=1$, $y=-2$를 대입하면
$3-2m=5$, $-2m=2$ $\therefore m=-1$

5-1 ㉠ $\begin{cases}2x+y=9\\x-2y=4\end{cases}$에 $x=5$, $y=-1$을 대입하면
$\begin{cases}2\times5+(-1)=9\\5-2\times(-1)\neq4\end{cases}$
㉡ $\begin{cases}x+y=0\\2x+y=4\end{cases}$에 $x=5$, $y=-1$을 대입하면
$\begin{cases}5+(-1)\neq0\\2\times5+(-1)\neq4\end{cases}$
㉢ $\begin{cases}x+y=4\\x-y=6\end{cases}$에 $x=5$, $y=-1$을 대입하면
$\begin{cases}5+(-1)=4\\5-(-1)=6\end{cases}$
㉣ $\begin{cases}x-4y=7\\2x+y=3\end{cases}$에 $x=5$, $y=-1$을 대입하면
$\begin{cases}5-4\times(-1)\neq7\\2\times5+(-1)\neq3\end{cases}$
따라서 $x=5$, $y=-1$을 해로 갖는 것은 ㉢이다.

5-2 ㉠ $\begin{cases}x+y=3\\x-y=2\end{cases}$에 $x=1$, $y=2$를 대입하면
$\begin{cases}1+2=3\\1-2\neq2\end{cases}$
㉡ $\begin{cases}x=5-2y\\2x+3y=8\end{cases}$에 $x=1$, $y=2$를 대입하면
$\begin{cases}1=5-2\times2\\2\times1+3\times2=8\end{cases}$
㉢ $\begin{cases}2x+y=4\\x+y=0\end{cases}$에 $x=1$, $y=2$를 대입하면
$\begin{cases}2\times1+2=4\\1+2\neq0\end{cases}$
㉣ $\begin{cases}3x+2y=8\\y=x+1\end{cases}$에 $x=1$, $y=2$를 대입하면
$\begin{cases}3\times1+2\times2\neq8\\2=1+1\end{cases}$
따라서 $x=1$, $y=2$를 해로 갖는 것은 ㉡이다.

6-1 $5x+ay=3$에 $x=-3$, $y=2$를 대입하면
$-15+2a=3$, $2a=18$ $\therefore a=9$
$bx-4y=7$에 $x=-3$, $y=2$를 대입하면
$-3b-8=7$, $-3b=15$ $\therefore b=-5$

6-2 $ax-2y=4$에 $x=2$, $y=3$을 대입하면
$2a-6=4$, $2a=10$ $\therefore a=5$
$2x+by=7$에 $x=2$, $y=3$을 대입하면
$4+3b=7$, $3b=3$ $\therefore b=1$
$\therefore a+b=5+1=6$

STEP 3 교과서 기본 테스트

본문 72~73쪽

01 ②	02 ③	03 ⑤	04 ②
05 ①	06 7	07 ③	08 ③
09 -9	10 $(1, 8)$, $(2, 5)$, $(3, 2)$	11 6	
12 -1			

01 ㉡ 미지수가 x, y의 2개이지만 x의 차수가 2이므로 미지수가 2개인 일차방정식이 아니다.

㉣ $x-4y=5x-2y$에서 $-4x-2y=0$

따라서 미지수가 2개인 일차방정식이다.

㉤ $x(x-3)+y=1$에서 $x^2-3x+y-1=0$

즉 미지수가 x, y의 2개이지만 x의 차수가 2이므로 미지수가 2개인 일차방정식이 아니다.

㉥ $3(x-2y)=3x-2y$에서 $3x-6y=3x-2y$

$\therefore -4y=0$

즉 미지수가 y의 1개뿐이므로 미지수가 2개인 일차방정식이 아니다.

따라서 미지수가 2개인 일차방정식은 ㉠, ㉢, ㉣의 3개이다.

02 $5x-2y=10$에

① $x=-2$, $y=-10$을 대입하면

$5\times(-2)-2\times(-10)=10$

② $x=-\frac{2}{5}$, $y=-6$을 대입하면

$5\times\left(-\frac{2}{5}\right)-2\times(-6)=10$

③ $x=1$, $y=-2$를 대입하면

$5\times1-2\times(-2)\neq10$

④ $x=\frac{7}{5}$, $y=-\frac{3}{2}$을 대입하면

$5\times\frac{7}{5}-2\times\left(-\frac{3}{2}\right)=10$

⑤ $x=4$, $y=5$를 대입하면

$5\times4-2\times5=10$

따라서 일차방정식 $5x-2y=10$의 해가 아닌 것은 ③이다.

03 ① $3x-y=0$에 $x=-1$, $y=3$을 대입하면

$3\times(-1)-3\neq0$

② $-2x+y=1$에 $x=-1$, $y=3$을 대입하면

$-2\times(-1)+3\neq1$

③ $4x-3y=-11$에 $x=-1$, $y=3$을 대입하면

$4\times(-1)-3\times3\neq-11$

④ $y=5-2x$에 $x=-1$, $y=3$을 대입하면

$3\neq5-2\times(-1)$

⑤ $2x=-3y+7$에 $x=-1$, $y=3$을 대입하면

$2\times(-1)=-3\times3+7$

따라서 $x=-1$, $y=3$을 해로 갖는 것은 ⑤이다.

04 $2x+3y=18$의 y에 1, 2, 3, 4, 5, 6, …을 차례대로 대입하여 x의 값을 구하면 다음 표와 같다.

y	1	2	3	4	5	6	…
x	$\frac{15}{2}$	6	$\frac{9}{2}$	3	$\frac{3}{2}$	0	…

따라서 x, y가 자연수일 때, 일차방정식 $2x+3y=18$을 만족시키는 순서쌍 (x, y)는 $(3, 4)$, $(6, 2)$의 2개이다.

참고 y의 계수의 절댓값이 x의 계수의 절댓값보다 더 클 때는 y에 1, 2, 3, …을 대입하는 것이 편리하다.

05 $4x-y-4=2a$에 $x=a$, $y=-2a$를 대입하면

$4a+2a-4=2a$, $4a=4$ $\quad\therefore a=1$

06 $2x-y=4$에 $x=5$, $y=a$를 대입하면

$10-a=4$ $\quad\therefore a=6$

$2x-y=4$에 $x=b$, $y=-2$를 대입하면

$2b+2=4$, $2b=2$ $\quad\therefore b=1$

$\therefore a+b=6+1=7$

08 ① $\begin{cases} x+y=3 \\ x+2y=-4 \end{cases}$에 $x=-2$, $y=-1$을 대입하면

$\begin{cases} -2+(-1)\neq3 \\ -2+2\times(-1)=-4 \end{cases}$

② $\begin{cases} x+3y=-5 \\ 5x-2y=1 \end{cases}$에 $x=-2$, $y=-1$을 대입하면

$\begin{cases} -2+3\times(-1)=-5 \\ 5\times(-2)-2\times(-1)\neq1 \end{cases}$

③ $\begin{cases} 2x+3y=-7 \\ -x+y=1 \end{cases}$에 $x=-2$, $y=-1$을 대입하면

$\begin{cases} 2\times(-2)+3\times(-1)=-7 \\ -(-2)+(-1)=1 \end{cases}$

④ $\begin{cases} 3x+y=7 \\ x-y=-1 \end{cases}$에 $x=-2$, $y=-1$을 대입하면

$\begin{cases} 3\times(-2)+(-1)\neq7 \\ -2-(-1)=-1 \end{cases}$

⑤ $\begin{cases} 4x+y=2 \\ x-2y=0 \end{cases}$에 $x=-2$, $y=-1$을 대입하면

$\begin{cases} 4\times(-2)+(-1)\neq2 \\ -2-2\times(-1)=0 \end{cases}$

따라서 $(-2, -1)$을 해로 갖는 것은 ③이다.

09 $3x-2y=5$에 $x=3$을 대입하면

$9-2y=5$, $-2y=-4$ $\quad\therefore y=2$

따라서 주어진 연립방정식의 해가 $x=3$, $y=2$이므로

$x+3y=-a$에 $x=3$, $y=2$를 대입하면

$3+3\times2=-a$ $\quad\therefore a=-9$

10 $3x+y=11$의 x에 1, 2, 3, 4, …를 차례대로 대입하여 y의 값을 구하면 다음 표와 같다.

x	1	2	3	4	…
y	8	5	2	-1	…

…… ㉮

따라서 x, y가 자연수일 때, 일차방정식 $3x+y=11$의 해는 (1, 8), (2, 5), (3, 2)이다. …… ㉯

채점 기준	비율
㉮ x에 1, 2, 3, …을 대입하여 y의 값을 제대로 구한 경우	60 %
㉯ x, y가 자연수일 때, 일차방정식 $3x+y=11$의 해를 제대로 구한 경우	40 %

11 $ax+y=10$에 $x=1$, $y=8$을 대입하면

$a+8=10$ $\quad\therefore a=2$ …… ㉮

$2x+y=10$에 $x=3$, $y=b$를 대입하면

$6+b=10$ $\quad\therefore b=4$ …… ㉯

$\therefore a+b=2+4=6$ …… ㉰

채점 기준	비율
㉮ a의 값을 제대로 구한 경우	40 %
㉯ b의 값을 제대로 구한 경우	40 %
㉰ $a+b$의 값을 제대로 구한 경우	20 %

12 $x+y=8$에 $x=5$, $y=b$를 대입하면

$5+b=8$ $\quad\therefore b=3$ …… ㉮

$ax+y=13$에 $x=5$, $y=3$을 대입하면

$5a+3=13$, $5a=10$ $\quad\therefore a=2$ …… ㉯

$\therefore a-b=2-3=-1$ …… ㉰

채점 기준	비율
㉮ b의 값을 제대로 구한 경우	40 %
㉯ a의 값을 제대로 구한 경우	40 %
㉰ $a-b$의 값을 제대로 구한 경우	20 %

08 연립일차방정식의 풀이

STEP 1 교과서 개념 확인 테스트 본문 76~77쪽

	(1)	(2)
1-1	$x=14$, $y=16$	$x=-4$, $y=2$
1-2	$x=3$, $y=-4$	$x=6$, $y=4$
2-1	$x=-3$, $y=-1$	$x=2$, $y=2$
2-2	$x=2$, $y=10$	$x=-1$, $y=3$
3-1	$x=3$, $y=\frac{7}{2}$	$x=1$, $y=-\frac{7}{3}$
3-2	$x=2$, $y=-4$	$x=5$, $y=-3$
4-1	$x=3$, $y=-1$	$x=4$, $y=4$
4-2	$x=2$, $y=1$	$x=-1$, $y=3$
5-1	$x=3$, $y=5$	$x=-1$, $y=-1$
5-2	$x=-2$, $y=4$	$x=4$, $y=-2$
6-1	$x=5$, $y=-4$	$x=-4$, $y=4$
6-2	$x=-8$, $y=-2$	$x=10$, $y=12$

1-1 (1) $\begin{cases} x+y=30 & \cdots\cdots ㉠ \\ y=x+2 & \cdots\cdots ㉡ \end{cases}$에서 ㉡을 ㉠에 대입하면

$x+(x+2)=30$, $2x=28$ $\quad\therefore x=14$

$x=14$를 ㉡에 대입하면 $y=14+2$ $\quad\therefore y=16$

(2) $\begin{cases} x=-y-2 & \cdots\cdots ㉠ \\ 4x+3y=-10 & \cdots\cdots ㉡ \end{cases}$에서 ㉠을 ㉡에 대입하면

$4(-y-2)+3y=-10$, $-y=-2$ $\quad\therefore y=2$

$y=2$를 ㉠에 대입하면 $x=-2-2$ $\quad\therefore x=-4$

1-2 (1) $\begin{cases} y=2x-10 & \cdots\cdots ㉠ \\ 2x+y=2 & \cdots\cdots ㉡ \end{cases}$에서 ㉠을 ㉡에 대입하면

$2x+(2x-10)=2$, $4x=12$ $\quad\therefore x=3$

$x=3$을 ㉠에 대입하면 $y=2\times3-10$ $\quad\therefore y=-4$

(2) $\begin{cases} 4x-7y=-4 & \cdots\cdots ㉠ \\ x=y+2 & \cdots\cdots ㉡ \end{cases}$에서 ㉡을 ㉠에 대입하면

$4(y+2)-7y=-4$, $-3y=-12$ $\quad\therefore y=4$

$y=4$를 ㉡에 대입하면 $x=4+2$ $\quad\therefore x=6$

2-1 (1) $\begin{cases} x-3y=0 & \cdots\cdots ㉠ \\ 2x-y=-5 & \cdots\cdots ㉡ \end{cases}$의 ㉠에서 x를 y의 식으로 나타내면 $x=3y$ …… ㉢

㉢을 ㉡에 대입하면 $2\times3y-y=-5$

$5y=-5$ $\quad\therefore y=-1$

$y=-1$을 ㉢에 대입하면 $x=3\times(-1)$ $\quad\therefore x=-3$

(2) $\begin{cases} 2x+y=6 & \cdots\cdots ㉠ \\ -3x+y=-4 & \cdots\cdots ㉡ \end{cases}$의 ㉡에서 y를 x의 식으로 나타내면 $y=3x-4$ …… ㉢

㉢을 ㉠에 대입하면 $2x+(3x-4)=6$

$5x=10$ $\quad\therefore x=2$

$x=2$를 ㉢에 대입하면 $y=3\times2-4$ $\quad\therefore y=2$

2-2 (1) $\begin{cases} -x+2y=18 & \cdots\cdots ㉠ \\ 5x-y=0 & \cdots\cdots ㉡ \end{cases}$의 ㉡에서 y를 x의 식으로 나타내면 $y=5x$ $\cdots\cdots$ ㉢

㉢을 ㉠에 대입하면 $-x+2\times5x=18$

$9x=18$ $\therefore x=2$

$x=2$를 ㉢에 대입하면 $y=5\times2$ $\therefore y=10$

(2) $\begin{cases} x+2y=5 & \cdots\cdots ㉠ \\ 3x-y=-6 & \cdots\cdots ㉡ \end{cases}$의 ㉠에서 x를 y의 식으로 나타내면 $x=-2y+5$ $\cdots\cdots$ ㉢

㉢을 ㉡에 대입하면 $3(-2y+5)-y=-6$

$-7y=-21$ $\therefore y=3$

$y=3$을 ㉢에 대입하면 $x=-2\times3+5$ $\therefore x=-1$

3-1 (1) $\begin{cases} x+2y=10 & \cdots\cdots ㉠ \\ 2x-2y=-1 & \cdots\cdots ㉡ \end{cases}$에서 ㉠+㉡을 하면

$3x=9$ $\therefore x=3$

$x=3$을 ㉠에 대입하면 $3+2y=10$, $2y=7$ $\therefore y=\frac{7}{2}$

(2) $\begin{cases} 2x-3y=9 & \cdots\cdots ㉠ \\ -4x-3y=3 & \cdots\cdots ㉡ \end{cases}$에서 ㉠−㉡을 하면

$6x=6$ $\therefore x=1$

$x=1$을 ㉠에 대입하면 $2\times1-3y=9$

$-3y=7$ $\therefore y=-\frac{7}{3}$

3-2 (1) $\begin{cases} x+y=-2 & \cdots\cdots ㉠ \\ x-y=6 & \cdots\cdots ㉡ \end{cases}$에서 ㉠+㉡을 하면

$2x=4$ $\therefore x=2$

$x=2$를 ㉠에 대입하면 $2+y=-2$ $\therefore y=-4$

(2) $\begin{cases} 3x+2y=9 & \cdots\cdots ㉠ \\ 3x-y=18 & \cdots\cdots ㉡ \end{cases}$에서 ㉠−㉡을 하면

$3y=-9$ $\therefore y=-3$

$y=-3$을 ㉡에 대입하면 $3x-(-3)=18$

$3x=15$ $\therefore x=5$

4-1 (1) $\begin{cases} x+y=2 & \cdots\cdots ㉠ \\ 3x-4y=13 & \cdots\cdots ㉡ \end{cases}$에서 ㉠×3을 하면

$\begin{cases} 3x+3y=6 & \cdots\cdots ㉢ \\ 3x-4y=13 & \cdots\cdots ㉡ \end{cases}$

㉢−㉡을 하면 $7y=-7$ $\therefore y=-1$

$y=-1$을 ㉠에 대입하면 $x+(-1)=2$ $\therefore x=3$

(2) $\begin{cases} -2x+3y=4 & \cdots\cdots ㉠ \\ 5x+2y=28 & \cdots\cdots ㉡ \end{cases}$에서 ㉠×5, ㉡×2를 하면

$\begin{cases} -10x+15y=20 & \cdots\cdots ㉢ \\ 10x+4y=56 & \cdots\cdots ㉣ \end{cases}$

㉢+㉣을 하면 $19y=76$ $\therefore y=4$

$y=4$를 ㉡에 대입하면 $5x+2\times4=28$

$5x=20$ $\therefore x=4$

4-2 (1) $\begin{cases} 3x+4y=10 & \cdots\cdots ㉠ \\ x+5y=7 & \cdots\cdots ㉡ \end{cases}$에서 ㉡×3을 하면

$\begin{cases} 3x+4y=10 & \cdots\cdots ㉠ \\ 3x+15y=21 & \cdots\cdots ㉢ \end{cases}$

㉠−㉢을 하면 $-11y=-11$ $\therefore y=1$

$y=1$을 ㉡에 대입하면 $x+5\times1=7$ $\therefore x=2$

(2) $\begin{cases} 7x+6y=11 & \cdots\cdots ㉠ \\ 5x-4y=-17 & \cdots\cdots ㉡ \end{cases}$에서 ㉠×2, ㉡×3을 하면

$\begin{cases} 14x+12y=22 & \cdots\cdots ㉢ \\ 15x-12y=-51 & \cdots\cdots ㉣ \end{cases}$

㉢+㉣을 하면 $29x=-29$ $\therefore x=-1$

$x=-1$을 ㉠에 대입하면 $7\times(-1)+6y=11$

$6y=18$ $\therefore y=3$

5-1 (1) $\begin{cases} 2(x-3)=y-5 \\ x-1=y-3 \end{cases}$에서 괄호를 풀고 동류항끼리 정리하면 $\begin{cases} 2x-y=1 & \cdots\cdots ㉠ \\ x-y=-2 & \cdots\cdots ㉡ \end{cases}$

㉠−㉡을 하면 $x=3$

$x=3$을 ㉡에 대입하면 $3-y=-2$ $\therefore y=5$

(2) $\begin{cases} 3x+2(x-y)=-3 \\ 2(x+y)+y=-5 \end{cases}$에서 괄호를 풀고 동류항끼리 정리하면 $\begin{cases} 5x-2y=-3 & \cdots\cdots ㉠ \\ 2x+3y=-5 & \cdots\cdots ㉡ \end{cases}$

㉠×3+㉡×2를 하면 $19x=-19$ $\therefore x=-1$

$x=-1$을 ㉠에 대입하면 $5\times(-1)-2y=-3$

$-2y=2$ $\therefore y=-1$

5-2 (1) $\begin{cases} 5x-(x-3y)=4 \\ 2x+3(x+y)=4x+10 \end{cases}$에서 괄호를 풀고 동류항끼리 정리하면 $\begin{cases} 4x+3y=4 & \cdots\cdots ㉠ \\ x+3y=10 & \cdots\cdots ㉡ \end{cases}$

㉠−㉡을 하면 $3x=-6$ $\therefore x=-2$

$x=-2$를 ㉡에 대입하면 $-2+3y=10$

$3y=12$ $\therefore y=4$

(2) $\begin{cases} 3x-2(x+2y)=12 \\ 2(x-y)=2-5y \end{cases}$에서 괄호를 풀고 동류항끼리 정리하면 $\begin{cases} x-4y=12 & \cdots\cdots ㉠ \\ 2x+3y=2 & \cdots\cdots ㉡ \end{cases}$

㉠×2−㉡을 하면 $-11y=22$ $\therefore y=-2$

$y=-2$를 ㉠에 대입하면 $x-4\times(-2)=12$ $\therefore x=4$

6-1 (1) $\begin{cases} 0.2x+0.5y=-1 & \cdots\cdots ㉠ \\ 0.4x+0.25y=1 & \cdots\cdots ㉡ \end{cases}$에서

㉠×10, ㉡×100을 하면 $\begin{cases} 2x+5y=-10 & \cdots\cdots ㉢ \\ 40x+25y=100 & \cdots\cdots ㉣ \end{cases}$

ⓒ×5−ⓓ을 하면 $-30x=-150$ $\therefore x=5$

$x=5$를 ⓒ에 대입하면 $2\times5+5y=-10$

$5y=-20$ $\therefore y=-4$

(2) $\begin{cases} \frac{3}{10}x+\frac{4}{5}y=2 & \cdots\cdots ㉠ \\ \frac{1}{4}x-\frac{1}{12}y=-\frac{4}{3} & \cdots\cdots ㉡ \end{cases}$ 에서 ㉠×10, ㉡×12를 하

면 $\begin{cases} 3x+8y=20 & \cdots\cdots ㉢ \\ 3x-y=-16 & \cdots\cdots ㉣ \end{cases}$

ⓒ−ⓓ을 하면 $9y=36$ $\therefore y=4$

$y=4$를 ⓓ에 대입하면 $3x-4=-16$

$3x=-12$ $\therefore x=-4$

6-2 (1) $\begin{cases} 0.2x-0.3y=-1 & \cdots\cdots ㉠ \\ 0.4x-5y=6.8 & \cdots\cdots ㉡ \end{cases}$ 에서

㉠×10, ㉡×10을 하면 $\begin{cases} 2x-3y=-10 & \cdots\cdots ㉢ \\ 4x-50y=68 & \cdots\cdots ㉣ \end{cases}$

ⓒ×2−ⓓ을 하면 $44y=-88$ $\therefore y=-2$

$y=-2$를 ⓒ에 대입하면 $2x-3\times(-2)=-10$

$2x=-16$ $\therefore x=-8$

(2) $\begin{cases} \frac{1}{2}x-\frac{1}{3}y=1 & \cdots\cdots ㉠ \\ \frac{1}{5}x-\frac{1}{4}y=-1 & \cdots\cdots ㉡ \end{cases}$ 에서 ㉠×6, ㉡×20을 하면

$\begin{cases} 3x-2y=6 & \cdots\cdots ㉢ \\ 4x-5y=-20 & \cdots\cdots ㉣ \end{cases}$

ⓒ×4−ⓓ×3을 하면 $7y=84$ $\therefore y=12$

$y=12$를 ⓒ에 대입하면 $3x-2\times12=6$

$3x=30$ $\therefore x=10$

STEP 2 기출 기초 테스트

본문 78~80쪽

1-1 5	**1-2** −21
2-1 ⑤	**2-2** ④
3-1 (1) $x=-1, y=1$ (2) $x=-\frac{1}{4}, y=0$ (3) $x=1, y=-2$	
3-2 (1) $x=4, y=-1$ (2) $x=1, y=4$ (3) $x=6, y=1$	
4-1 $a=4, b=1$	**4-2** $a=2, b=1$
5-1 2	**5-2** −3
6-1 6	**6-2** 11
7-1 −1	**7-2** 2
8-1 $x=-1, y=2$	**8-2** 3
9-1 ②, ⑤	**9-2** ①

1-1 ㉠을 ㉡에 대입하면 $3x+2(x-3)=9$

$5x=15$ $\therefore a=5$

1-2 ㉡을 ㉠에 대입하면 $4(8-2y)-3y=11$

$-11y=-21$ $\therefore a=-21$

2-1 연립방정식에서 y의 계수의 절댓값이 같아지도록

㉠×3, ㉡×2를 하면 $\begin{cases} 9x+6y=3 & \cdots\cdots ㉢ \\ 8x-6y=14 & \cdots\cdots ㉣ \end{cases}$

ⓒ+ⓓ을 하면 $17x=17$과 같이 y가 없어지므로 필요한 식은 ⑤ ㉠×3+㉡×2이다.

2-2 연립방정식에서 x의 계수의 절댓값이 같아지도록

㉠×2, ㉡×3을 하면 $\begin{cases} 6x-4y=2 & \cdots\cdots ㉢ \\ 6x+9y=15 & \cdots\cdots ㉣ \end{cases}$

ⓒ−ⓓ을 하면 $-13y=-13$과 같이 x가 없어지므로 필요한 식은 ④ ㉠×2−㉡×3이다.

3-1 (1) $\begin{cases} (x+y)-(-x-2y)=1 \\ x+y-4=2(y-3) \end{cases}$ 에서 괄호를 풀고 동류

항끼리 정리하면 $\begin{cases} 2x+3y=1 & \cdots\cdots ㉠ \\ x-y=-2 & \cdots\cdots ㉡ \end{cases}$

㉠−㉡×2를 하면 $5y=5$ $\therefore y=1$

$y=1$을 ㉡에 대입하면 $x-1=-2$ $\therefore x=-1$

(2) $\begin{cases} \frac{x}{2}-\frac{y}{3}=-\frac{1}{8} & \cdots\cdots ㉠ \\ \frac{x}{3}-\frac{y}{4}=-\frac{1}{12} & \cdots\cdots ㉡ \end{cases}$ 에서 ㉠×24, ㉡×12를 하면

$\begin{cases} 12x-8y=-3 & \cdots\cdots ㉢ \\ 4x-3y=-1 & \cdots\cdots ㉣ \end{cases}$

ⓒ−ⓓ×3을 하면 $y=0$

$y=0$을 ⓓ에 대입하면 $4x-3\times0=-1$

$4x=-1$ $\therefore x=-\frac{1}{4}$

(3) $\begin{cases} \frac{x}{6}-\frac{y}{4}=\frac{2}{3} & \cdots\cdots ㉠ \\ 0.4x+0.3y=-0.2 & \cdots\cdots ㉡ \end{cases}$ 에서 ㉠×12, ㉡×10을 하

면 $\begin{cases} 2x-3y=8 & \cdots\cdots ㉢ \\ 4x+3y=-2 & \cdots\cdots ㉣ \end{cases}$

ⓒ+ⓓ을 하면 $6x=6$ $\therefore x=1$

$x=1$을 ⓓ에 대입하면 $4\times1+3y=-2$

$3y=-6$ $\therefore y=-2$

3-2 (1) $\begin{cases} 3x-2(2x-y)=x-10 \\ 2(y-2x)+y=-7-3x \end{cases}$ 에서 괄호를 풀고 동류

항끼리 정리하면 $\begin{cases} -2x+2y=-10 & \cdots\cdots ㉠ \\ -x+3y=-7 & \cdots\cdots ㉡ \end{cases}$

㉠−㉡×2를 하면 $-4y=4$ $\therefore y=-1$

$y=-1$을 ㉡에 대입하면

$-x+3\times(-1)=-7$ $\therefore x=4$

(2) $\begin{cases} 7x-y=3 & \cdots\cdots ㉠ \\ x+\frac{1}{7}y=\frac{11}{7} & \cdots\cdots ㉡ \end{cases}$ 에서 ㉡×7을 하면

$\begin{cases} 7x-y=3 & \cdots\cdots ㉠ \\ 7x+y=11 & \cdots\cdots ㉢ \end{cases}$

㉠+㉢을 하면 $14x=14$　　$\therefore x=1$

$x=1$을 ㉢에 대입하면 $7\times1+y=11$　　$\therefore y=4$

(3) $\begin{cases} \frac{1}{2}x-y=2 & \cdots\cdots ㉠ \\ 0.3x-1.2y=0.6 & \cdots\cdots ㉡ \end{cases}$ 에서 ㉠×2, ㉡×10을 하면

$\begin{cases} x-2y=4 & \cdots\cdots ㉢ \\ 3x-12y=6 & \cdots\cdots ㉣ \end{cases}$

㉢×3−㉣을 하면 $6y=6$　　$\therefore y=1$

$y=1$을 ㉢에 대입하면 $x-2\times1=4$　　$\therefore x=6$

4-1 $x=1$, $y=-2$를 주어진 두 일차방정식에 각각 대입하면 $\begin{cases} a+2b=6 & \cdots\cdots ㉠ \\ a-2b=2 & \cdots\cdots ㉡ \end{cases}$

㉠+㉡을 하면 $2a=8$　　$\therefore a=4$

$a=4$를 ㉠에 대입하면 $4+2b=6$

$2b=2$　　$\therefore b=1$

4-2 $x=4$, $y=-1$을 주어진 두 일차방정식에 각각 대입하면 $\begin{cases} 4a-b=7 \\ 4b+a=6 \end{cases}$, 즉 $\begin{cases} 4a-b=7 & \cdots\cdots ㉠ \\ a+4b=6 & \cdots\cdots ㉡ \end{cases}$

㉠×4+㉡을 하면 $17a=34$　　$\therefore a=2$

$a=2$를 ㉠에 대입하면 $4\times2-b=7$　　$\therefore b=1$

5-1 주어진 연립방정식의 해는 세 일차방정식을 모두 만족시키므로 연립방정식 $\begin{cases} 2x+3y=-4 & \cdots\cdots ㉠ \\ 5x+2y=1 & \cdots\cdots ㉡ \end{cases}$ 의 해와 같다.

㉠×2−㉡×3을 하면 $-11x=-11$　　$\therefore x=1$

$x=1$을 ㉡에 대입하면 $5\times1+2y=1$

$2y=-4$　　$\therefore y=-2$

$x=1$, $y=-2$를 $ax-y=4$에 대입하면

$a\times1-(-2)=4$　　$\therefore a=2$

5-2 주어진 연립방정식의 해는 세 일차방정식을 모두 만족시키므로 연립방정식 $\begin{cases} 4x-y=2 & \cdots\cdots ㉠ \\ x+3y=7 & \cdots\cdots ㉡ \end{cases}$ 의 해와 같다.

㉠×3+㉡을 하면 $13x=13$　　$\therefore x=1$

$x=1$을 ㉠에 대입하면 $4\times1-y=2$　　$\therefore y=2$

$x=1$, $y=2$를 $ax+2y=1$에 대입하면

$a\times1+2\times2=1$　　$\therefore a=-3$

6-1 a, b가 없는 두 일차방정식으로 연립방정식을 세우면

$\begin{cases} 2x+y=5 & \cdots\cdots ㉠ \\ x+y=3 & \cdots\cdots ㉡ \end{cases}$

㉠−㉡을 하면 $x=2$

$x=2$를 ㉡에 대입하면 $2+y=3$　　$\therefore y=1$

$x=2$, $y=1$을 $3x-2y=a$에 대입하면

$3\times2-2\times1=a$　　$\therefore a=4$

$x=2$, $y=1$을 $bx+2y=6$에 대입하면 $b\times2+2\times1=6$

$2b=4$　　$\therefore b=2$

$\therefore a+b=4+2=6$

6-2 a, b가 없는 두 일차방정식으로 연립방정식을 세우면

$\begin{cases} 4x+3y=-5 & \cdots\cdots ㉠ \\ 5x-2y=11 & \cdots\cdots ㉡ \end{cases}$

㉠×2+㉡×3을 하면 $23x=23$　　$\therefore x=1$

$x=1$을 ㉠에 대입하면 $4\times1+3y=-5$

$3y=-9$　　$\therefore y=-3$

$x=1$, $y=-3$을 $7x-2y=a$에 대입하면

$7\times1-2\times(-3)=a$　　$\therefore a=13$

$x=1$, $y=-3$을 $bx+y=-5$에 대입하면

$b\times1+(-3)=-5$　　$\therefore b=-2$

$\therefore a+b=13+(-2)=11$

7-1 y의 값이 x의 값의 3배이므로 $y=3x$

$y=3x$를 $3x+2y=9$에 대입하면

$3x+2\times3x=9$, $9x=9$　　$\therefore x=1$

$x=1$을 $y=3x$에 대입하면 $y=3\times1$　　$\therefore y=3$

$x=1$, $y=3$을 $x-y=2a$에 대입하면

$1-3=2a$, $2a=-2$　　$\therefore a=-1$

7-2 $x : y=1 : 2$이므로 $y=2x$

$y=2x$를 $4x-y=4$에 대입하면 $4x-2x=4$

$2x=4$　　$\therefore x=2$

$x=2$를 $y=2x$에 대입하면 $y=2\times2$　　$\therefore y=4$

$x=2$, $y=4$를 $x+ay=10$에 대입하면 $2+4a=10$

$4a=8$　　$\therefore a=2$

8-1 주어진 방정식의 해는 다음 연립방정식의 해와 같다.

$\begin{cases} x+2y=3 & \cdots\cdots ㉠ \\ 5x+4y=3 & \cdots\cdots ㉡ \end{cases}$

㉠×2−㉡을 하면 $-3x=3$　　$\therefore x=-1$

$x=-1$을 ㉠에 대입하면 $-1+2y=3$

$2y=4$　　$\therefore y=2$

8-2 주어진 방정식의 해는 다음 연립방정식의 해와 같다.

$\begin{cases} 9x-7y+7=2 \\ x+4y-7=2 \end{cases}$, 즉 $\begin{cases} 9x-7y=-5 & \cdots\cdots ㉠ \\ x+4y=9 & \cdots\cdots ㉡ \end{cases}$

㉠$-$㉡$\times 9$를 하면 $-43y=-86$ $\therefore y=2$

$y=2$를 ㉡에 대입하면 $x+4\times 2=9$ $\therefore x=1$

따라서 주어진 방정식의 해가 $(1, 2)$이므로 $a=1$, $b=2$

$\therefore a+b=1+2=3$

9-1 ① $\begin{cases} x+4y=2 \\ 2x+8y=4 \end{cases}$에서 $\begin{cases} 2x+8y=4 \\ 2x+8y=4 \end{cases}$이므로 해가 무수히 많다.

② $\begin{cases} x-2y=1 \\ 9x-18y=7 \end{cases}$에서 $\begin{cases} 9x-18y=9 \\ 9x-18y=7 \end{cases}$이므로 해가 없다.

③ $\begin{cases} 4x+y=-6 \\ 16x+4y=-24 \end{cases}$에서 $\begin{cases} 16x+4y=-24 \\ 16x+4y=-24 \end{cases}$이므로 해가 무수히 많다.

④ $x=\frac{1}{3}$, $y=0$

⑤ $\begin{cases} 2x+3y=-1 \\ -6x-9y=-3 \end{cases}$에서 $\begin{cases} -6x-9y=3 \\ -6x-9y=-3 \end{cases}$이므로 해가 없다.

따라서 해가 없는 연립방정식은 ②, ⑤이다.

9-2 ① $\begin{cases} -x+y=3 \\ 2x-2y=-6 \end{cases}$에서 $\begin{cases} 2x-2y=-6 \\ 2x-2y=-6 \end{cases}$이므로 해가 무수히 많다.

② $\begin{cases} x-3y=4 \\ 2x-6y=7 \end{cases}$에서 $\begin{cases} 2x-6y=8 \\ 2x-6y=7 \end{cases}$이므로 해가 없다.

③ $x=3$, $y=2$

④ $x=2$, $y=-\frac{7}{2}$

⑤ $\begin{cases} x+2y=3 \\ 4x+8y=-5 \end{cases}$에서 $\begin{cases} 4x+8y=12 \\ 4x+8y=-5 \end{cases}$이므로 해가 없다.

따라서 해가 무수히 많은 연립방정식은 ①이다.

STEP 3 교과서 기본 테스트

본문 81~82쪽

01 ③	**02** ①	**03** ②	**04** ③
05 12	**06** 1	**07** $x=5$, $y=4$	
08 ①	**09** 4	**10** -30	
11 (1) $x=2$, $y=-1$ (2) $a=11$, $b=3$			**12** -3

01 $\begin{cases} x+y=8 & \cdots\cdots ㉠ \\ y=3x & \cdots\cdots ㉡ \end{cases}$에서 ㉡을 ㉠에 대입하면

$x+3x=8$, $4x=8$ $\therefore x=2$

$x=2$를 ㉡에 대입하면 $y=3\times 2$ $\therefore y=6$

02 연립방정식에서 x의 계수의 절댓값이 같아지도록 ㉠$\times 3$, ㉡$\times 4$를 하면

$\begin{cases} 12x+15y=-39 & \cdots\cdots ㉢ \\ -12x+28y=-4 & \cdots\cdots ㉣ \end{cases}$

㉢$+$㉣을 하면 $43y=-43$과 같이 x가 없어지므로 필요한 식은 ① ㉠$\times 3+$㉡$\times 4$이다.

03 ② ㉡을 $y=2x+7$로 변형한 후 ㉠에 대입하여 풀 수 있다.

③ ㉠$\times 2-$㉡을 하면 $5y=15$와 같이 x를 없앨 수 있다.

④, ⑤ $\begin{cases} x+2y=4 & \cdots\cdots ㉠ \\ 2x-y=-7 & \cdots\cdots ㉡ \end{cases}$에서 ㉠$+$㉡$\times 2$를 하면

$5x=-10$ $\therefore x=-2$

$x=-2$를 ㉠에 대입하면 $-2+2y=4$

$2y=6$ $\therefore y=3$

따라서 해는 $x=-2$, $y=3$, 즉 $(-2, 3)$이다.

따라서 옳지 않은 것은 ②이다.

04 $\begin{cases} 3x+2(y-1)=3 & \cdots\cdots ㉠ \\ 3(x-2y)+5y=2 & \cdots\cdots ㉡ \end{cases}$에서

㉠을 정리하면 $3x+2y=5$ $\cdots\cdots$ ㉢

㉡을 정리하면 $3x-y=2$ $\cdots\cdots$ ㉣

㉢$-$㉣을 하면 $3y=3$ $\therefore y=1$

$y=1$을 ㉣에 대입하면 $3x-1=2$

$3x=3$ $\therefore x=1$

따라서 옳지 않은 것은 ③이다.

05 $x=-1$, $y=2$를 주어진 두 일차방정식에 각각 대입하면

$\begin{cases} -a+2b=5 \\ -b+2a=2 \end{cases}$, 즉 $\begin{cases} -a+2b=5 & \cdots\cdots ㉠ \\ 2a-b=2 & \cdots\cdots ㉡ \end{cases}$

㉠$\times 2+$㉡을 하면 $3b=12$ $\therefore b=4$

$b=4$를 ㉡에 대입하면 $2a-4=2$

$2a=6$ $\therefore a=3$

$\therefore ab=3\times 4=12$

06 주어진 연립방정식의 해는 세 일차방정식을 모두 만족시키므로 연립방정식 $\begin{cases} 2x+3y=9 & \cdots\cdots ㉠ \\ y=3x-8 & \cdots\cdots ㉡ \end{cases}$의 해와 같다.

㉡을 ㉠에 대입하면 $2x+3(3x-8)=9$

$11x=33$ $\therefore x=3$

$x=3$을 ㉡에 대입하면 $y=3\times 3-8$ $\therefore y=1$

$x=3$, $y=1$을 $-x+4y=a$에 대입하면

$-3+4\times 1=a$ $\therefore a=1$

07 주어진 방정식의 해는 다음 연립방정식의 해와 같다.

$\begin{cases} \frac{2x+5}{5}=\frac{x+y}{3} & \cdots\cdots ㉠ \\ \frac{x+y}{3}=x-\frac{1}{2}y & \cdots\cdots ㉡ \end{cases}$

㉠×15, ㉡×6을 하면

$\begin{cases} 3(2x+5)=5(x+y) \\ 2(x+y)=6x-3y \end{cases}$, 즉 $\begin{cases} x-5y=-15 & \cdots\cdots ㉢ \\ -4x+5y=0 & \cdots\cdots ㉣ \end{cases}$

㉢+㉣을 하면 $-3x=-15$ $\quad\therefore x=5$

$x=5$를 ㉣에 대입하면 $-4\times5+5y=0$

$5y=20$ $\quad\therefore y=4$

08 주어진 연립방정식의 해가 없으려면 x, y의 계수는 각각 같고 상수항이 달라야 하므로 $a=1$

09 $x=-2$를 $2x+3y=5$에 대입하면

$2\times(-2)+3y=5$, $3y=9$ $\quad\therefore y=3$

따라서 잘못 본 연립방정식의 해는 $x=-2$, $y=3$이다.

㉡의 상수항 7을 a로 잘못 보았다 하고

$x=-2$, $y=3$을 $x+2y=a$에 대입하면

$-2+2\times3=a$ $\quad\therefore a=4$

따라서 상수항 7을 4로 잘못 보고 풀었다.

10 $\begin{cases} 0.3x+y=0.6 & \cdots\cdots ㉠ \\ \frac{1}{2}x-\frac{2}{3}y=-6 & \cdots\cdots ㉡ \end{cases}$에서 ㉠×10, ㉡×6을 하면

$\begin{cases} 3x+10y=6 & \cdots\cdots ㉢ \\ 3x-4y=-36 & \cdots\cdots ㉣ \end{cases}$ ⋯⋯ ㉮

㉢−㉣을 하면 $14y=42$ $\quad\therefore y=3$

$y=3$을 ㉣에 대입하면 $3x-4\times3=-36$

$3x=-24$ $\quad\therefore x=-8$

즉 주어진 연립방정식의 해는 $(-8, 3)$이다. ⋯⋯ ㉯

따라서 $a=-8$, $b=3$이므로

$3a-2b=3\times(-8)-2\times3=-30$ ⋯⋯ ㉰

채점 기준	비율
㉮ 계수를 정수로 제대로 바꾼 경우	30 %
㉯ 연립방정식을 제대로 푼 경우	50 %
㉰ $3a-2b$의 값을 제대로 구한 경우	20 %

11 (1) a, b가 없는 두 일차방정식으로 연립방정식을 세우면

$\begin{cases} 2x+y=3 & \cdots\cdots ㉠ \\ 3x-y=7 & \cdots\cdots ㉡ \end{cases}$

㉠+㉡을 하면 $5x=10$ $\quad\therefore x=2$

$x=2$를 ㉠에 대입하면 $2\times2+y=3$ $\quad\therefore y=-1$

따라서 두 연립방정식의 해는 $x=2$, $y=-1$ ⋯⋯ ㉮

(2) $x=2$, $y=-1$을 $5x-y=a$에 대입하면

$5\times2-(-1)=a$ $\quad\therefore a=11$

$x=2$, $y=-1$을 $4x+by=5$에 대입하면

$4\times2+b\times(-1)=5$, $-b=-3$

$\therefore b=3$ ⋯⋯ ㉯

채점 기준	비율
㉮ 두 연립방정식의 해를 제대로 구한 경우	50 %
㉯ a, b의 값을 각각 제대로 구한 경우	50 %

12 $x:y=3:1$이므로 $x=3y$ ⋯⋯ ㉮

$x=3y$를 $5x-2y=13$에 대입하면

$5\times3y-2y=13$, $13y=13$ $\quad\therefore y=1$

$y=1$을 $x=3y$에 대입하면

$x=3\times1$ $\quad\therefore x=3$ ⋯⋯ ㉯

$x=3$, $y=1$을 $ax+3y=-6$에 대입하면

$a\times3+3\times1=-6$, $3a=-9$ $\quad\therefore a=-3$ ⋯⋯ ㉰

채점 기준	비율
㉮ 주어진 조건에서 x와 y 사이의 관계식을 제대로 구한 경우	20 %
㉯ x, y의 값을 각각 제대로 구한 경우	50 %
㉰ a의 값을 제대로 구한 경우	30 %

창의력 · 융합형 · 서술형 · 코딩

본문 83쪽

1 처음으로 잘못된 부분 : $4x+3y=-1$

옳은 해 : $x=-\frac{8}{3}$, $y=\frac{14}{9}$

2 (1) $2x-3y=-5$ (2) $x=-1$, $y=1$

3 (1) $2x+y=500$ (2) $x=2y$ (3) 100 g

1 $\begin{cases} 0.1x+0.3y=0.2 & \cdots\cdots ㉠ \\ \frac{2}{3}x+\frac{1}{2}y=-1 & \cdots\cdots ㉡ \end{cases}$

㉠×10을 하면 $x+3y=2$ ⋯⋯ ㉢

㉡×6을 하면 $4x+3y=-6$ ⋯⋯ ㉣

㉢에서 ㉣을 변끼리 빼면 $-3x=8$ $\quad\therefore x=-\frac{8}{3}$

$x=-\frac{8}{3}$을 ㉢에 대입하면 $-\frac{8}{3}+3y=2$

$3y=\frac{14}{3}$ $\quad\therefore y=\frac{14}{9}$

2 (2) ㈎, ㈏에 해당하는 두 일차방정식으로 연립방정식을 세우면 $\begin{cases} 3x+4y=1 & \cdots\cdots ㉠ \\ 2x-3y=-5 & \cdots\cdots ㉡ \end{cases}$

㉠×2−㉡×3을 하면 $17y=17$ $\quad\therefore y=1$

$y=1$을 ㉠에 대입하면 $3x+4\times1=1$

$3x=-3$ $\quad\therefore x=-1$

3 (1) 원기둥 1개의 무게가 100 g이므로 원기둥 5개의 무게는 500 g이다. $\quad\therefore 2x+y=500$

(2) 구 1개의 무게는 사각뿔 2개의 무게와 같으므로

$x=2y$

(3) $\begin{cases} 2x+y=500 & \cdots\cdots ㉠ \\ x=2y & \cdots\cdots ㉡ \end{cases}$에서 ㉡을 ㉠에 대입하면

$2\times2y+y=500$, $5y=500$ $\quad\therefore y=100$

따라서 사각뿔 1개의 무게는 100 g이다.

09 연립일차방정식의 활용

STEP 1 교과서 개념 확인 테스트 | 본문 85쪽

1-1 (1) $600y$ (2) $\begin{cases} x+y=14 \\ 800x+600y=10000 \end{cases}$

(3) 과자 : 8개, 빵 : 6개

1-2 (1) $2x$, $3y$, 31 (2) $\begin{cases} x+y=12 \\ 2x+3y=31 \end{cases}$

(3) 2점 슛 : 5골, 3점 슛 : 7골

2-1 (1) $\frac{y}{4}$ (2) $\begin{cases} x+y=5 \\ \frac{x}{8}+\frac{y}{4}=1 \end{cases}$

(3) 뛰어간 거리 : 2 km, 걸어간 거리 : 3 km

2-2 (1) $\begin{cases} x+y=7 \\ \frac{x}{4}+\frac{y}{2}=2 \end{cases}$

(2) 시속 4 km로 걸은 거리 : 6 km

시속 2 km로 걸은 거리 : 1 km

1-1 (3) $\begin{cases} x+y=14 \\ 800x+600y=10000 \end{cases}$

➡ $\begin{cases} x+y=14 & \cdots\cdots ㉠ \\ 4x+3y=50 & \cdots\cdots ㉡ \end{cases}$

㉠×3−㉡을 하면 $-x=-8$ $\therefore x=8$

$x=8$을 ㉠에 대입하면 $8+y=14$ $\therefore y=6$

따라서 과자는 8개, 빵은 6개 샀다.

1-2 (3) $\begin{cases} x+y=12 & \cdots\cdots ㉠ \\ 2x+3y=31 & \cdots\cdots ㉡ \end{cases}$

㉠×2−㉡을 하면 $-y=-7$ $\therefore y=7$

$y=7$을 ㉠에 대입하면 $x+7=12$ $\therefore x=5$

따라서 2점 슛은 5골, 3점 슛은 7골 넣었다.

2-1 (3) $\begin{cases} x+y=5 \\ \frac{x}{8}+\frac{y}{4}=1 \end{cases}$ ➡ $\begin{cases} x+y=5 & \cdots\cdots ㉠ \\ x+2y=8 & \cdots\cdots ㉡ \end{cases}$

㉠−㉡을 하면 $-y=-3$ $\therefore y=3$

$y=3$을 ㉠에 대입하면 $x+3=5$ $\therefore x=2$

따라서 뛰어간 거리는 2 km이고 걸어간 거리는 3 km이다.

2-2 (1) 주어진 상황을 표로 나타내면 다음과 같다.

	시속 4 km로 갈 때	시속 2 km로 갈 때	합계
거리 (km)	x	y	7
걸린 시간(시간)	$\frac{x}{4}$	$\frac{y}{2}$	2

따라서 위의 표를 이용하여 연립방정식을 세우면

$\begin{cases} x+y=7 \\ \frac{x}{4}+\frac{y}{2}=2 \end{cases}$

(2) $\begin{cases} x+y=7 \\ \frac{x}{4}+\frac{y}{2}=2 \end{cases}$ ➡ $\begin{cases} x+y=7 & \cdots\cdots ㉠ \\ x+2y=8 & \cdots\cdots ㉡ \end{cases}$

㉠−㉡을 하면 $-y=-1$ $\therefore y=1$

$y=1$을 ㉠에 대입하면 $x+1=7$ $\therefore x=6$

따라서 시속 4 km로 걸은 거리는 6 km이고 시속 2 km로 걸은 거리는 1 km이다.

STEP 2 기출 기초 테스트 | 본문 86~87쪽

1-1 토끼 : 13마리, 오리 : 22마리

1-2 색종이 한 묶음 : 1600원, 색도화지 한 장 : 600원

2-1 43

2-2 37

3-1 수완이의 나이 : 12세, 아버지의 나이 : 48세

3-2 16세

4-1 고속국도를 달린 거리 : 175 km

일반국도를 달린 거리 : 35 km

4-2 6 km

5-1 (1) $\frac{6}{100}y$ (2) $\begin{cases} x+y=1200 \\ -\frac{3}{100}x+\frac{6}{100}y=36 \end{cases}$

(3) 남자 : 388명, 여자 : 848명

5-2 (1) $\begin{cases} x+y=870 \\ -\frac{4}{100}x-\frac{5}{100}y=-40 \end{cases}$ (2) 336명

1-1 토끼의 수를 x, 오리의 수를 y라 하면

토끼의 다리의 수는 4, 오리의 다리의 수는 2이므로

$\begin{cases} x+y=35 \\ 4x+2y=96 \end{cases}$ ➡ $\begin{cases} x+y=35 & \cdots\cdots ㉠ \\ 2x+y=48 & \cdots\cdots ㉡ \end{cases}$

㉠−㉡을 하면 $-x=-13$ $\therefore x=13$

$x=13$을 ㉠에 대입하면 $13+y=35$ $\therefore y=22$

따라서 토끼는 13마리이고 오리는 22마리이다.

1-2 색종이 한 묶음의 가격을 x원, 색도화지 한 장의 가격을 y원이라 하면

$\begin{cases} 2x+8y=8000 \\ x=y+1000 \end{cases}$ ➡ $\begin{cases} x+4y=4000 & \cdots\cdots ㉠ \\ x=y+1000 & \cdots\cdots ㉡ \end{cases}$

㉡을 ㉠에 대입하면 $y+1000+4y=4000$

$5y=3000$ $\therefore y=600$

$y=600$을 ㉡에 대입하면 $x=600+1000$ $\therefore x=1600$

따라서 색종이 한 묶음의 가격은 1600원이고 색도화지 한 장의 가격은 600원이다.

2-1 처음 수의 십의 자리의 숫자를 x, 일의 자리의 숫자를 y라 하면

$\begin{cases} x+y=7 \\ 10y+x=10x+y-9 \end{cases}$ ➡ $\begin{cases} x+y=7 & \cdots\cdots ㉠ \\ x-y=1 & \cdots\cdots ㉡ \end{cases}$

㉠+㉡을 하면 $2x=8$ $\therefore x=4$

$x=4$를 ㉠에 대입하면 $4+y=7$ $\therefore y=3$

따라서 처음 수는 43이다.

2-2 처음 수의 십의 자리의 숫자를 x, 일의 자리의 숫자를 y라 하면

$\begin{cases} x+y=10 \\ 10y+x=10x+y+36 \end{cases}$ ➡ $\begin{cases} x+y=10 & \cdots\cdots ㉠ \\ x-y=-4 & \cdots\cdots ㉡ \end{cases}$

㉠+㉡을 하면 $2x=6$ $\therefore x=3$

$x=3$을 ㉠에 대입하면 $3+y=10$ $\therefore y=7$

따라서 처음 수는 37이다.

3-1 올해 수완이의 나이를 x세, 아버지의 나이를 y세라 하면

$\begin{cases} x+y=60 \\ y+6=3(x+6) \end{cases}$ ➡ $\begin{cases} x+y=60 & \cdots\cdots ㉠ \\ 3x-y=-12 & \cdots\cdots ㉡ \end{cases}$

㉠+㉡을 하면 $4x=48$ $\therefore x=12$

$x=12$를 ㉠에 대입하면 $12+y=60$ $\therefore y=48$

따라서 올해 수완이의 나이는 12세이고 아버지의 나이는 48세이다.

3-2 올해 연희의 나이를 x세, 동생의 나이를 y세라 하면

$\begin{cases} x-y=4 \\ (x-4)+(y-4)=20 \end{cases}$ ➡ $\begin{cases} x-y=4 & \cdots\cdots ㉠ \\ x+y=28 & \cdots\cdots ㉡ \end{cases}$

㉠+㉡을 하면 $2x=32$ $\therefore x=16$

$x=16$을 ㉡에 대입하면 $16+y=28$ $\therefore y=12$

따라서 올해 연희의 나이는 16세이다.

4-1 고속국도를 달린 거리를 x km, 일반국도를 달린 거리를 y km라 하면

$\begin{cases} x+y=210 \\ \frac{x}{100}+\frac{y}{60}=\frac{7}{3} \end{cases}$ ➡ $\begin{cases} x+y=210 & \cdots\cdots ㉠ \\ 3x+5y=700 & \cdots\cdots ㉡ \end{cases}$

㉠×3−㉡을 하면 $-2y=-70$ $\therefore y=35$

$y=35$를 ㉠에 대입하면 $x+35=210$ $\therefore x=175$

따라서 고속국도를 달린 거리는 175 km이고 일반국도를 달린 거리는 35 km이다.

4-2 올라간 거리를 x km, 내려온 거리를 y km라 하면

$\begin{cases} y=x+3 \\ \frac{x}{3}+\frac{y}{4}=\frac{5}{2} \end{cases}$ ➡ $\begin{cases} y=x+3 & \cdots\cdots ㉠ \\ 4x+3y=30 & \cdots\cdots ㉡ \end{cases}$

㉠을 ㉡에 대입하면 $4x+3(x+3)=30$

$7x=21$ $\therefore x=3$

$x=3$을 ㉠에 대입하면 $y=3+3$ $\therefore y=6$

따라서 내려온 거리는 6 km이다.

5-1 (3) $\begin{cases} x+y=1200 \\ -\frac{3}{100}x+\frac{6}{100}y=36 \end{cases}$

➡ $\begin{cases} x+y=1200 & \cdots\cdots ㉠ \\ -x+2y=1200 & \cdots\cdots ㉡ \end{cases}$

㉠+㉡을 하면 $3y=2400$ $\therefore y=800$

$y=800$을 ㉠에 대입하면 $x+800=1200$ $\therefore x=400$

따라서 오늘 입장한 남자 관객 수는

$400\times\left(1-\frac{3}{100}\right)=388$(명)이고

오늘 입장한 여자 관객 수는

$800\times\left(1+\frac{6}{100}\right)=848$(명)이다.

5-2 (1) 주어진 상황을 표로 나타내면 다음과 같다.

	남자	여자	합계
작년의 회원 수(명)	x	y	870
변화된 회원 수(명)	$-\frac{4}{100}x$	$-\frac{5}{100}y$	-40

따라서 위의 표를 이용하여 연립방정식을 세우면

$\begin{cases} x+y=870 \\ -\frac{4}{100}x-\frac{5}{100}y=-40 \end{cases}$

(2) $\begin{cases} x+y=870 \\ -\frac{4}{100}x-\frac{5}{100}y=-40 \end{cases}$

➡ $\begin{cases} x+y=870 & \cdots\cdots ㉠ \\ -4x-5y=-4000 & \cdots\cdots ㉡ \end{cases}$

㉠×4+㉡을 하면 $-y=-520$ $\therefore y=520$

$y=520$을 ㉠에 대입하면 $x=350$

따라서 올해의 남자 회원 수는

$350\times\left(1-\frac{4}{100}\right)=336$(명)

다른 풀이

작년의 전체 회원 수는 870명이고 올해의 전체 회원 수는 830명이므로

$\begin{cases} x+y=870 \\ \left(1-\frac{4}{100}\right)x+\left(1-\frac{5}{100}\right)y=830 \end{cases}$

➡ $\begin{cases} x+y=870 \\ 96x+95y=83000 \end{cases}$

$\therefore x=350,\ y=520$

따라서 올해의 남자 회원 수는

$350\times\left(1-\frac{4}{100}\right)=336$(명)

STEP 3 교과서 기본 테스트

본문 88~90쪽

01 40 **02** 닭 : 64마리, 토끼 : 36마리

03 4점짜리 문제 : 10개, 5점짜리 문제 : 10개

04 17000원 **05** 32000원 **06** 63 **07** 44세

08 긴 끈 : 87 cm, 짧은 끈 : 45 cm **09** 40 cm^2

10 2 km **11** 55 km **12** 25분 **13** 160명

14 9명 **15** 24일

16 (1) $\begin{cases} 2x=y+1 \\ 10y+x=10x+y+9 \end{cases}$ (2) $x=2$, $y=3$ (3) 23

17 (1) $\begin{cases} 3x-y=14 \\ 3y-x=30 \end{cases}$ (2) $x=9$, $y=13$ (3) 13번

01 두 자연수 중 작은 수를 x, 큰 수를 y라 하면

$\begin{cases} x+y=51 & \cdots\cdots ㉠ \\ y=3x+7 & \cdots\cdots ㉡ \end{cases}$

㉡을 ㉠에 대입하면 $x+3x+7=51$

$4x=44$ $\therefore x=11$

$x=11$을 ㉡에 대입하면 $y=3\times11+7$ $\therefore y=40$

따라서 큰 수는 40이다.

02 닭의 수를 x, 토끼의 수를 y라 하면

닭의 다리의 수는 2, 토끼의 다리의 수는 4이므로

$\begin{cases} x+y=100 \\ 2x+4y=272 \end{cases}$ ➡ $\begin{cases} x+y=100 & \cdots\cdots ㉠ \\ x+2y=136 & \cdots\cdots ㉡ \end{cases}$

㉠－㉡을 하면 $-y=-36$ $\therefore y=36$

$y=36$을 ㉠에 대입하면 $x+36=100$ $\therefore x=64$

따라서 닭은 64마리이고 토끼는 36마리이다.

03 경희가 맞힌 4점짜리 문제의 개수를 x, 5점짜리 문제의 개수를 y라 하면

$\begin{cases} x+y=20 & \cdots\cdots ㉠ \\ 4x+5y=90 & \cdots\cdots ㉡ \end{cases}$

㉠×4－㉡을 하면 $-y=-10$ $\therefore y=10$

$y=10$을 ㉠에 대입하면 $x+10=20$ $\therefore x=10$

따라서 경희는 4점짜리 문제 10개, 5점짜리 문제 10개를 맞혔다.

04 장미 한 송이의 가격을 x원, 안개꽃 한 다발의 가격을 y원이라 하면

$\begin{cases} x+y=3500 \\ 4x+6y=18000 \end{cases}$ ➡ $\begin{cases} x+y=3500 & \cdots\cdots ㉠ \\ 2x+3y=9000 & \cdots\cdots ㉡ \end{cases}$

㉠×2－㉡을 하면 $-y=-2000$ $\therefore y=2000$

$y=2000$을 ㉠에 대입하면

$x+2000=3500$ $\therefore x=1500$

따라서 장미 6송이와 안개꽃 4다발의 가격은

$1500\times6+2000\times4=17000$(원)

05 어른 1명의 입장료를 x원, 청소년 1명의 입장료를 y원이라 하면

$\begin{cases} x+4y=22000 & \cdots\cdots ㉠ \\ 2x+3y=24000 & \cdots\cdots ㉡ \end{cases}$

㉠×2－㉡을 하면 $5y=20000$ $\therefore y=4000$

$y=4000$을 ㉠에 대입하면

$x+4\times4000=22000$ $\therefore x=6000$

따라서 어른 2명과 청소년 5명의 입장료는

$6000\times2+4000\times5=32000$(원)

06 처음 수의 십의 자리의 숫자를 x, 일의 자리의 숫자를 y라 하면

$\begin{cases} x+y=9 \\ 10y+x=10x+y-27 \end{cases}$ ➡ $\begin{cases} x+y=9 & \cdots\cdots ㉠ \\ x-y=3 & \cdots\cdots ㉡ \end{cases}$

㉠＋㉡을 하면 $2x=12$ $\therefore x=6$

$x=6$을 ㉠에 대입하면 $6+y=9$ $\therefore y=3$

따라서 처음 수는 63이다.

07 현재 어머니의 나이를 x세, 아들의 나이를 y세라 하면

$\begin{cases} x+y=56 \\ x+3=3(y+3)+2 \end{cases}$ ➡ $\begin{cases} x+y=56 & \cdots\cdots ㉠ \\ x-3y=8 & \cdots\cdots ㉡ \end{cases}$

㉠－㉡을 하면 $4y=48$ $\therefore y=12$

$y=12$를 ㉠에 대입하면 $x+12=56$ $\therefore x=44$

따라서 현재 어머니의 나이는 44세이다.

08 긴 끈의 길이를 x cm, 짧은 끈의 길이를 y cm라 하면

$\begin{cases} x+y=132 & \cdots\cdots ㉠ \\ x=2y-3 & \cdots\cdots ㉡ \end{cases}$

㉡을 ㉠에 대입하면 $2y-3+y=132$

$3y=135$ $\therefore y=45$

$y=45$를 ㉠에 대입하면 $x+45=132$ $\therefore x=87$

따라서 긴 끈의 길이는 87 cm이고 짧은 끈의 길이는 45 cm이다.

09 직사각형의 가로의 길이를 x cm, 세로의 길이를 y cm라 하면

$\begin{cases} 2(x+y)=26 \\ x=y+3 \end{cases}$ ➡ $\begin{cases} x+y=13 & \cdots\cdots ㉠ \\ x=y+3 & \cdots\cdots ㉡ \end{cases}$

㉡을 ㉠에 대입하면 $y+3+y=13$

$2y=10$ $\therefore y=5$

$y=5$를 ㉡에 대입하면 $x=5+3$ $\therefore x=8$

따라서 직사각형의 가로의 길이는 8 cm이고 세로의 길이는 5 cm이므로 이 직사각형의 넓이는

$8\times5=40$ (cm^2)

10 정원이가 걸은 거리를 x km, 달린 거리를 y km라 하면 집에서 학교까지 가는 데 40분이 걸렸으므로

$\begin{cases} x+y=3 \\ \frac{x}{3}+\frac{y}{6}=\frac{2}{3} \end{cases}$ ➡ $\begin{cases} x+y=3 & \cdots\cdots ㉠ \\ 2x+y=4 & \cdots\cdots ㉡ \end{cases}$

㉠－㉡을 하면 $-x=-1$ $\therefore x=1$

$x=1$을 ㉠에 대입하면 $1+y=3$ $\therefore y=2$

따라서 정원이가 달린 거리는 2 km이다.

11 민준이가 자전거를 타고 간 거리를 x km, 자전거를 타고 온 거리를 y km라 하면

$\begin{cases} y=x+5 \\ \frac{x}{30}+\frac{1}{6}+\frac{y}{20}=\frac{5}{2} \end{cases}$ ➡ $\begin{cases} y=x+5 & \cdots\cdots ㉠ \\ 2x+3y=140 & \cdots\cdots ㉡ \end{cases}$

㉠을 ㉡에 대입하면 $2x+3(x+5)=140$

$5x=125$ $\therefore x=25$

$x=25$를 ㉠에 대입하면 $y=25+5$ $\therefore y=30$

따라서 민준이가 자전거를 탄 거리는

$25+30=55$ (km)

12 형이 출발한 지 x분, 동생이 출발한 지 y분 후에 형과 동생이 만난다고 하면

$\begin{cases} x=y+20 \\ 60x=300y \end{cases}$ ➡ $\begin{cases} x=y+20 & \cdots\cdots ㉠ \\ x=5y & \cdots\cdots ㉡ \end{cases}$

㉡을 ㉠에 대입하면 $5y=y+20$

$4y=20$ $\therefore y=5$

$y=5$를 ㉠에 대입하면 $x=5+20$ $\therefore x=25$

따라서 형이 출발한 지 25분 후에 형과 동생이 만난다.

13 지난달의 남자 회원 수를 x명, 여자 회원 수를 y명이라 하면

$\begin{cases} x+y=450 \\ -\frac{20}{100}x+\frac{16}{100}y=0 \end{cases}$ ➡ $\begin{cases} x+y=450 & \cdots\cdots ㉠ \\ -5x+4y=0 & \cdots\cdots ㉡ \end{cases}$

㉠×4－㉡을 하면 $9x=1800$ $\therefore x=200$

$x=200$을 ㉠에 대입하면 $200+y=450$ $\therefore y=250$

따라서 이번 달의 남자 회원 수는

$200\times\left(1-\frac{20}{100}\right)=160$(명)

14 2인용 보트의 개수를 x, 3인용 보트의 개수를 y라 하면

$\begin{cases} x+y=7 & \cdots\cdots ㉠ \\ 2x+3y=17 & \cdots\cdots ㉡ \end{cases}$

㉠×2－㉡을 하면 $-y=-3$ $\therefore y=3$

$y=3$을 ㉠에 대입하면 $x+3=7$ $\therefore x=4$

따라서 3인용 보트에 타야 하는 학생 수는

$3\times3=9$(명)

15 전체 일의 양을 1로 놓고, A, B가 하루에 할 수 있는 일의 양을 각각 x, y라 하면

$\begin{cases} 8x+8y=1 & \cdots\cdots ㉠ \\ 6x+12y=1 & \cdots\cdots ㉡ \end{cases}$

㉠×3－㉡×2를 하면 $12x=1$ $\therefore x=\frac{1}{12}$

$x=\frac{1}{12}$을 ㉠에 대입하면 $8\times\frac{1}{12}+8y=1$

$8y=\frac{1}{3}$ $\therefore y=\frac{1}{24}$

따라서 B가 혼자 하면 $1\div\frac{1}{24}=24$(일)이 걸린다.

16 (1) 처음 수의 십의 자리의 숫자를 x, 일의 자리의 숫자를 y라 하면

$\begin{cases} 2x=y+1 \\ 10y+x=10x+y+9 \end{cases}$ …… ㉮

(2) $\begin{cases} 2x=y+1 \\ 10y+x=10x+y+9 \end{cases}$ ➡ $\begin{cases} 2x-y=1 & \cdots\cdots ㉠ \\ x-y=-1 & \cdots\cdots ㉡ \end{cases}$

㉠－㉡을 하면 $x=2$

$x=2$를 ㉡에 대입하면 $2-y=-1$

$\therefore y=3$ …… ㉯

(3) 처음 수의 십의 자리의 숫자가 2, 일의 자리의 숫자가 3이므로 처음 수는 23이다. …… ㉰

채점 기준	비율
㉮ 연립방정식을 제대로 세운 경우	30 %
㉯ 연립방정식의 해를 제대로 구한 경우	50 %
㉰ 처음 두 자리의 자연수를 제대로 구한 경우	20 %

17 (1) 경수가 이긴 횟수를 x번, 진 횟수를 y번이라 하면 은지가 진 횟수는 x번, 이긴 횟수는 y번이므로

$\begin{cases} 3x-y=14 & \cdots\cdots ㉠ \\ 3y-x=30 & \cdots\cdots ㉡ \end{cases}$ …… ㉮

(2) ㉠＋㉡×3을 하면 $8y=104$ $\therefore y=13$

$y=13$을 ㉡에 대입하면

$39-x=30$ $\therefore x=9$ …… ㉯

(3) 은지가 이긴 횟수는 13번이다. …… ㉰

채점 기준	비율
㉮ 연립방정식을 제대로 세운 경우	30 %
㉯ 연립방정식의 해를 제대로 구한 경우	50 %
㉰ 은지가 이긴 횟수를 제대로 구한 경우	20 %

창의력 · 융합형 · 서술형 · 코딩 본문 91쪽

1 소 한 마리 : $\frac{34}{21}$냥, 양 한 마리 : $\frac{20}{21}$냥

2 리본 : 4개, 색종이 : 8개

3 (1) 풀이 참조 (2) $\begin{cases} \frac{3}{100}x+\frac{1}{5}y=52 \\ \frac{3}{5}x+y=440 \end{cases}$

(3) $x=400$, $y=200$ (4) 600 g

1 소 한 마리의 값을 x냥, 양 한 마리의 값을 y냥이라 하면

$\begin{cases} 5x+2y=10 & \cdots\cdots ㉠ \\ 2x+5y=8 & \cdots\cdots ㉡ \end{cases}$

㉠$\times 2-$㉡$\times 5$를 하면 $-21y=-20$ $\therefore y=\frac{20}{21}$

$y=\frac{20}{21}$을 ㉠에 대입하면 $5x+2\times\frac{20}{21}=10$

$5x=\frac{170}{21}$ $\therefore x=\frac{34}{21}$

따라서 소 한 마리의 값은 $\frac{34}{21}$냥이고 양 한 마리의 값은 $\frac{20}{21}$냥이다.

2 리본을 x개, 색종이를 y개 샀다고 하면

$\begin{cases} x+y+2=14 \\ 1200x+600y+800\times 2=11200 \end{cases}$

➡ $\begin{cases} x+y=12 & \cdots\cdots ㉠ \\ 2x+y=16 & \cdots\cdots ㉡ \end{cases}$

㉠$-$㉡을 하면 $-x=-4$ $\therefore x=4$

$x=4$를 ㉠에 대입하면 $4+y=12$ $\therefore y=8$

따라서 리본을 4개, 색종이를 8개 샀다.

3 (1) 두 식품 A, B 1 g에 들어 있는 단백질의 양과 열량은 다음 표와 같다.

	단백질 (g)	열량 (kcal)
A	$\frac{3}{100}$	$\frac{60}{100}=\frac{3}{5}$
B	$\frac{20}{100}=\frac{1}{5}$	$\frac{100}{100}=1$

(3) $\begin{cases} \frac{3}{100}x+\frac{1}{5}y=52 \\ \frac{3}{5}x+y=440 \end{cases}$ ➡ $\begin{cases} 3x+20y=5200 & \cdots\cdots ㉠ \\ 3x+5y=2200 & \cdots\cdots ㉡ \end{cases}$

㉠$-$㉡을 하면 $15y=3000$ $\therefore y=200$

$y=200$을 ㉡에 대입하면 $3x+5\times 200=2200$

$3x=1200$ $\therefore x=400$

(4) 섭취해야 하는 식품 A의 양은 400 g이고 식품 B의 양은 200 g이므로 두 식품 A, B를 합하여 600 g을 섭취해야 한다.

IV. 함수

10 함수, 일차함수와 그 그래프

STEP 1 교과서 개념 확인 테스트 본문 96~98쪽

1-1 (1) y는 x의 함수이다.
(2) y는 x의 함수가 아니다.
(3) y는 x의 함수이다.

1-2 (1) y는 x의 함수가 아니다.
(2) y는 x의 함수이다.
(3) y는 x의 함수가 아니다.

2-1 (1) $f(x)=\frac{1000}{x}$ (2) $f(4)=250$, $f(5)=200$

2-2 (1) $f(x)=11x$ (2) 1100

3-1 (1) -1 (2) 5 (3) 6

3-2 (1) $f(3)=9$, $f(-5)=-15$
(2) $f(3)=100$, $f(-5)=-60$
(3) $f(3)=21$, $f(-5)=29$

4-1 ㉠, ㉢

4-2 ㉠, ㉡, ㉥

5-1 (1) $y=11000+120x$, y는 x에 대한 일차함수이다.
(2) $y=2000-200x$, y는 x에 대한 일차함수이다.
(3) $y=\frac{12}{x}$, y는 x에 대한 일차함수가 아니다.

5-2 (1), (3)

6-1 (1) -1, 2, 5, 8 (2) 풀이 참조

6-2 3, 1, -1, -3, -5 / 그래프는 풀이 참조

7-1 풀이 참조

7-2 풀이 참조

8-1 (1) 2 (2) -4 (3) -1 (4) 5

8-2 (1) $y=\frac{8}{3}x+\frac{5}{4}$ (2) $y=5x+1$
(3) $y=-4x-7$ (4) $y=-\frac{1}{2}x-3$

9-1 (1) 풀이 참조 (2) 풀이 참조

9-2 (1) 풀이 참조 (2) 풀이 참조

1-1 (1) 두 변수 x, y 사이의 대응 관계를 표로 나타내면 다음과 같다.

x (cm)	1	2	3	4	$\cdots$
y (cm)	24	12	8	6	$\cdots$

➡ x의 값이 변함에 따라 y의 값이 하나씩 정해지므로 y는 x의 함수이다.

(2) 두 변수 x, y 사이의 대응 관계를 표로 나타내면 다음과 같다.

x	1	2	3	4	$\cdots$
y	없다.	1	1	1, 3	$\cdots$

➡ x의 값이 변함에 따라 y의 값이 정해지지 않거나 두 개 이상인 경우가 있으므로 y는 x의 함수가 아니다.

(3) 두 변수 x, y 사이의 대응 관계를 표로 나타내면 다음과 같다.

x(분)	1	2	3	4	$\cdots$
y (km)	5	10	15	20	$\cdots$

➡ x의 값이 변함에 따라 y의 값이 하나씩 정해지므로 y는 x의 함수이다.

참고 정비례 관계 $y=ax(a\neq0)$, 반비례 관계 $y=\frac{a}{x}(a\neq0)$, x와 y 사이의 관계식이 $y=ax+b(a\neq0)$인 경우는 x의 값이 변함에 따라 y의 값이 하나씩 정해지므로 y는 x의 함수이다.

(1) $xy=24$에서 $y=\frac{24}{x}$ ➡ y는 x의 함수이다.

(3) (거리)=(속력)×(시간)이므로 $y=5x$ ➡ y는 x의 함수이다.

1-2 (1) $x=3$일 때, 3월에 태어난 학생은 없거나 여러 명일 수 있으므로 y의 값이 하나로 정해지지 않는다.

➡ y는 x의 함수가 아니다.

(2) 두 변수 x, y 사이의 대응 관계를 표로 나타내면 다음과 같다.

x(자루)	1	2	3	4	$\cdots$
y(원)	700	1400	2100	2800	$\cdots$

➡ x의 값이 변함에 따라 y의 값이 하나씩 정해지므로 y는 x의 함수이다.

(3) 두 변수 x, y 사이의 대응 관계를 표로 나타내면 다음과 같다.

x	1	2	3	4	5	6	$\cdots$
y	없다.	2	3	2	5	2, 3	$\cdots$

➡ x의 값이 변함에 따라 y의 값이 정해지지 않거나 두 개 이상인 경우가 있으므로 y는 x의 함수가 아니다.

2-1 (1) $xy=1000$에서 $y=\frac{1000}{x}$

$\therefore f(x)=\frac{1000}{x}$

(2) $f(4)=\frac{1000}{4}=250$, $f(5)=\frac{1000}{5}=200$

2-2 (1) 홍보 문자 메시지 발신 비용이 1건에 11원이므로 x건의 발신 비용은 $11x$원이다.

$\therefore f(x)=11x$

(2) $f(100)=11\times100=1100$

3-1 $f(x)=-3x+5$에 대하여

(1) $f(2)=-3\times2+5=-1$

(2) $f(0)=-3\times0+5=5$

(3) $f\left(-\frac{1}{3}\right)=-3\times\left(-\frac{1}{3}\right)+5=6$

3-2 (1) $f(x)=3x$이므로

$f(3)=3\times3=9$

$f(-5)=3\times(-5)=-15$

(2) $f(x)=\frac{300}{x}$이므로

$f(3)=\frac{300}{3}=100$

$f(-5)=\frac{300}{-5}=-60$

(3) $f(x)=24-x$이므로

$f(3)=24-3=21$

$f(-5)=24-(-5)=29$

4-1 $y=f(x)$에서 $f(x)$가 x에 대한 일차식인 것은 ㉠, ㉢이다.

4-2 ㉥ $\frac{x}{3}+\frac{y}{2}=1$에서 $y=-\frac{2}{3}x+2$

따라서 $y=f(x)$에서 $f(x)$가 x에 대한 일차식인 것은 ㉠, ㉡, ㉥이다.

5-1 (1) 기본요금이 11000원이고 x분의 통화료가 $120x$원이므로 전화를 x분 사용하였을 때의 전화 요금은 $(11000+120x)$원이다. $\therefore y=11000+120x$

➡ y는 x에 대한 일차함수이다.

(2) 2 L=2000 mL이고, 한 잔이 200 mL인 컵으로 x잔을 덜어서 마신 생수의 양은 $200x$ mL이므로 남은 생수의 양은 $(2000-200x)$ mL이다. $\therefore y=2000-200x$

➡ y는 x에 대한 일차함수이다.

(3) $\frac{1}{2}xy=6$에서 $y=\frac{12}{x}$

➡ y는 x에 대한 일차함수가 아니다.

5-2 (1) 올해 15세인 수민이의 x년 후의 나이는 $(15+x)$세이므로 $y=15+x$

➡ y는 x에 대한 일차함수이다.

(2) (시간)$=\frac{(거리)}{(속력)}$이므로 $y=\frac{100}{x}$

➡ y는 x에 대한 일차함수가 아니다.

(3) 한 변의 길이가 x cm인 정삼각형의 둘레의 길이는 $3x$ cm이므로 $y=3x$

➡ y는 x에 대한 일차함수이다.

6-1 (2) 표에서 얻어지는 순서쌍 $(-2,\ -4)$, $(-1,\ -1)$, $(0,\ 2)$, $(1,\ 5)$, $(2,\ 8)$을 좌표평면 위에 나타낸 후 직선으로 연결하면 일차함수 $y=3x+2$의 그래프는 오른쪽 그림과 같다.

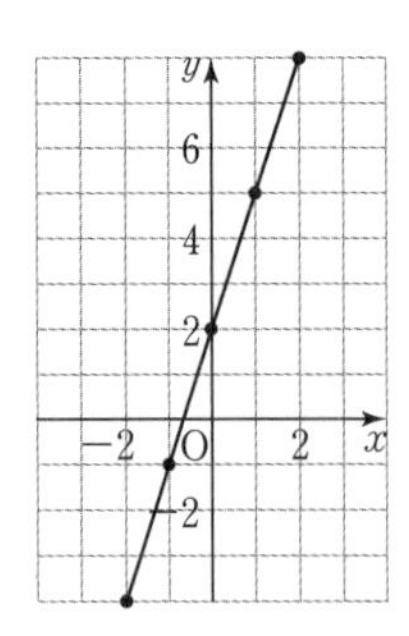

6-2 표에서 얻어지는 순서쌍 $(-2,\ 3)$, $(-1,\ 1)$, $(0,\ -1)$, $(1,\ -3)$, $(2,\ -5)$를 좌표평면 위에 나타낸 후 직선으로 연결하면 일차함수 $y=-2x-1$의 그래프는 오른쪽 그림과 같다.

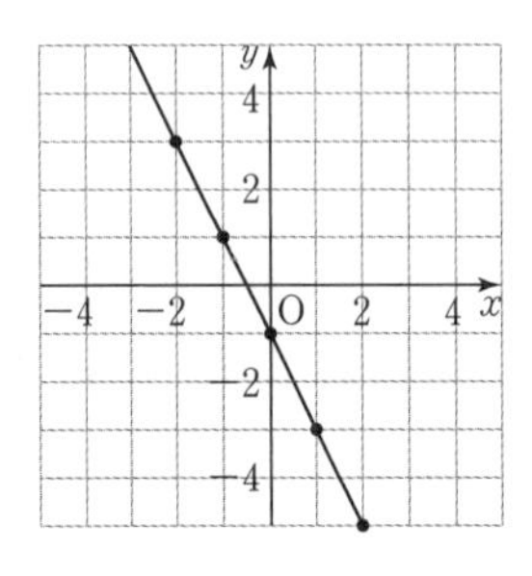

7-1 일차함수 $y=2x-2$에서
$x=0$일 때, $y=2\times0-2=-2$
$x=1$일 때, $y=2\times1-2=0$
따라서 이 일차함수의 그래프는 두 점 $(0,\ -2)$, $(1,\ 0)$을 지나는 직선이므로 그래프는 오른쪽 그림과 같다.

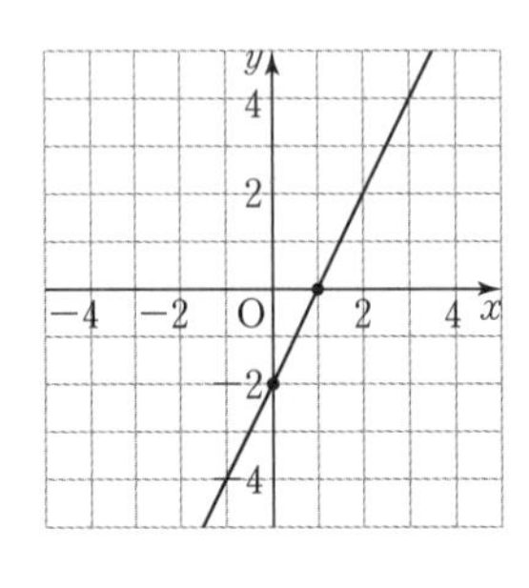

7-2 일차함수 $y=-\frac{2}{3}x+1$에서
$x=0$일 때,
$y=-\frac{2}{3}\times0+1=1$
$x=3$일 때,
$y=-\frac{2}{3}\times3+1=-1$
따라서 이 일차함수의 그래프는 두 점 $(0,\ 1)$, $(3,\ -1)$을 지나는 직선이므로 그래프는 오른쪽 그림과 같다.

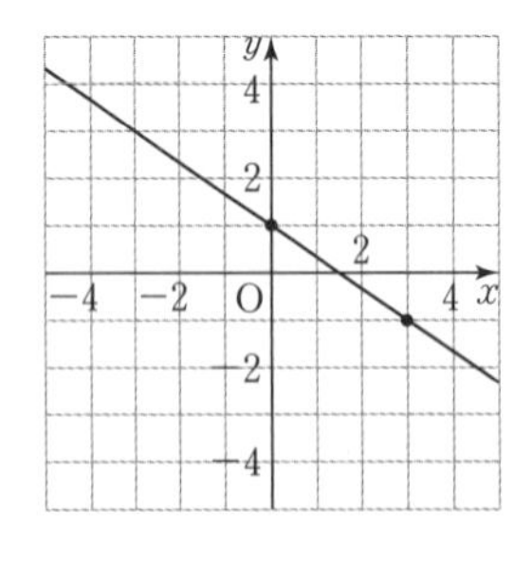

8-2 (4) $y=-\frac{1}{2}x+2-5$, 즉 $y=-\frac{1}{2}x-3$

9-1 (1) 일차함수 $y=3x+2$의 그래프는 일차함수 $y=3x$의 그래프를 y축의 방향으로 2만큼 평행이동한 직선이다.
따라서 그래프는 아래 그림과 같다.
(2) 일차함수 $y=3x-3$의 그래프는 일차함수 $y=3x$의 그래프를 y축의 방향으로 -3만큼 평행이동한 직선이다.
따라서 그래프는 아래 그림과 같다.

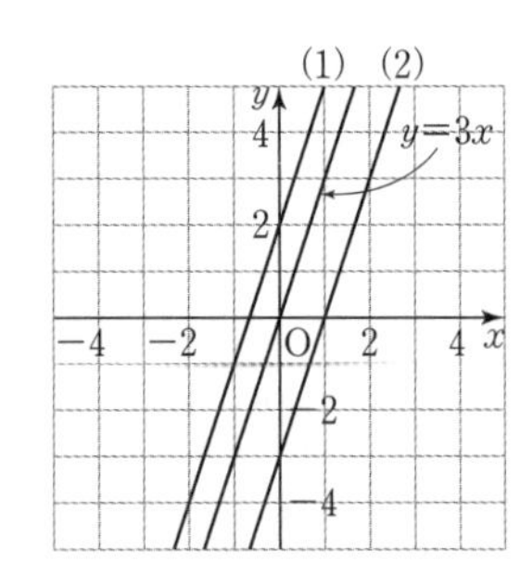

9-2 (1) 일차함수 $y=-3x+3$의 그래프는 일차함수 $y=-3x$의 그래프를 y축의 방향으로 3만큼 평행이동한 직선이다.
따라서 그래프는 아래 그림과 같다.
(2) 일차함수 $y=-3x-4$의 그래프는 일차함수 $y=-3x$의 그래프를 y축의 방향으로 -4만큼 평행이동한 직선이다.
따라서 그래프는 아래 그림과 같다.

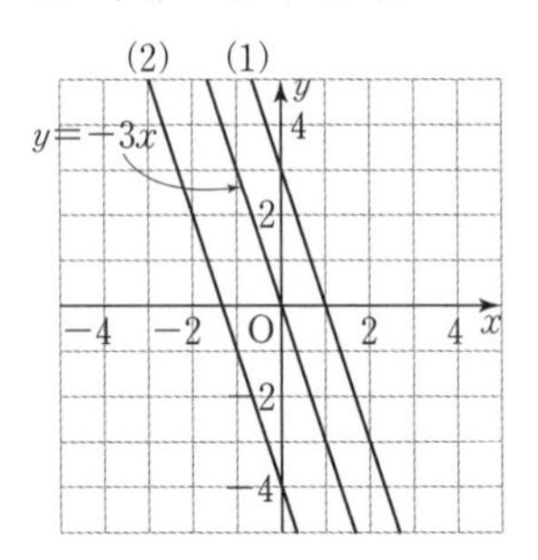

STEP 2 기출 기초 테스트

본문 99~100쪽

1-1 ㄴ, ㄷ, ㄹ	**1-2** ㄴ, ㄷ, ㄹ
2-1 -12	**2-2** -1
3-1 4	**3-2** $a=-2$, $b=3$
4-1 ⑤	**4-2** ④
5-1 2	**5-2** $a=-2$, $b=2$
6-1 -2	**6-2** -5

1-1 ㄱ $x=1$일 때, 1보다 큰 짝수는 2, 4, 6, …이므로 $y=2,\ 4,\ 6,\ \cdots$이다. 즉 x의 값이 1일 때, y의 값이 하나로 정해지지 않으므로 y는 x의 함수가 아니다.
ㄴ x의 값이 1, 2, 3, …으로 변함에 따라 y의 값이 4, 5, 6, …으로 하나씩 정해지므로 y는 x의 함수이다.
ㄷ x의 값이 1, 2, 3, …으로 변함에 따라 y의 값이 40, 80, 120, …으로 하나씩 정해지므로 y는 x의 함수이다.
ㄹ 자연수 x를 5로 나누었을 때의 나머지 y는 0, 1, 2, 3, 4 중 하나로 정해지므로 y는 x의 함수이다.

다른 풀이
ㄴ $y=x+3$이므로 y는 x의 함수이다.
ㄷ $y=40x$이므로 y는 x의 함수이다.

1-2 ㉠ $x=2$일 때, 2의 배수는 2, 4, 6, …이므로 $y=2$, 4, 6, …이다. 즉 x의 값이 2일 때, y의 값이 하나로 정해지지 않으므로 y는 x의 함수가 아니다.
㉡ x의 값이 1, 2, 3, …으로 변함에 따라 y의 값이 120, 60, 40, …으로 하나씩 정해지므로 y는 x의 함수이다.
㉢ x의 값이 1, 2, 3, …으로 변함에 따라 y의 값이 499, 498, 497, …로 하나씩 정해지므로 y는 x의 함수이다.
㉣ x의 값이 1, 2, 3, …으로 변함에 따라 y의 값이 1100, 2200, 3300, …으로 하나씩 정해지므로 y는 x의 함수이다.

다른 풀이

㉡ $xy=120$에서 $y=\frac{120}{x}$이므로 y는 x의 함수이다.
㉢ $y=500-x$이므로 y는 x의 함수이다.
㉣ $y=1100x$이므로 y는 x의 함수이다.

2-1 $f(x)=3x-5$에 대하여
$f(-1)=3\times(-1)-5=-8$, $f(1)=3\times1-5=-2$
$\therefore f(-1)+2f(1)=-8+2\times(-2)=-12$

2-2 $f(x)=-4x$에 대하여
$f\left(-\frac{1}{2}\right)=-4\times\left(-\frac{1}{2}\right)=2$, $f(3)=-4\times3=-12$
$\therefore f\left(-\frac{1}{2}\right)+\frac{1}{4}f(3)=2+\frac{1}{4}\times(-12)=-1$

3-1 $f(x)=-2x+a$에서 $f(1)=2$이므로
$-2\times1+a=2$ $\quad\therefore a=4$

3-2 $f(x)=3x$에서 $f(a)=-6$이므로
$3a=-6$ $\quad\therefore a=-2$
또 $f(1)=b$이므로 $3\times1=b$ $\quad\therefore b=3$

4-1 ③ $y=x(x-1)-x^2$에서 $y=-x$
④ $y=24-x$ ⑤ $y=\pi x^2$
따라서 y가 x에 대한 일차함수가 아닌 것은 ⑤이다.

4-2 ② $y=x(x+9)$에서 $y=x^2+9x$
④ $y=4x$
⑤ $y=x(x+1)$에서 $y=x^2+x$
따라서 y가 x에 대한 일차함수인 것은 ④이다.

5-1 일차함수 $y=-2x$의 그래프를 y축의 방향으로 4만큼 평행이동하면 일차함수 $y=-2x+4$의 그래프가 되므로
$a=-2$, $b=4$ $\quad\therefore a+b=2$

5-2 일차함수 $y=ax$의 그래프를 y축의 방향으로 2만큼 평행이동한 그래프의 식은 $y=ax+2$
이 식이 $y=-2x+b$와 같으므로 $a=-2$, $b=2$

6-1 일차함수 $y=\frac{1}{2}x-3$의 그래프를 y축의 방향으로 -1만큼 평행이동하면 일차함수 $y=\frac{1}{2}x-3-1$, 즉 $y=\frac{1}{2}x-4$의 그래프가 된다.
이 그래프가 점 $(4, a)$를 지나므로
$a=\frac{1}{2}\times4-4=-2$

6-2 일차함수 $y=ax$의 그래프를 y축의 방향으로 -2만큼 평행이동하면 일차함수 $y=ax-2$의 그래프가 된다.
이 그래프가 점 $(-1, 3)$을 지나므로
$3=a\times(-1)-2$, $3=-a-2$
$\therefore a=-5$

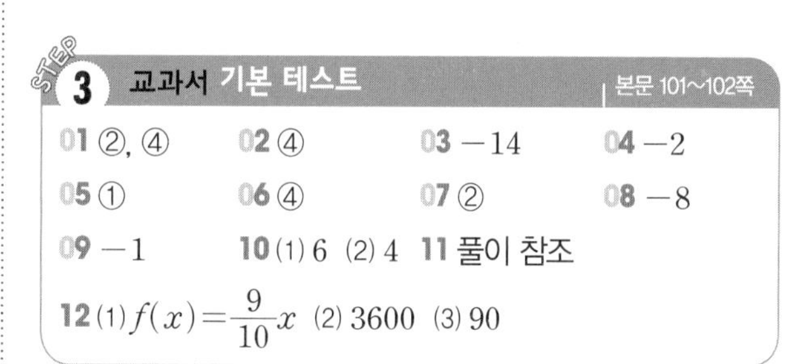

STEP 3 교과서 기본 테스트 | 본문 101~102쪽

01 ②, ④	02 ④	03 -14	04 -2
05 ①	06 ④	07 ②	08 -8
09 -1	10 (1) 6 (2) 4	11 풀이 참조	
12 (1) $f(x)=\frac{9}{10}x$ (2) 3600 (3) 90			

01 ① x의 값이 1, 2, 3, …으로 변함에 따라 y의 값이 16, 8, $\frac{16}{3}$, …으로 하나씩 정해지므로 y는 x의 함수이다.
② $x=160$일 때, 키가 160 cm인 사람의 몸무게는 다양하므로 y의 값이 하나로 정해지지 않는다.
따라서 y는 x의 함수가 아니다.
③ x의 값이 1, 2, 3, …으로 변함에 따라 y의 값이 50, 100, 150, …으로 하나씩 정해지므로 y는 x의 함수이다.
④ $x=2$일 때, 절댓값이 2인 수는 2, -2이므로 y의 값이 하나로 정해지지 않는다.
따라서 y는 x의 함수가 아니다.
⑤ x의 값이 1, 2, 3, …으로 변함에 따라 y의 값이 1, 3, 5, …로 하나씩 정해지므로 y는 x의 함수이다.
따라서 y가 x의 함수가 아닌 것은 ②, ④이다.

다른 풀이

① $xy=16$에서 $y=\frac{16}{x}$이므로 y는 x의 함수이다.
③ $y=50x$이므로 y는 x의 함수이다.
⑤ $y=2x-1$이므로 y는 x의 함수이다.

02 $f(x)=2x-1$에 대하여

① $f(-1)=2\times(-1)-1=-3$

② $f(0)=2\times0-1=-1$

③ $f\left(\frac{1}{2}\right)=2\times\frac{1}{2}-1=0$

④ $f\left(\frac{3}{2}\right)=2\times\frac{3}{2}-1=2$

⑤ $f(1)=2\times1-1=1$

따라서 옳은 것은 ④이다.

03 $f(x)=3x-7$에 대하여

$f(2)=3\times2-7=-1$, $f(4)=3\times4-7=5$

$\therefore 4f(2)-2f(4)=4\times(-1)-2\times5=-14$

04 $f(x)=ax-5$에 대하여 $f(2)=3$이므로

$2a-5=3$, $2a=8$ $\quad\therefore a=4$

즉 $f(x)=4x-5$이므로

$f(-1)=4\times(-1)-5=-9$, $f(3)=4\times3-5=7$

$\therefore f(-1)+f(3)=-9+7=-2$

05 ⑤ $y=x(x-2)$에서 $y=x^2-2x$

따라서 일차함수인 것은 ①이다.

06 ① $y=2\pi x$

② $y=500x+1000\times3$에서 $y=500x+3000$

③ $y=15+x$

④ $xy=50000$에서 $y=\frac{50000}{x}$

⑤ $2(x+y)=46$에서 $y=23-x$

따라서 y가 x에 대한 일차함수가 아닌 것은 ④이다.

07 일차함수 $y=2x+3$의 그래프를 y축의 방향으로 -5만큼 평행이동한 그래프의 식은

$y=2x+3-5$, 즉 $y=2x-2$

08 일차함수 $y=3x+1$의 그래프를 y축의 방향으로 k만큼 평행이동하면 일차함수 $y=3x+1+k$의 그래프가 된다.

이 그래프가 점 $(2,\ -1)$을 지나므로

$-1=3\times2+1+k$, $-1=7+k$ $\quad\therefore k=-8$

09 일차함수 $y=4x+b$의 그래프를 y축의 방향으로 -3만큼 평행이동하면 일차함수 $y=4x+b-3$의 그래프가 된다. 이 그래프가 점 $(1,\ 3)$을 지나므로

$3=4\times1+b-3$, $3=1+b$ $\quad\therefore b=2$

따라서 평행이동한 그래프의 식은 $y=4x-1$이고, 이 그래프가 점 $(a,\ -2)$를 지나므로

$-2=4a-1$, $4a=-1$ $\quad\therefore a=-\frac{1}{4}$

$\therefore 2ab=2\times\left(-\frac{1}{4}\right)\times2=\ 1$

10 (1) $f(x)=\frac{a}{x}$에 대하여 $f(2)=3$이므로

$\frac{a}{2}=3$ $\quad\therefore a=6$ …… ㉮

(2) $f(x)=\frac{6}{x}$이므로

$f(-3)=\frac{6}{-3}=-2$, $f(1)=\frac{6}{1}=6$

$\therefore f(-3)+f(1)=-2+6=4$ …… ㉯

채점 기준	비율
㉮ 상수 a의 값을 제대로 구한 경우	50 %
㉯ $f(-3)+f(1)$의 값을 제대로 구한 경우	50 %

11 일차함수 $y=\frac{1}{2}x-5$에서

$x=0$일 때, $y=\frac{1}{2}\times0-5=-5$

$x=2$일 때, $y=\frac{1}{2}\times2-5=-4$

따라서 이 일차함수의 그래프는 두 점 $(0,\ -5)$, $(2,\ -4)$를 지나는 직선이다. …… ㉮

따라서 그래프는 오른쪽 그림과 같다. …… ㉯

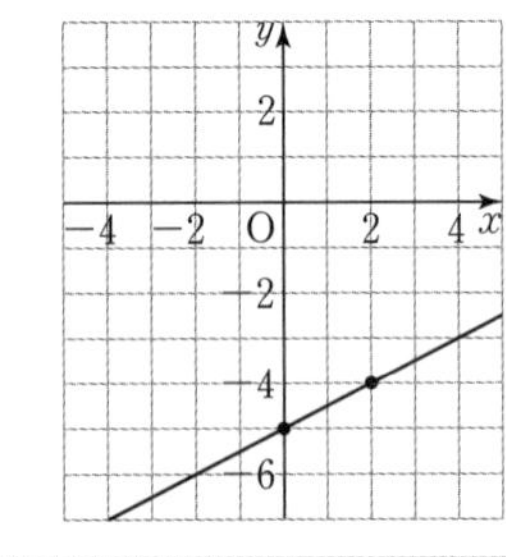

채점 기준	비율
㉮ 그래프가 지나는 두 점의 좌표를 제대로 구한 경우	50 %
㉯ 그래프를 제대로 그린 경우	50 %

12 (1) 정가가 x원인 물건의 10 % 할인된 가격은

$x\left(1-\frac{10}{100}\right)=\frac{9}{10}x$(원)이므로

$f(x)=\frac{9}{10}x$ …… ㉮

(2) $f(4000)=\frac{9}{10}\times4000=3600$ …… ㉯

(3) $f(1000)=10a$이므로 $\frac{9}{10}\times1000=10a$

$900=10a$ $\quad\therefore a=90$ …… ㉰

채점 기준	비율
㉮ $f(x)$를 제대로 구한 경우	50 %
㉯ $x=4000$일 때의 함숫값을 제대로 구한 경우	20 %
㉰ 상수 a의 값을 제대로 구한 경우	30 %

창의력 · 융합형 · 서술형 · 코딩 본문 103쪽

1 (1) 우리 : 8 / 9, 재이 : 2 / 2, 3 / 2, 3, 5
(2) 풀이 참조 (3) $y=x+5$
2 (1) 3 (2) $y=3x+1$, y는 x에 대한 일차함수이다.
3 (1) 7.5, 8, 8.5
(2) $y=0.5x+6.5$, y는 x에 대한 일차함수이다.
(3) 56.5

1 (2) 우리가 정한 규칙 : y는 x보다 5만큼 큰 수이다.
➡ x의 값이 변함에 따라 y의 값이 하나씩 정해지므로 y는 x의 함수이다.
재이가 정한 규칙 : y는 x보다 작은 소수이다.
➡ x의 값이 변함에 따라 y의 값이 정해지지 않거나 두 개 이상인 경우가 있으므로 y는 x의 함수가 아니다.

2 (2)

정사각형의 개수	성냥개비의 개수
1	4
2	4+3
3	4+3+3
4	4+3+3+3
⋮	⋮
x	$4+\underbrace{3+3+\cdots+3}_{(x-1)\text{개}}$

따라서 y를 x의 식으로 나타내면 $y=4+3(x-1)$
즉 $y=3x+1$이므로 y는 x에 대한 일차함수이다.

3 (1) 종이컵을 한 개 더 쌓을 때마다 높이가 0.5 cm씩 높아지므로
$x=1$일 때, $y=7$
$x=2$일 때, $y=7+0.5=7.5$
$x=3$일 때, $y=7.5+0.5=8$
$x=4$일 때, $y=8+0.5=8.5$
(2)

종이컵의 개수	높이 (cm)
1	7
2	7+0.5
3	7+0.5+0.5
4	7+0.5+0.5+0.5
⋮	⋮
x	$7+\underbrace{0.5+0.5+\cdots+0.5}_{(x-1)\text{개}}$

따라서 y를 x의 식으로 나타내면 $y=7+0.5(x-1)$
즉 $y=0.5x+6.5$이므로 y는 x에 대한 일차함수이다.
(3) $f(x)=0.5x+6.5$이므로
$f(100)=0.5\times100+6.5=56.5$

11 일차함수의 그래프의 성질

STEP 1 교과서 개념 확인 테스트 본문 106~108쪽

1-1 (1) x절편 : -1, y절편 : -2
(2) x절편 : -3, y절편 : 2
1-2 (1) x절편 : 4, y절편 : 3
(2) x절편 : -2, y절편 : 5
2-1 (1) 3 (2) -1 (3) $(3, 0)$ (4) $(0, -1)$
2-2 (1) x절편 : -2, y절편 : 2
(2) x절편 : $-\frac{1}{2}$, y절편 : -2
(3) x절편 : 5, y절편 : -3
(4) x절편 : 2, y절편 : 6
3-1 ① 3, $(3, 0)$
② 직선

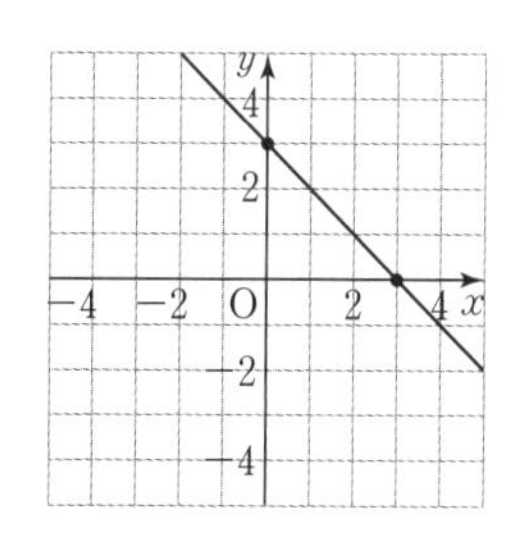

3-2 풀이 참조
4-1 (1) 1 (2) $-\frac{1}{3}$ (3) 2 (4) $\frac{3}{4}$
4-2 (1) 3 (2) 1 (3) -2 (4) $-\frac{4}{5}$
5-1 (1) 1 (2) $-\frac{2}{3}$
5-2 (1) $\frac{2}{5}$ (2) -4
6-1 ① -4, $(0, -4)$
② -4, $(1, -2)$
③ 직선

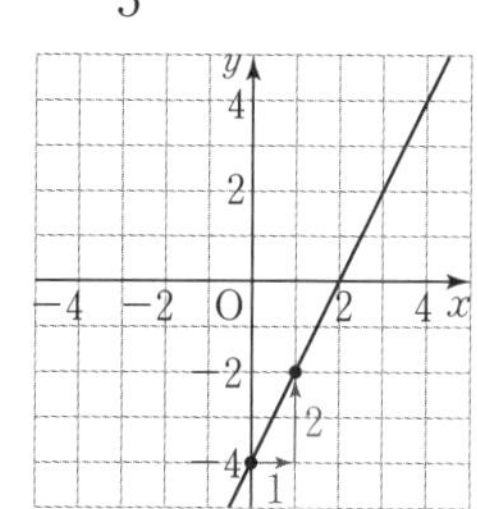

6-2 풀이 참조
7-1 (1) ㄹ, ㅂ (2) ㄱ, ㄴ, ㄷ, ㅁ
7-2 (2), (3)
8-1 (2)와 (3)
8-2 (1) ㄱ과 ㄹ (2) ㄴ과 ㄷ
9-1 (1) ④, ⑤, ⑥ (2) ①, ②, ③ (3) ③, ④ (4) ②, ⑤ (5) ①, ⑥
9-2 (1) ①, ②, ③ (2) ④, ⑤ (3) ③, ④ (4) ①, ⑤ (5) ②

2-1 (1) $y=\frac{1}{3}x-1$에 $y=0$을 대입하면 $0=\frac{1}{3}x-1$
$\frac{1}{3}x=1$ $\therefore x=3$, 즉 x절편은 3
(2) $y=\frac{1}{3}x-1$에 $x=0$을 대입하면
$y=-1$, 즉 y절편은 -1

2-2 (1) $y=x+2$에 $y=0$을 대입하면 $0=x+2$

$\therefore x=-2$

$y=x+2$에 $x=0$을 대입하면 $y=2$

따라서 x절편은 -2, y절편은 2이다.

(2) $y=-4x-2$에 $y=0$을 대입하면 $0=-4x-2$

$4x=-2$ $\quad\therefore x=-\frac{1}{2}$

$y=-4x-2$에 $x=0$을 대입하면 $y=-2$

따라서 x절편은 $-\frac{1}{2}$, y절편은 -2이다.

(3) $y=\frac{3}{5}x-3$에 $y=0$을 대입하면 $0=\frac{3}{5}x-3$

$\frac{3}{5}x=3$ $\quad\therefore x=5$

$y=\frac{3}{5}x-3$에 $x=0$을 대입하면 $y=-3$

따라서 x절편은 5, y절편은 -3이다.

(4) $y=-3x+6$에 $y=0$을 대입하면 $0=-3x+6$

$3x=6$ $\quad\therefore x=2$

$y=-3x+6$에 $x=0$을 대입하면 $y=6$

따라서 x절편은 2, y절편은 6이다.

3-1 ① $y=-x+3$에 $y=0$을 대입하면 $0=-x+3$

$\therefore x=3$, 즉 x절편은 3

$y=-x+3$에 $x=0$을 대입하면 $y=3$, 즉 y절편은 3

3-2 (1) $y=x-4$에 $y=0$을 대입하면 $0=x-4$

$\therefore x=4$, 즉 x절편은 4

$y=x-4$에 $x=0$을 대입하면 $y=-4$, 즉 y절편은 -4

따라서 일차함수 $y=x-4$의 그래프는 두 점 $(4, 0)$, $(0, -4)$를 지나는 직선이므로 아래 그림과 같다.

(2) $y=-\frac{2}{3}x+2$에 $y=0$을 대입하면 $0=-\frac{2}{3}x+2$

$\frac{2}{3}x=2$ $\quad\therefore x=3$, 즉 x절편은 3

$y=-\frac{2}{3}x+2$에 $x=0$을 대입하면 $y=2$, 즉 y절편은 2

따라서 일차함수 $y=-\frac{2}{3}x+2$의 그래프는 두 점 $(3, 0)$, $(0, 2)$를 지나는 직선이므로 아래 그림과 같다.

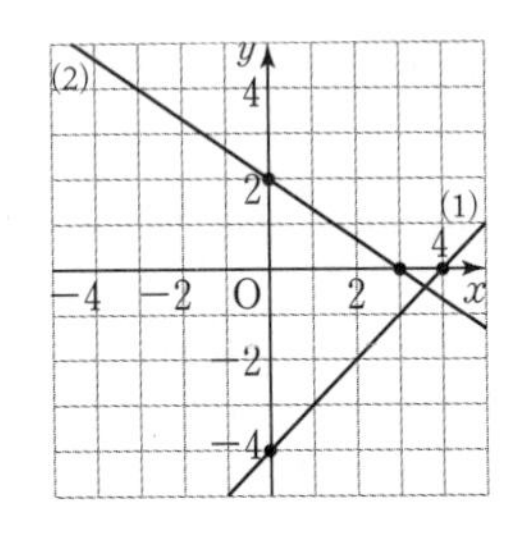

5-1 (1) 일차함수의 그래프가 두 점 $(-2, 0)$, $(0, 2)$를 지나므로

$$(\text{기울기})=\frac{(y\text{의 값의 증가량})}{(x\text{의 값의 증가량})}=\frac{2-0}{0-(-2)}=\frac{2}{2}=1$$

(2) 일차함수의 그래프가 두 점 $(-3, 0)$, $(0, -2)$를 지나므로

$$(\text{기울기})=\frac{(y\text{의 값의 증가량})}{(x\text{의 값의 증가량})}=\frac{-2-0}{0-(-3)}=\frac{-2}{3}=-\frac{2}{3}$$

5-2 (1) 일차함수의 그래프가 두 점 $(-2, 0)$, $(3, 2)$를 지나므로

$$(\text{기울기})=\frac{(y\text{의 값의 증가량})}{(x\text{의 값의 증가량})}=\frac{2-0}{3-(-2)}=\frac{2}{5}$$

(2) 일차함수의 그래프가 두 점 $(1, 0)$, $(0, 4)$를 지나므로

$$(\text{기울기})=\frac{(y\text{의 값의 증가량})}{(x\text{의 값의 증가량})}=\frac{4-0}{0-1}=-4$$

6-2 (1) 일차함수 $y=\frac{2}{3}x-4$의 그래프는 y절편이 -4이므로 점 $(0, -4)$를 지나고, 기울기가 $\frac{2}{3}$이므로 점 $(0, -4)$에서 x의 값이 3만큼, y의 값이 2만큼 증가한 점 $(3, -2)$를 지난다. 따라서 일차함수 $y=\frac{2}{3}x-4$의 그래프는 아래 그림과 같다.

(2) 일차함수 $y=-\frac{5}{2}x+3$의 그래프는 y절편이 3이므로 점 $(0, 3)$을 지나고, 기울기가 $-\frac{5}{2}$이므로 점 $(0, 3)$에서 x의 값이 2만큼 증가하고, y의 값이 5만큼 감소한 점 $(2, -2)$를 지난다. 따라서 일차함수 $y=-\frac{5}{2}x+3$의 그래프는 아래 그림과 같다.

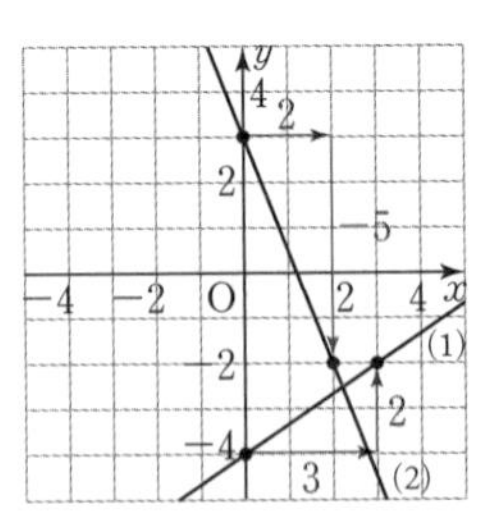

7-1 보기의 일차함수의 그래프의 기울기를 각각 구하면 다음과 같다.

㉠ -4 ㉡ -2 ㉢ $-\frac{2}{3}$ ㉣ $\frac{1}{2}$ ㉤ -5 ㉥ 3

(1) 그래프가 오른쪽 위로 향하는 것은 그래프의 기울기가 양수이므로 구하는 일차함수는 ㉣, ㉥이다.

(2) 그래프가 오른쪽 아래로 향하는 것은 그래프의 기울기가 음수이므로 구하는 일차함수는 ㉠, ㉡, ㉢, ㉤이다.

7-2 x의 값이 증가할 때 y의 값이 증가하는 그래프는 오른쪽 위로 향하는 직선이다. 따라서 구하는 그래프는 (2), (3)이다.

8-1 두 일차함수의 그래프에서 기울기가 같고 y절편이 다르면 서로 평행하므로 그 그래프가 서로 평행한 것은 (2)와 (3)이다.

8-2 ㉡ $y=2(x+1)+3$에서 $y=2x+5$

(1) 기울기가 같고 y절편이 다른 것을 찾으면 ㉠과 ㉣이다.

(2) 기울기가 같고 y절편도 같은 것을 찾으면 ㉡과 ㉢이다.

9-1 (1) $a>0$, 즉 기울기가 양수이므로 그래프가 오른쪽 위로 향하는 직선은 ④, ⑤, ⑥이다.

(2) $a<0$, 즉 기울기가 음수이므로 그래프가 오른쪽 아래로 향하는 직선은 ①, ②, ③이다.

(3) $b>0$, 즉 y절편이 양수이므로 y축과 양의 부분에서 만나는 직선은 ③, ④이다.

(4) $b<0$, 즉 y절편이 음수이므로 y축과 음의 부분에서 만나는 직선은 ②, ⑤이다.

(5) $b=0$, 즉 y절편이 0이므로 원점을 지나는 직선은 ①, ⑥이다.

STEP 2 기출 기초 테스트

본문 109~111쪽

1-1 (1) x절편 : $-\frac{1}{4}$, y절편 : -1, 기울기 : -4

(2) x절편 : -3, y절편 : 1, 기울기 : $\frac{1}{3}$

1-2 (1) x절편 : -1, y절편 : 3, 기울기 : 3

(2) x절편 : -2, y절편 : -1, 기울기 : $-\frac{1}{2}$

2-1 2 **2-2** -3

3-1 9 **3-2** ㉡

4-1 4 **4-2** (1) $-\frac{1}{2}$ (2) -4

5-1 2 **5-2** 4

6-1 (1) 풀이 참조 (2) $\mathrm{P}(4, 0)$, $\mathrm{Q}(0, 3)$ (3) 6

6-2 4

7-1 (1) ○ (2) × (3) × (4) ○ (5) ×

7-2 ㉠, ㉡

8-1 $a=-6$, $b=-3$ **8-2** 5

9-1 제1사분면, 제3사분면, 제4사분면

9-2 제2사분면, 제3사분면, 제4사분면

1-1 (1) $y=-4x-1$에 $y=0$을 대입하면 $0=-4x-1$

$4x=-1$ $\therefore x=-\frac{1}{4}$, 즉 x절편은 $-\frac{1}{4}$

$y=-4x-1$에 $x=0$을 대입하면 $y=-1$, 즉 y절편은 -1

(2) $y=\frac{1}{3}x+1$에 $y=0$을 대입하면 $0=\frac{1}{3}x+1$

$\frac{1}{3}x=-1$ $\therefore x=-3$, 즉 x절편은 -3

$y=\frac{1}{3}x+1$에 $x=0$을 대입하면 $y=1$, 즉 y절편은 1

1-2 (1) 일차함수의 그래프가 두 점 $(-1, 0)$, $(0, 3)$을 지나므로

$(\text{기울기})=\frac{(y\text{의 값의 증가량})}{(x\text{의 값의 증가량})}=\frac{3-0}{0-(-1)}=3$

(2) 일차함수의 그래프가 두 점 $(-2, 0)$, $(0, -1)$을 지나므로

$(\text{기울기})=\frac{(y\text{의 값의 증가량})}{(x\text{의 값의 증가량})}=\frac{-1-0}{0-(-2)}=-\frac{1}{2}$

2-1 y절편이 6이므로 $y=-3x+k$에 $x=0$, $y=6$을 대입하면 $6=-3\times0+k$ $\therefore k=6$

따라서 $y=-3x+6$에 $y=0$을 대입하면 $0=-3x+6$

$3x=6$ $\therefore x=2$, 즉 x절편은 2

2-2 x절편이 4이므로 $y=\frac{3}{4}x+k$에 $x=4$, $y=0$을 대입하면 $0=\frac{3}{4}\times4+k$, $0=3+k$ $\therefore k=-3$

따라서 $y=\frac{3}{4}x-3$에 $x=0$을 대입하면

$y=-3$, 즉 y절편은 -3

3-1 $(\text{기울기})=\frac{(y\text{의 값의 증가량})}{(x\text{의 값의 증가량})}$이므로

$\frac{(y\text{의 값의 증가량})}{3}=3$ $\therefore (y\text{의 값의 증가량})=9$

3-2 $(\text{기울기})=\frac{(y\text{의 값의 증가량})}{(x\text{의 값의 증가량})}=\frac{-3}{5}=-\frac{3}{5}$이므로

보기의 일차함수의 그래프 중 기울기가 $-\frac{3}{5}$인 것은 ㉡이다.

4-1 $a=\frac{(y\text{의 값의 증가량})}{(x\text{의 값의 증가량})}=\frac{8}{2}=4$

4-2 (1) $a=\frac{(y\text{의 값의 증가량})}{(x\text{의 값의 증가량})}=\frac{-3}{5-(-1)}=\frac{-3}{6}=-\frac{1}{2}$

(2) 기울기가 $-\frac{1}{2}$이므로 $\frac{(y\text{의 값의 증가량})}{8}=-\frac{1}{2}$

$\therefore (y\text{의 값의 증가량})=-4$

5-1 $\frac{-4-2}{5-(-1)}=\frac{-1-2}{k-(-1)}$이므로 $\frac{-6}{6}=\frac{-3}{k+1}$

$-1=\frac{-3}{k+1}$, $k+1=3$ $\quad\therefore k=2$

5-2 $\frac{5-(-4)}{2-(-4)}=\frac{(3a-1)-5}{6-2}$이므로 $\frac{9}{6}=\frac{3a-6}{4}$

$3a-6=6$, $3a=12$ $\quad\therefore a=4$

6-1 (1) 일차함수 $y=-\frac{3}{4}x+3$의 그래프의 x절편은 4, y절편은 3이므로 그래프를 그리면 오른쪽 그림과 같다.

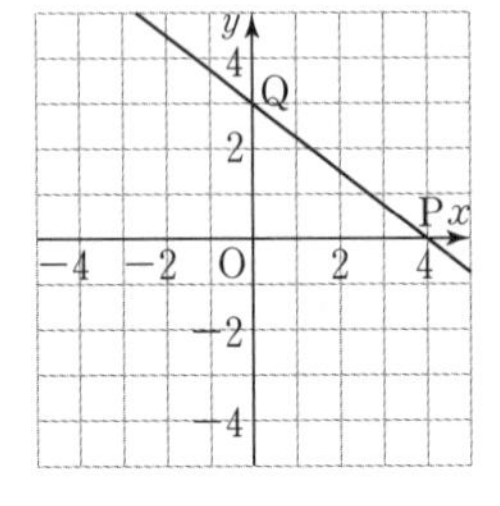

(3) 삼각형 OPQ의 넓이는

$\frac{1}{2}\times4\times3=6$

6-2 일차함수 $y=2x+4$의 그래프의 x절편은 -2, y절편은 4이므로 그래프를 그리면 오른쪽 그림과 같다.

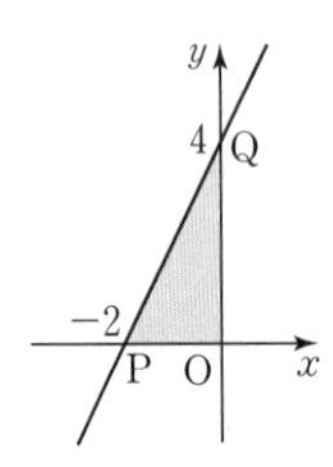

이때 $\mathrm{P}(-2,\ 0)$, $\mathrm{Q}(0,\ 4)$이므로 삼각형 POQ의 넓이는 $\frac{1}{2}\times2\times4=4$

7-1 (1) $y=2x-3$에 $y=0$을 대입하면 $0=2x-3$

$2x=3$ $\quad\therefore x=\frac{3}{2}$

(2) 기울기가 2로 양수이므로 그래프는 오른쪽 위로 향하는 직선이다.

(3) 기울기가 양수이므로 x의 값이 증가하면 y의 값도 증가한다.

(4) 기울기가 2이므로 x의 값이 3만큼 증가할 때, y의 값은 6만큼 증가한다.

(5) 일차함수 $y=2x-3$의 그래프를 그리면 오른쪽 그림과 같으므로 제2사분면을 지나지 않는다.

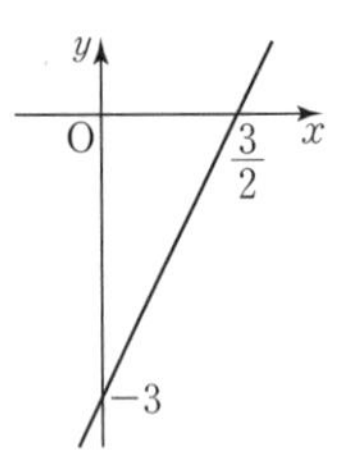

7-2 ㉠ $y=-2x+2$에 $x=1$, $y=0$을 대입하면

$0=-2\times1+2$

따라서 일차함수 $y=-2x+2$의 그래프는 x축 위의 점 $(1,\ 0)$을 지난다.

㉡ 기울기가 -2로 음수이므로 x의 값이 증가하면 y의 값은 감소한다.

㉢ 일차함수 $y=-2x+2$의 그래프를 그리면 오른쪽 그림과 같으므로 제3사분면을 지나지 않는다.

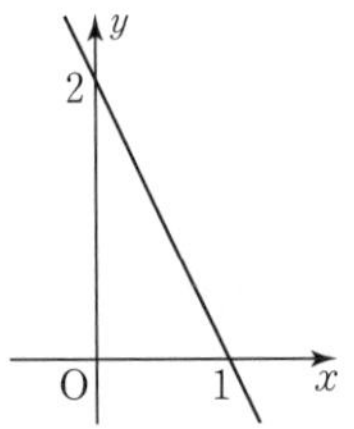

따라서 옳은 것은 ㉠, ㉡이다.

8-1 두 일차함수 $y=\frac{a}{2}x+3$, $y=-3x-b$의 그래프가 일치하므로 기울기와 y절편이 각각 같다.

따라서 $\frac{a}{2}=-3$, $3=-b$이므로 $a=-6$, $b=-3$

8-2 두 일차함수 $y=ax+1$, $y=5x-2$의 그래프가 서로 평행하므로 기울기가 같고 y절편이 다르다. $\quad\therefore a=5$

9-1 일차함수 $y=ax+b$의 그래프가 오른쪽 아래로 향하는 직선이므로 $a<0$, y절편이 양수이므로 $b>0$

따라서 일차함수 $y=bx+a$의 그래프는 (기울기)$=b>0$이므로 오른쪽 위로 향하는 직선이고

(y절편)$=a<0$이므로 오른쪽 그림과 같이 제1사분면, 제3사분면, 제4사분면을 지난다.

9-2 일차함수 $y=ax+b$의 그래프가 오른쪽 위로 향하는 직선이므로 $a>0$, y절편이 음수이므로 $b<0$

따라서 일차함수 $y=bx-a$의 그래프는 (기울기)$=b<0$이므로 오른쪽 아래로 향하는 직선이고

(y절편)$=-a<0$이므로 오른쪽 그림과 같이 제2사분면, 제3사분면, 제4사분면을 지난다.

STEP 3 교과서 기본 테스트

본문 112~114쪽

01 ④	**02** 1	**03** 3	**04** ⑤
05 ④	**06** 2	**07** ⑤	**08** 6
09 ④	**10** ⑤	**11** ④	
12 $a=3$, $b=7$		**13** ③	**14** ③
15 $a<0$, $b<0$		**16** -2	**17** 3
18 제4사분면			

01 ① $y=2x+4$에 $y=0$을 대입하면 $0=2x+4$

$2x=-4$ $\quad\therefore x=-2$, 즉 x절편은 -2

② $y=x+2$에 $y=0$을 대입하면 $0=x+2$

$\therefore x=-2$, 즉 x절편은 -2

③ $y=-3x-6$에 $y=0$을 대입하면 $0=-3x-6$

$3x=-6$ $\quad\therefore x=-2$, 즉 x절편은 -2

④ $y=4x-8$에 $y=0$을 대입하면 $0=4x-8$

$4x=8$ $\quad\therefore x=2$, 즉 x절편은 2

⑤ $y=-x-2$에 $y=0$을 대입하면 $0=-x-2$

$\therefore x=-2$, 즉 x절편은 -2

따라서 x절편이 나머지 넷과 다른 하나는 ④이다.

02 $y=-\frac{4}{3}x+2$에 $y=0$을 대입하면 $0=-\frac{4}{3}x+2$

$\frac{4}{3}x=2 \quad \therefore x=\frac{3}{2}$

$y=-\frac{4}{3}x+2$에 $x=0$을 대입하면 $y=2$

따라서 x절편이 $\frac{3}{2}$, y절편이 2이므로 $a=\frac{3}{2}$, $b=2$

$\therefore 2a-b=2\times\frac{3}{2}-2=1$

03 일차함수 $y=2x-3$의 그래프의 y절편이 -3이므로 일차함수 $y=x+a$의 그래프의 x절편이 -3이다.

$y=x+a$에 $x=-3$, $y=0$을 대입하면

$0=-3+a \quad \therefore a=3$

04 $(\text{기울기})=\frac{(y\text{의 값의 증가량})}{(x\text{의 값의 증가량})}=\frac{-6}{5-3}=\frac{-6}{2}=-3$이므로 보기의 일차함수의 그래프 중 기울기가 -3인 것은 ⑤이다.

05 기울기가 $\frac{3}{2}$이므로 $\frac{(y\text{의 값의 증가량})}{12-2}=\frac{3}{2}$

$\frac{(y\text{의 값의 증가량})}{10}=\frac{3}{2} \quad \therefore (y\text{의 값의 증가량})=15$

06 $\frac{-a+2-(-2)}{a-3}=\frac{6-(-2)}{-1-3}$이므로 $\frac{-a+4}{a-3}=\frac{8}{-4}$

$\frac{-a+4}{a-3}=-2$, $-a+4=-2(a-3)$

$-a+4=-2a+6 \quad \therefore a=2$

07 보기의 일차함수의 그래프를 그리면 다음 그림과 같다.

①

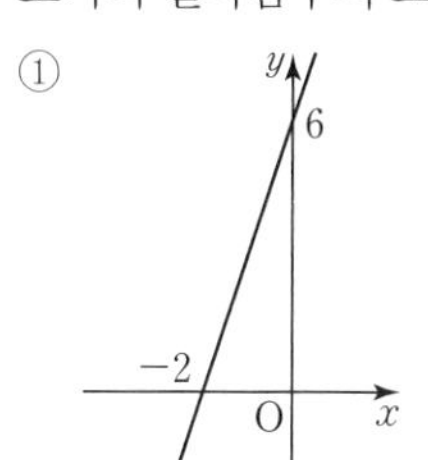

②

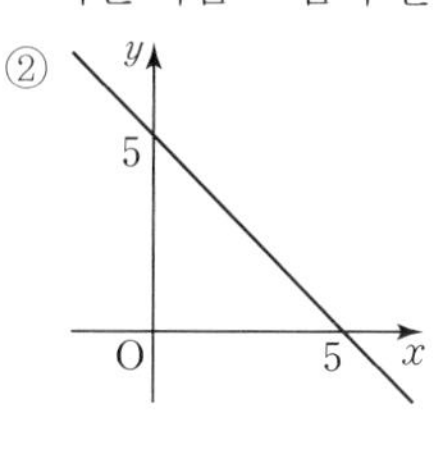

③

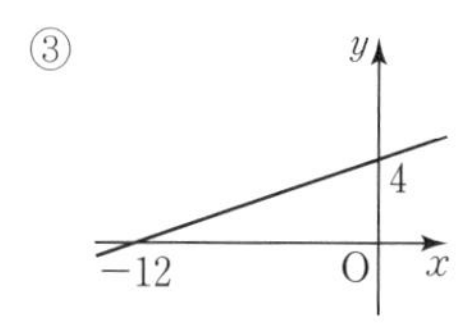

④

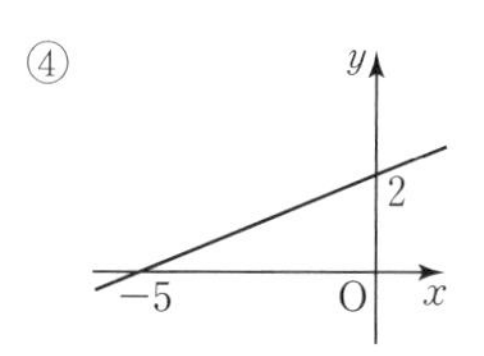

⑤

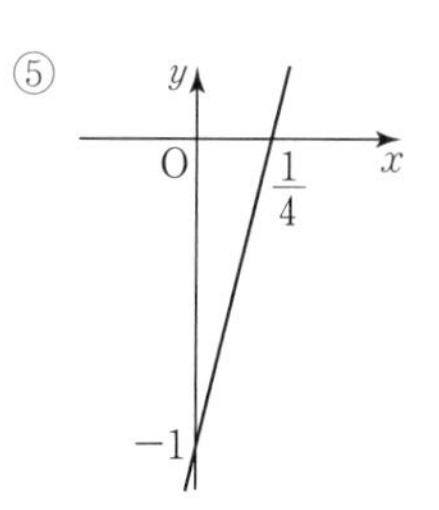

따라서 제2사분면을 지나지 않는 것은 ⑤이다.

08 일차함수 $y=\frac{4}{3}x-4$의 그래프의 x절편은 3, y절편은 -4이므로 그래프를 그리면 오른쪽 그림과 같다.

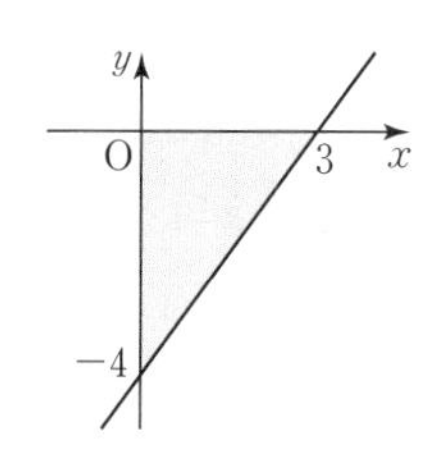

따라서 일차함수 $y=\frac{4}{3}x-4$의 그래프와 x축 및 y축으로 둘러싸인 부분의 넓이는

$\frac{1}{2}\times3\times4=6$

09 일차함수의 그래프가 오른쪽 아래로 향하는 직선이면 기울기가 음수이므로 기울기가 음수인 것은 ④이다.

10 ① $y=-\frac{1}{2}x+1$에 $x=2$, $y=1$을 대입하면

$1\neq-\frac{1}{2}\times2+1$

즉 점 $(2, 1)$을 지나지 않는다.

② 일차함수 $y=-\frac{1}{2}x$의 그래프와 평행한 직선이다.

③ 일차함수 $y=-\frac{1}{2}x+1$의 그래프를 그리면 오른쪽 그림과 같으므로 제3사분면을 지나지 않는다.

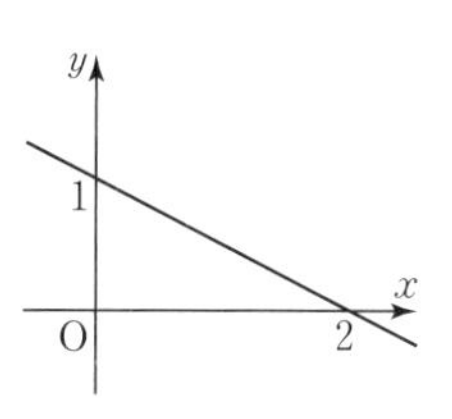

④ x절편은 2, y절편은 1이다.

⑤ 기울기가 $-\frac{1}{2}$이므로 x의 값이 2만큼 증가할 때, y의 값은 1만큼 감소한다.

따라서 일차함수 $y=-\frac{1}{2}x+1$의 그래프에 대한 설명으로 옳은 것은 ⑤이다.

11 ㉣ $y=4x-(x-2)$에서 $y=3x+2$

㉤ $y=-(-2x+1)$에서 $y=2x-1$

일차함수의 그래프가 서로 평행하려면 기울기가 같고 y절편이 달라야 하므로 서로 평행한 것은 ㉢과 ㉤이다.

12 두 일차함수 $y=ax+7$, $y=3x+b$의 그래프가 일치하므로 기울기와 y절편이 각각 같다.

$\therefore a=3, b=7$

13 주어진 그래프는 두 점 $(5, 0)$, $(0, 3)$을 지나므로

$(\text{기울기})=\dfrac{(y\text{의 값의 증가량})}{(x\text{의 값의 증가량})}=\dfrac{3-0}{0-5}=-\dfrac{3}{5}$

따라서 주어진 그래프와 평행한 것은 기울기가 같고 y절편이 달라야 하므로 ③이다.

14 ① 각 그래프의 x절편을 구하면

㉠ -4 ㉡ -2 ㉢ -1 ㉣ 2 ㉤ 3

이므로 x절편이 가장 큰 그래프는 ㉤이다.

③ x의 값이 증가할 때 y의 값도 증가하는 그래프, 즉 기울기가 양수인 그래프는 ㉠, ㉡, ㉢이다.

④ 각 그래프의 기울기를 구하면

㉠ $\dfrac{1}{2}$ ㉡ 1 ㉢ 2 ㉣ -1 ㉤ $-\dfrac{2}{3}$

이므로 기울기가 가장 큰 그래프는 ㉢이다.

⑤ 일차함수 $y=x$의 그래프와 평행한 그래프는 기울기가 1인 ㉡이다.

따라서 옳지 않은 것은 ③이다.

15 일차함수 $y=-ax+b$의 그래프가 오른쪽 위로 향하는 직선이므로 $-a>0$ $\quad\therefore a<0$

또 y절편이 음수이므로 $b<0$

16 주어진 그래프는 두 점 $(6, 0)$, $(0, 3)$을 지나므로

$(\text{기울기})=\dfrac{(y\text{의 값의 증가량})}{(x\text{의 값의 증가량})}=\dfrac{3-0}{0-6}=-\dfrac{1}{2}$ …… ㉮

일차함수 $y=ax-1$의 그래프가 주어진 그래프와 평행하려면 기울기가 같아야 하므로 $a=-\dfrac{1}{2}$ …… ㉯

따라서 $y=-\dfrac{1}{2}x-1$에 $y=0$을 대입하면 $0=-\dfrac{1}{2}x-1$

$\dfrac{1}{2}x=-1 \quad\therefore x=-2$, 즉 x절편은 -2 …… ㉰

채점 기준	비율
㉮ 주어진 그래프의 기울기를 제대로 구한 경우	40 %
㉯ a의 값을 제대로 구한 경우	30 %
㉰ $y=ax-1$의 그래프의 x절편을 제대로 구한 경우	30 %

17 $a=\dfrac{(y\text{의 값의 증가량})}{(x\text{의 값의 증가량})}=\dfrac{4}{2}=2$ …… ㉮

$y=2x-2$에 $x=b$, $y=1$을 대입하면

$1=2b-2$, $2b=3 \quad\therefore b=\dfrac{3}{2}$ …… ㉯

$\therefore ab=2\times\dfrac{3}{2}=3$ …… ㉰

채점 기준	비율
㉮ a의 값을 제대로 구한 경우	40 %
㉯ b의 값을 제대로 구한 경우	40 %
㉰ ab의 값을 제대로 구한 경우	20 %

18 일차함수 $y=ax+b$의 그래프가 오른쪽 아래로 향하는 직선이므로 $a<0$, y절편이 음수이므로 $b<0$ …… ㉮

$\therefore \dfrac{b}{a}>0,\ -a>0$ …… ㉯

따라서 일차함수 $y=\dfrac{b}{a}x-a$의 그래프는

$(\text{기울기})=\dfrac{b}{a}>0$이므로 오른쪽 위로 향하는 직선이고 $(y\text{절편})=-a>0$이므로 오른쪽 그림과 같이 제4사분면을 지나지 않는다. …… ㉰

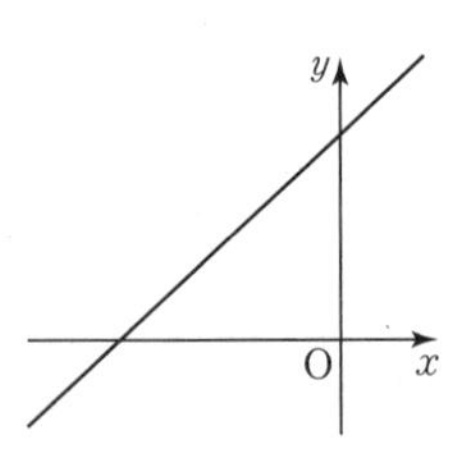

채점 기준	비율
㉮ a, b의 부호를 제대로 구한 경우	40 %
㉯ $\dfrac{b}{a}$, $-a$의 부호를 제대로 구한 경우	20 %
㉰ $y=\dfrac{b}{a}x-a$의 그래프가 지나지 않는 사분면을 제대로 구한 경우	40 %

창의력 · 융합형 · 서술형 · 코딩

본문 115쪽

1 (1) 10 m (2) 7 %

2 (1)

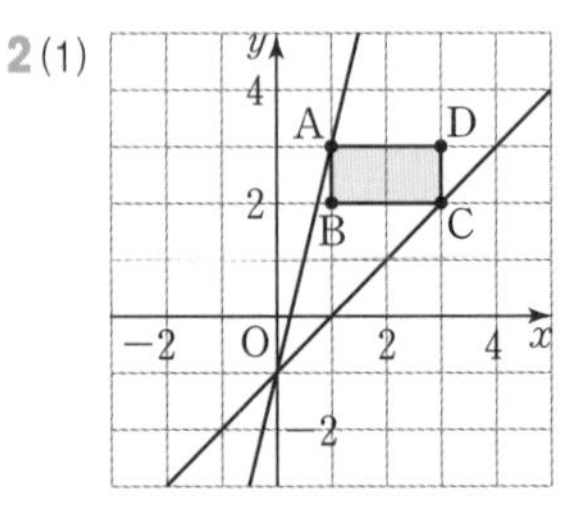

(2) 점 A를 지날 때 : 4, 점 C를 지날 때 : 1

(3) $1\le a\le 4$

1 (1) $\dfrac{(\text{수직 거리})}{100}\times 100=10$에서 (수직 거리)$=10\ (\text{m})$

(2) $\dfrac{14}{200}\times 100=7\ (\%)$

2 (2) 일차함수 $y=ax-1$의 그래프가 점 $A(1, 3)$을 지날 때, $3=a-1 \quad\therefore a=4$

일차함수 $y=ax-1$의 그래프가 점 $C(3, 2)$를 지날 때, $2=3a-1$, $3a=3 \quad\therefore a=1$

(3) 일차함수 $y=ax-1$의 그래프가 사각형 ABCD와 만나도록 하는 기울기 a의 값의 범위는 $1\le a\le 4$이다.

12 일차함수의 식과 활용

STEP 1 교과서 개념 확인 테스트

본문 118~119쪽

	(1)	(2)
1-1	$y=-\frac{1}{2}x+3$	$y=3x+2$
1-2	$y=x-2$	$y=-x-5$
2-1	$y=-3x+5$	$y=\frac{3}{2}x+5$
2-2	$y=5x-9$	$y=-\frac{3}{4}x+6$
3-1	$y=-\frac{1}{2}x+3$	$y=2x+8$
3-2	$y=2x+1$	$y=-6x+9$
4-1	$y=-\frac{1}{2}x+2$	$y=-\frac{4}{3}x-4$
4-2	$y=\frac{3}{2}x+3$	$y=\frac{5}{2}x-5$
5-1	$\frac{1}{4}$	$y=\frac{1}{4}x+2$
5-2	$y=3x-1$	$y=-\frac{2}{3}x+4$
6-1	$y=20-0.04x$	200분
6-2	$y=20+2x$	30분

1-1 (2) 일차함수 $y=3x-1$의 그래프와 평행하므로 기울기는 3이다. 따라서 기울기가 3이고 y절편이 2이므로 구하는 일차함수의 식은 $y=3x+2$

1-2 (2) 일차함수 $y=-x+3$의 그래프와 평행하므로 기울기는 -1이다. 따라서 기울기가 -1이고 y절편이 -5이므로 구하는 일차함수의 식은 $y=-x-5$

2-1 (1) 그래프의 기울기가 -3이므로 구하는 일차함수의 식을 $y=-3x+b$로 놓으면 이 그래프가 점 $(2, -1)$을 지나므로 $-1=-3\times2+b$ $\quad\therefore b=5$
따라서 구하는 일차함수의 식은 $y=-3x+5$

(2) 일차함수 $y=\frac{3}{2}x+1$의 그래프와 평행하므로 기울기는 $\frac{3}{2}$이다. 즉 그래프의 기울기가 $\frac{3}{2}$인 일차함수의 식을 $y=\frac{3}{2}x+b$로 놓으면 이 그래프가 점 $(-2, 2)$를 지나므로

$2=\frac{3}{2}\times(-2)+b$ $\quad\therefore b=5$

따라서 구하는 일차함수의 식은 $y=\frac{3}{2}x+5$

2-2 (1) 그래프의 기울기가 5이므로 구하는 일차함수의 식을 $y=5x+b$로 놓으면 이 그래프가 점 $(1, -4)$를 지나므로 $-4=5\times1+b$ $\quad\therefore b=-9$
따라서 구하는 일차함수의 식은 $y=5x-9$

(2) 일차함수 $y=-\frac{3}{4}x+2$의 그래프와 평행하므로 기울기는 $-\frac{3}{4}$이다. 즉 그래프의 기울기가 $-\frac{3}{4}$인 일차함수의 식을 $y=-\frac{3}{4}x+b$로 놓으면 이 그래프가 점 $(8, 0)$을 지나므로

$0=-\frac{3}{4}\times8+b$ $\quad\therefore b=6$

따라서 구하는 일차함수의 식은 $y=-\frac{3}{4}x+6$

3-1 (1) $(\text{기울기})=\frac{1-4}{4-(-2)}=\frac{-3}{6}=-\frac{1}{2}$이므로 구하는 일차함수의 식을 $y=-\frac{1}{2}x+b$로 놓으면 이 그래프가 점 $(4, 1)$을 지나므로 $1=-\frac{1}{2}\times4+b$ $\quad\therefore b=3$

따라서 구하는 일차함수의 식은 $y=-\frac{1}{2}x+3$

(2) $(\text{기울기})=\frac{2-(-2)}{-3-(-5)}=\frac{4}{2}=2$이므로 구하는 일차함수의 식을 $y=2x+b$로 놓으면 이 그래프가 점 $(-3, 2)$를 지나므로 $2=2\times(-3)+b$ $\quad\therefore b=8$
따라서 구하는 일차함수의 식은 $y=2x+8$

3-2 (1) $(\text{기울기})=\frac{5-3}{2-1}=2$이므로 구하는 일차함수의 식을 $y=2x+b$로 놓으면 이 그래프가 점 $(1, 3)$을 지나므로
$3=2\times1+b$ $\quad\therefore b=1$
따라서 구하는 일차함수의 식은 $y=2x+1$

(2) $(\text{기울기})=\frac{3-(-3)}{1-2}=-6$이므로 구하는 일차함수의 식을 $y=-6x+b$로 놓으면 이 그래프가 점 $(1, 3)$을 지나므로 $3=-6\times1+b$ $\quad\therefore b=9$
따라서 구하는 일차함수의 식은 $y=-6x+9$

4-1 (1) 두 점 $(4, 0)$, $(0, 2)$를 지나므로

$(\text{기울기})=\frac{2-0}{0-4}=\frac{2}{-4}=-\frac{1}{2}$

따라서 구하는 일차함수의 식은 $y=-\frac{1}{2}x+2$

(2) 두 점 $(-3, 0)$, $(0, -4)$를 지나므로

$(\text{기울기})=\frac{-4-0}{0-(-3)}=-\frac{4}{3}$

따라서 구하는 일차함수의 식은 $y=-\frac{4}{3}x-4$

4-2 (1) 두 점 $(-2, 0)$, $(0, 3)$을 지나므로

$(\text{기울기})=\frac{3-0}{0-(-2)}=\frac{3}{2}$

따라서 구하는 일차함수의 식은 $y=\frac{3}{2}x+3$

(2) 두 점 (2, 0), (0, −5)를 지나므로

$(\text{기울기})=\frac{-5-0}{0-2}=\frac{5}{2}$

따라서 구하는 일차함수의 식은 $y=\frac{5}{2}x-5$

5-1 (1) 주어진 그림의 직선이 두 점 (0, 2), (4, 3)을 지나므로 $(\text{기울기})=\frac{3-2}{4-0}=\frac{1}{4}$

(2) 기울기가 $\frac{1}{4}$이고 y절편이 2이므로 구하는 일차함수의 식은

$y=\frac{1}{4}x+2$

5-2 (1) 주어진 그림의 직선이 두 점 (0, −1), (1, 2)를 지나므로 $(\text{기울기})=\frac{2-(-1)}{1-0}=3$

따라서 기울기가 3이고 y절편이 −1이므로 구하는 일차함수의 식은 $y=3x-1$

(2) 주어진 그림의 직선이 두 점 (6, 0), (0, 4)를 지나므로

$(\text{기울기})=\frac{4-0}{0-6}=\frac{4}{-6}=-\frac{2}{3}$

따라서 기울기가 $-\frac{2}{3}$이고 y절편이 4이므로 구하는 일차함수의 식은 $y=-\frac{2}{3}x+4$

6-1 (1) 양초의 길이가 1분마다 0.04 cm씩 짧아지므로 x분이 지나면 양초의 길이는 $0.04x$ cm가 짧아진다.

따라서 불을 붙인 지 x분 후에 남은 양초의 길이 y cm는

$y=20-0.04x$

(2) $y=20-0.04x$에 $y=12$를 대입하면

$12=20-0.04x$, $0.04x=8$

$\therefore x=200$

따라서 남은 양초의 길이가 12 cm가 되는 것은 불을 붙인 지 200분 후이다.

6-2 (1) 물의 온도가 1분마다 2 ℃씩 올라가므로 x분이 지나면 $2x$ ℃가 올라간다.

따라서 열을 가한 지 x분 후의 물의 온도 y ℃는

$y=20+2x$

(2) $y=20+2x$에 $y=80$을 대입하면

$80=20+2x$, $2x=60$

$\therefore x=30$

따라서 물의 온도가 80 ℃가 되는 것은 열을 가한 지 30분 후이다.

STEP 2 기출 기초 테스트

본문 120~121쪽

1-1 $y=4x-15$ **1-2** $y=-4x+4$

2-1 -4 **2-2** $y=\frac{2}{5}x+\frac{9}{5}$

3-1 $y=\frac{4}{3}x+4$ **3-2** 5

4-1 (1) $y=331+0.6x$ (2) 초속 347.8 m

4-2 40 cm

5-1 (1) $y=-\frac{1}{300}x+100$ (2) 94 ℃

5-2 165 ℃

6-1 (1) $y=48-4x$ (2) 36 cm^2

6-2 3초

1-1 x의 값이 1만큼 증가할 때, y의 값은 4만큼 증가하므로 기울기는 $\frac{4}{1}=4$

구하는 일차함수의 식을 $y=4x+b$로 놓으면 이 그래프가 점 (4, 1)을 지나므로

$1=4\times4+b$ $\therefore b=-15$

따라서 구하는 일차함수의 식은 $y=4x-15$

1-2 두 점 (2, 5), (4, −3)을 지나는 일차함수의 그래프의 기울기는 $\frac{-3-5}{4-2}=\frac{-8}{2}=-4$

구하는 일차함수의 식을 $y=-4x+b$로 놓으면 이 그래프가 점 (1, 0)을 지나므로

$0=-4\times1+b$ $\therefore b=4$

따라서 구하는 일차함수의 식은 $y=-4x+4$

2-1 $(\text{기울기})=\frac{-1-(-6)}{4-(-1)}=\frac{5}{5}=1$이므로 $a=1$

일차함수 $y=x+b$의 그래프가 점 (4, −1)을 지나므로

$-1=4+b$ $\therefore b=-5$

$\therefore a+b=1+(-5)=-4$

2-2 주어진 그림의 직선이 두 점 (−2, 1), (3, 3)을 지나므로 $(\text{기울기})=\frac{3-1}{3-(-2)}=\frac{2}{5}$

구하는 일차함수의 식을 $y=\frac{2}{5}x+b$로 놓으면 이 그래프가 점 (−2, 1)을 지나므로

$1=\frac{2}{5}\times(-2)+b$ $\therefore b=\frac{9}{5}$

따라서 구하는 일차함수의 식은 $y=\frac{2}{5}x+\frac{9}{5}$

3-1 일차함수 $y=-2x+4$의 그래프의 y절편이 4이므로 x절편이 -3이고 y절편이 4인 직선은 두 점 $(-3,\ 0)$, $(0,\ 4)$를 지난다. $(\text{기울기})=\dfrac{4-0}{0-(-3)}=\dfrac{4}{3}$이므로 구하는 일차함수의 식은 $y=\dfrac{4}{3}x+4$

3-2 주어진 그림의 직선이 두 점 $(4,\ 0)$, $(0,\ -5)$를 지나므로 $(\text{기울기})=\dfrac{-5-0}{0-4}=\dfrac{5}{4}$
따라서 주어진 직선을 그래프로 하는 일차함수의 식은
$y=\dfrac{5}{4}x-5$이고, 이 그래프가 점 $(8,\ k)$를 지나므로
$k=\dfrac{5}{4}\times 8-5=5$

4-1 (1) 기온이 1 ℃ 오를 때마다 소리의 속력이 초속 0.6 m씩 증가하므로 기온이 x ℃ 오르면 소리의 속력이 초속 $0.6x$ m 증가한다.
따라서 기온이 x ℃일 때의 소리의 속력 초속 y m는
$y=331+0.6x$
(2) $y=331+0.6x$에 $x=28$을 대입하면
$y=331+0.6\times 28=347.8$
따라서 기온이 28 ℃일 때, 소리의 속력은 초속 347.8 m이다.

4-2 물을 채워 넣기 시작한 지 x분 후의 수면의 높이를 y cm라 하자.
수면의 높이가 1분마다 2 cm씩 높아지므로 $y=20+2x$
$y=20+2x$에 $x=10$을 대입하면
$y=20+2\times 10=40$
따라서 물을 채워 넣기 시작한 지 10분이 지났을 때, 수면의 높이는 40 cm이다.

5-1 (1) 주어진 그림의 직선이 두 점 $(0,\ 100)$, $(300,\ 99)$를 지나므로 $(\text{기울기})=\dfrac{99-100}{300-0}=-\dfrac{1}{300}$
따라서 주어진 직선을 그래프로 하는 일차함수의 식은
$y=-\dfrac{1}{300}x+100$
(2) $y=-\dfrac{1}{300}x+100$에 $x=1800$을 대입하면
$y=-\dfrac{1}{300}\times 1800+100=94$
따라서 해발 1800 m에서 물이 끓는 온도는 94 ℃이다.

5-2 지면으로부터의 깊이가 x km일 때, 땅속의 온도를 y ℃라 하자.
주어진 그림의 직선이 두 점 $(0,\ 15)$, $(1,\ 45)$를 지나므로
$(\text{기울기})=\dfrac{45-15}{1-0}=30$
따라서 주어진 직선을 그래프로 하는 일차함수의 식은
$y=30x+15$
$y=30x+15$에 $x=5$를 대입하면
$y=30\times 5+15=165$
따라서 지면으로부터의 깊이가 5 km일 때, 땅속의 온도는 165 ℃이다.

6-1 (1) $\overline{BP}=(12-x)$ cm이므로
$y=\dfrac{1}{2}\times(12-x)\times 8$, 즉 $y=48-4x$
(2) $y=48-4x$에 $x=3$을 대입하면
$y=48-4\times 3=36$
따라서 $x=3$일 때, 삼각형 ABP의 넓이는 36 cm^2이다.

6-2 점 P가 점 B를 출발한 지 x초 후의 사각형 ABPD의 넓이를 y cm^2라 하자.
점 P가 매초 2 cm씩 움직이므로 x초 후의 $\overline{BP}$의 길이는 $2x$ cm이다.
$\therefore y=\dfrac{1}{2}\times(10+2x)\times 8$, 즉 $y=40+8x$
$y=40+8x$에 $y=64$를 대입하면
$64=40+8x$, $8x=24$ $\quad\therefore x=3$
따라서 사각형 ABPD의 넓이가 64 cm^2가 되는 것은 점 P가 점 B를 출발한 지 3초 후이다.

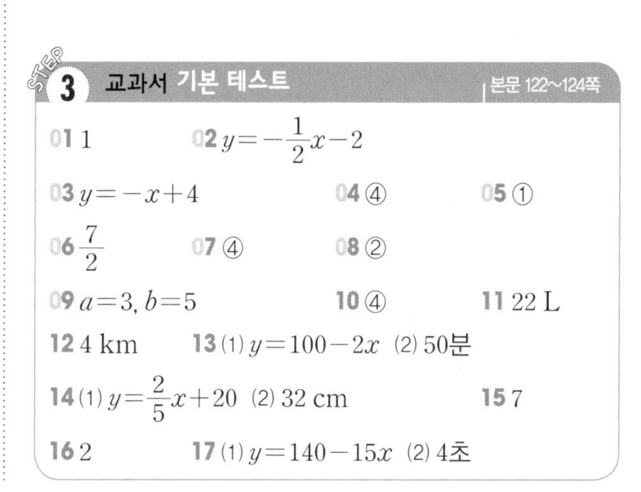
STEP 3 교과서 기본 테스트 | 본문 122~124쪽

01 1 02 $y=-\dfrac{1}{2}x-2$
03 $y=-x+4$ 04 ④ 05 ①
06 $\dfrac{7}{2}$ 07 ④ 08 ②
09 $a=3$, $b=5$ 10 ④ 11 22 L
12 4 km 13 (1) $y=100-2x$ (2) 50분
14 (1) $y=\dfrac{2}{5}x+20$ (2) 32 cm 15 7
16 2 17 (1) $y=140-15x$ (2) 4초

01 기울기가 -3이고 y절편이 8인 직선을 그래프로 하는 일차함수의 식은 $y=-3x+8$
이 그래프가 점 $(a, 5)$를 지나므로 $5=-3a+8$
$3a=3$ $\therefore a=1$

02 (가)에서 기울기가 $-\frac{1}{2}$이고
(나)에서 y절편이 -2이다.
따라서 구하는 일차함수의 식은 $y=-\frac{1}{2}x-2$

03 그래프의 기울기가 -1이므로 구하는 일차함수의 식을 $y=-x+b$로 놓으면 이 그래프가 점 $(1, 3)$을 지나므로
$3=-1+b$ $\therefore b=4$
따라서 구하는 일차함수의 식은 $y=-x+4$

04 x의 값이 3만큼 증가할 때, y의 값은 6만큼 증가하므로
$(\text{기울기})=\frac{6}{3}=2$
구하는 일차함수의 식을 $y=2x+b$로 놓으면 이 그래프가 점 $(-1, 3)$을 지나므로
$3=2\times(-1)+b$ $\therefore b=5$
따라서 구하는 일차함수의 식은 ④ $y=2x+5$이다.

05 두 점 $(-3, 10)$, $(2, -5)$를 지나는 직선의 기울기는
$\frac{-5-10}{2-(-3)}=\frac{-15}{5}=-3$
이 직선을 그래프로 하는 일차함수의 식을 $y=-3x+b$로 놓으면 이 그래프가 점 $(2, -5)$를 지나므로
$-5=-3\times2+b$ $\therefore b=1$
$\therefore y=-3x+1$
따라서 일차함수 $y=-3x+1$의 그래프와 y축 위에서 만나는 것은 y절편이 같은 ① $y=-4x+1$이다.

06 주어진 그림의 직선이 두 점 $(2, 3)$, $(5, -3)$을 지나므로 $(\text{기울기})=\frac{-3-3}{5-2}=\frac{-6}{3}=-2$
이 직선을 그래프로 하는 일차함수의 식을 $y=-2x+b$로 놓으면 이 그래프가 점 $(2, 3)$을 지나므로
$3=-2\times2+b$ $\therefore b=7$
따라서 주어진 직선을 그래프로 하는 일차함수의 식은
$y=-2x+7$
$y=-2x+7$에 $y=0$을 대입하면 $0=-2x+7$
$2x=7$ $\therefore x=\frac{7}{2}$

07 두 점 $(4, 0)$, $(0, -2)$를 지나는 직선의 기울기는
$\frac{-2-0}{0-4}=\frac{-2}{-4}=\frac{1}{2}$이고 y절편은 -2이므로 주어진 직선을 그래프로 하는 일차함수의 식은
$y=\frac{1}{2}x-2$
① $y=\frac{1}{2}x-2$에 $x=-3$, $y=-5$를 대입하면
$-5\neq\frac{1}{2}\times(-3)-2$
② $y=\frac{1}{2}x-2$에 $x=-2$, $y=-2$를 대입하면
$-2\neq\frac{1}{2}\times(-2)-2$
③ $y=\frac{1}{2}x-2$에 $x=-1$, $y=-1$을 대입하면
$-1\neq\frac{1}{2}\times(-1)-2$
④ $y=\frac{1}{2}x-2$에 $x=2$, $y=-1$을 대입하면
$-1=\frac{1}{2}\times2-2$
⑤ $y=\frac{1}{2}x-2$에 $x=6$, $y=2$를 대입하면
$2\neq\frac{1}{2}\times6-2$
따라서 일차함수 $y=\frac{1}{2}x-2$의 그래프 위의 점은 ④이다.

08 두 점 $(-3, 0)$, $(0, 2)$를 지나므로
$(\text{기울기})=\frac{2-0}{0-(-3)}=\frac{2}{3}$
따라서 구하는 일차함수의 식은 ② $y=\frac{2}{3}x+2$이다.

09 두 점 $(-1, a)$, $(2, 3a)$를 지나는 직선의 기울기는
$\frac{3a-a}{2-(-1)}=\frac{2a}{3}$
$\frac{2a}{3}=2$에서 $2a=6$ $\therefore a=3$
즉 일차함수 $y=2x+b$의 그래프가 점 $(-1, 3)$을 지나므로 $3=2\times(-1)+b$ $\therefore b=5$

10 $(\text{기울기})=\frac{2-0}{-1-(-2)}=2$이므로 주어진 그래프를 나타내는 일차함수의 식을 $y=2x+b$로 놓으면 이 그래프가 점 $(-2, 0)$을 지나므로 $0=2\times(-2)+b$
$\therefore b=4$
따라서 주어진 그래프를 나타내는 일차함수의 식은
$y=2x+4$
② $y=2x+4$에 $x=-3$, $y=-2$를 대입하면
$-2=2\times(-3)+4$

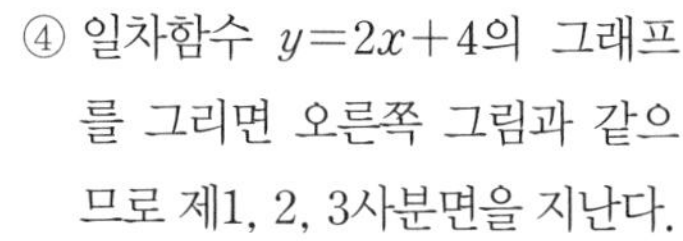

④ 일차함수 $y=2x+4$의 그래프를 그리면 오른쪽 그림과 같으므로 제1, 2, 3사분면을 지난다.

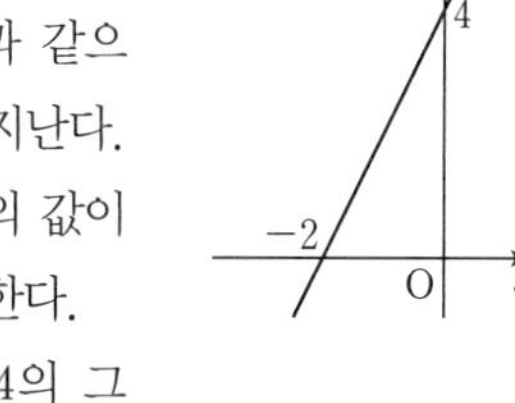

⑤ 기울기가 양수이므로 x의 값이 증가하면 y의 값도 증가한다.

따라서 일차함수 $y=2x+4$의 그래프에 대한 설명으로 옳지 않은 것은 ④이다.

11 휘발유 1 L로 15 km를 달릴 수 있으므로 1 km를 가려면 $\frac{1}{15}$ L의 휘발유가 필요하다.

자동차가 x km를 달린 후에 남아 있는 휘발유의 양을 y L라 하면 $y=40-\frac{1}{15}x$

$y=40-\frac{1}{15}x$에 $x=270$을 대입하면

$y=40-\frac{1}{15}\times 270=22$

따라서 자동차가 270 km를 달린 후에 남아 있는 휘발유의 양은 22 L이다.

12 지면으로부터 100 m 높아질 때마다 기온이 0.6 ℃씩 내려가므로 1000 m, 즉 1 km 높아질 때마다 기온이 6 ℃씩 내려간다.

지면으로부터 x km 높이의 기온을 y ℃라 하면

$y=20-6x$

$y=20-6x$에 $y=-4$를 대입하면

$-4=20-6x$, $6x=24$ $\quad\therefore x=4$

따라서 기온이 -4 ℃가 되는 곳은 지면으로부터 4 km의 높이이다.

13 (1) 10분 동안 수면의 높이가 20 cm 낮아졌으므로 1분 동안 수면의 높이는 2 cm 낮아진다.

x분 동안 낮아지는 수면의 높이는 $2x$ cm이므로 처음 수면의 높이를 k cm라 하면 $y=k-2x$

$y=k-2x$에 $x=10$, $y=80$을 대입하면

$80=k-2\times 10$ $\quad\therefore k=100$

따라서 x와 y 사이의 관계식은

$y=100-2x$

(2) $y=100-2x$에 $y=0$을 대입하면

$0=100-2x$, $2x=100$

$\therefore x=50$

따라서 수영장에서 물을 다 빼낼 때까지 걸리는 시간은 50분이다.

14 (1) 주어진 그림의 직선이 두 점 (0, 20), (10, 24)를 지나므로 (기울기)$=\frac{24-20}{10-0}=\frac{4}{10}=\frac{2}{5}$

따라서 주어진 직선을 그래프로 하는 일차함수의 식은

$y=\frac{2}{5}x+20$

(2) $y=\frac{2}{5}x+20$에 $x=30$을 대입하면

$y=\frac{2}{5}\times 30+20=32$

따라서 용수철에 무게가 30 g인 추를 매달 때, 용수철의 길이는 32 cm이다.

15 (1) 주어진 그림의 직선이 두 점 (3, 0), (0, 4)를 지나므로 (기울기)$=\frac{4-0}{0-3}=-\frac{4}{3}$ …… ㉮

구하는 일차함수의 식을 $y=-\frac{4}{3}x+b$로 놓으면 이 그래프가 점 (6, 0)을 지나므로

$0=-\frac{4}{3}\times 6+b$ $\quad\therefore b=8$

따라서 구하는 일차함수의 식은

$y=-\frac{4}{3}x+8$ …… ㉯

일차함수 $y=-\frac{4}{3}x+8$의 그래프가 점 $\left(\frac{3}{4}, k\right)$를 지나므로 $k=-\frac{4}{3}\times\frac{3}{4}+8=7$ …… ㉰

채점 기준	비율
㉮ 주어진 직선의 기울기를 제대로 구한 경우	30 %
㉯ 주어진 직선과 평행하고 x절편이 6인 직선을 그래프로 하는 일차함수의 식을 제대로 구한 경우	40 %
㉰ k의 값을 제대로 구한 경우	30 %

16 $y=-\frac{1}{2}x+2$에 $y=0$을 대입하면 $0=-\frac{1}{2}x+2$

$\frac{1}{2}x=2$ $\quad\therefore x=4$, 즉 x절편은 4

또 $y=3x-1$의 그래프의 y절편은 -1이므로

구하는 일차함수의 그래프는 두 점 (4, 0), (0, -1)을 지난다. …… ㉮

즉 그래프의 기울기는 $\frac{-1-0}{0-4}=\frac{1}{4}$이므로 구하는 일차함수의 식은 $y=\frac{1}{4}x-1$ …… ㉯

따라서 $a=\frac{1}{4}$, $b=-1$이므로

$4a-b=4\times\frac{1}{4}-(-1)=2$ …… ㉰

채점 기준	비율
㉮ 구하는 일차함수의 그래프가 지나는 두 점의 좌표를 제대로 구한 경우	40 %
㉯ 구하는 일차함수의 식을 제대로 구한 경우	40 %
㉰ $4a-b$의 값을 제대로 구한 경우	20 %

17 (1) 점 P가 매초 3 cm씩 움직이므로 x초 후의 $\overline{BP}$의 길이는 $3x$ cm이다.

따라서 $\overline{PC}=(14-3x)$ cm이므로

$y=\frac{1}{2}\times\{14+(14-3x)\}\times10$, 즉 $y=140-15x$ ······ ㉮

(2) $y=140-15x$에 $y=80$을 대입하면

$80=140-15x$, $15x=60$

$\therefore x=4$

따라서 사다리꼴 APCD의 넓이가 80 cm^2가 되는 것은 점 P가 점 B를 출발한 지 4초 후이다. ······ ㉯

채점 기준	비율
㉮ y를 x의 식으로 바르게 나타낸 경우	50 %
㉯ 답을 제대로 구한 경우	50 %

창의력 · 융합형 · 서술형 · 코딩 본문 125쪽

1 (1) $y=-3x+5$ (2) $y=2x+4$ (3) $a=2$, $b=5$
2 9990 m
3 (1) 42, 34, 26 (2) $y=50-8x$ (3) 2명 (4) 60분

1 (1) 준석이가 그린 직선의 기울기는

$\frac{2-8}{1-(-1)}=\frac{-6}{2}=-3$이므로 일차함수의 식을 $y=-3x+p$라 하자.

이 그래프가 점 $(1, 2)$를 지나므로

$2=-3\times1+p$ $\therefore p=5$

따라서 준석이가 그린 직선을 그래프로 하는 일차함수의 식은 $y=-3x+5$

(2) 연미가 그린 직선의 기울기는

$\frac{2-0}{-1-(-2)}=2$이므로 일차함수의 식을 $y=2x+q$라 하자.

이 그래프가 점 $(-2, 0)$을 지나므로

$0=2\times(-2)+q$ $\therefore q=4$

따라서 연미가 그린 직선을 그래프로 하는 일차함수의 식은 $y=2x+4$

(3) 준석이는 x의 계수를 잘못 보고 그래프를 그렸으므로 상수항 b는 바르게 보았다.

또 연미는 상수항을 잘못 보고 그래프를 그렸으므로 기울기 a는 바르게 보았다.

따라서 $a=2$, $b=5$

2 물속에서 깊이가 1 m 깊어질 때마다 압력이 $\frac{1}{10}$기압씩 높아지므로 해수면으로부터 깊이 x m에 있는 물체가 받는 압력을 y기압이라 하면 $y=\frac{1}{10}x+1$

$y=\frac{1}{10}x+1$에 $y=1000$을 대입하면

$1000=\frac{1}{10}x+1$, $\frac{1}{10}x=999$

$\therefore x=9990$

따라서 잠수정은 해수면으로부터 9990 m까지 내려갈 수 있다.

3 (2) 한 번에 탈 수 있는 인원이 8명이므로 놀이 기구를 x회 운행했을 때, 민주 앞에 서 있는 사람의 수 y명은

$y=50-8x$

(3) $y=50-8x$에 $x=6$을 대입하면

$y=50-8\times6=2$

따라서 놀이 기구를 6회 운행했을 때, 민주 앞에 서 있는 사람의 수는 2명이다.

(4) 놀이 기구를 1회 운행하는 데 10분이 걸리므로 민주가 $6\times10=60$(분)을 기다리면 놀이 기구를 탈 차례가 된다.

13 일차함수와 일차방정식

STEP 1 교과서 개념 확인 테스트 | 본문 128~129쪽

1-1 (1) 기울기 : $-\frac{3}{2}$, y절편 : 2

(2) 기울기 : $\frac{3}{2}$, y절편 : $-\frac{1}{2}$

(3) 기울기 : $\frac{2}{3}$, y절편 : $-\frac{5}{9}$

1-2 풀이 참조

2-1

2-2

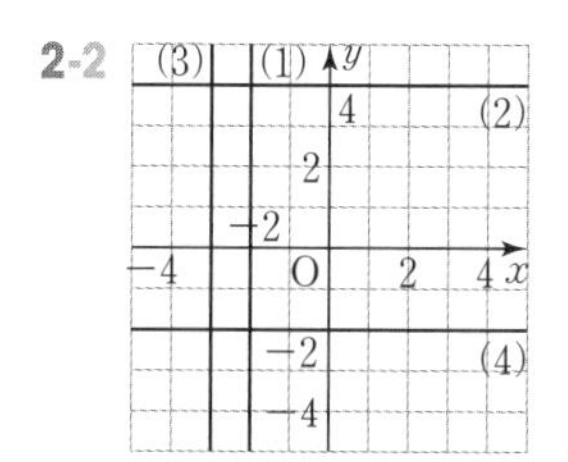

3-1 (1) $y=2$ (2) $x=-5$ (3) $x=4$ (4) $y=-4$

3-2 (1) $y=-2$ (2) $x=1$ (3) $x=-3$ (4) $y=-3$

4-1 $x=-1$, $y=-2$

4-2 (1) $x=1$, $y=3$ (2) $x=3$, $y=-3$

5-1 (1) 그래프는 풀이 참조 / 해가 없다.

(2) 그래프는 풀이 참조 / 해가 무수히 많다.

5-2 (1) 그래프는 풀이 참조 / 해가 무수히 많다.

(2) 그래프는 풀이 참조 / 해가 없다.

6-1 (1) 해가 없다. (2) 해가 무수히 많다.

(3) 해가 한 쌍이다.

6-2 (1) ㉠, ㉣ (2) ㉡ (3) ㉢

1-1 (1) $3x+2y-4=0$에서 y를 x의 식으로 나타내면

$y=-\frac{3}{2}x+2$

따라서 그래프의 기울기는 $-\frac{3}{2}$, y절편은 2이다.

(2) $-6x+4y+2=0$에서 y를 x의 식으로 나타내면

$y=\frac{3}{2}x-\frac{1}{2}$

따라서 그래프의 기울기는 $\frac{3}{2}$, y절편은 $-\frac{1}{2}$이다.

(3) $6x-9y-5=0$에서 y를 x의 식으로 나타내면

$y=\frac{2}{3}x-\frac{5}{9}$

따라서 그래프의 기울기는 $\frac{2}{3}$, y절편은 $-\frac{5}{9}$이다.

1-2 (1) $2x+y+3=0$에서 y를 x의 식으로 나타내면

$y=-2x-3$

따라서 이 일차방정식의 그래프는 아래 그림과 같다.

(2) $x-3y+6=0$에서 y를 x의 식으로 나타내면

$y=\frac{1}{3}x+2$

따라서 이 일차방정식의 그래프는 아래 그림과 같다.

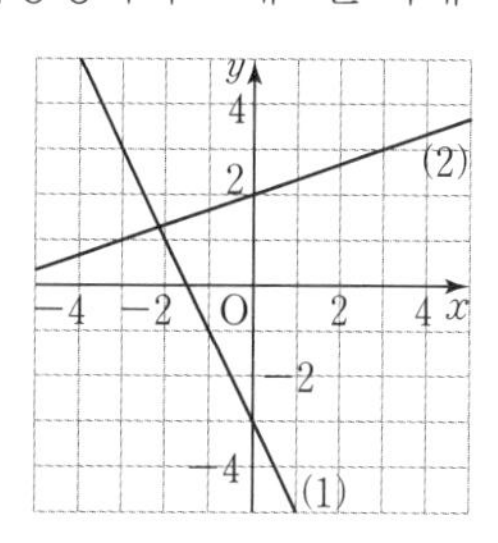

2-2 (1) $2x+4=0$에서 $x=-2$

(2) $2y-8=0$에서 $y=4$

(3) $\frac{1}{3}x+1=0$에서 $x=-3$

(4) $3y+6=0$에서 $y=-2$

4-1 두 일차방정식의 그래프의 교점의 좌표가 $(-1,\ -2)$이므로 연립방정식의 해는 $x=-1$, $y=-2$

4-2 (1) 두 일차방정식의 그래프의 교점의 좌표가 $(1,\ 3)$이므로 연립방정식의 해는 $x=1$, $y=3$

(2) 두 일차방정식의 그래프의 교점의 좌표가 $(3,\ -3)$이므로 연립방정식의 해는 $x=3$, $y=-3$

5-1 (1) $\begin{cases}3x+y=1\\9x+3y=6\end{cases}$에서 $\begin{cases}y=-3x+1\\y=-3x+2\end{cases}$이므로 두 일차방정식의 그래프는 아래 그림과 같고 서로 평행하다.

따라서 두 직선의 교점이 없으므로 연립방정식의 해는 없다.

(2) $\begin{cases}2x-3y=3\\4x-6y=6\end{cases}$에서 $\begin{cases}y=\frac{2}{3}x-1\\y=\frac{2}{3}x-1\end{cases}$이므로 두 일차방정식의 그래프는 아래 그림과 같고 일치한다.

따라서 두 직선의 교점이 무수히 많으므로 연립방정식의 해는 무수히 많다.

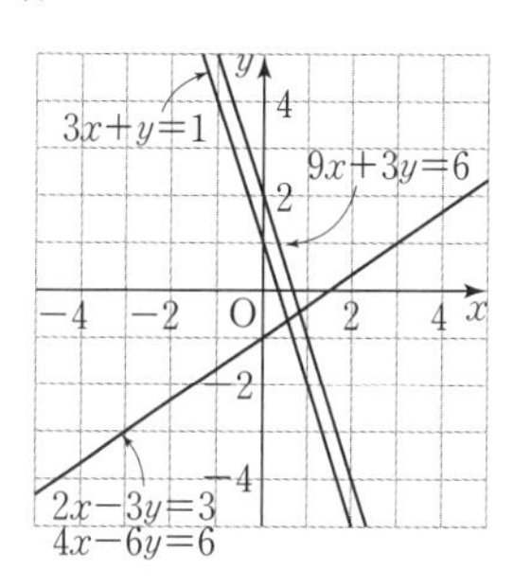

5-2 (1) $\begin{cases} y=-x+3 \\ x+y=3 \end{cases}$에서 $\begin{cases} y=-x+3 \\ y=-x+3 \end{cases}$이므로 두 일차방정식의 그래프는 아래 그림과 같고 일치한다.

따라서 두 직선의 교점이 무수히 많으므로 연립방정식의 해는 무수히 많다.

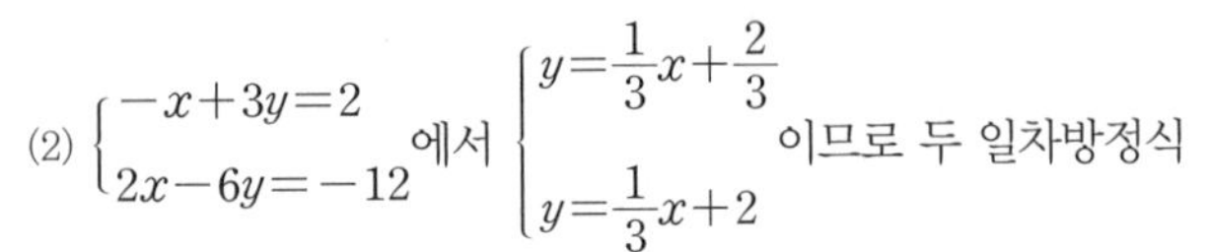

(2) $\begin{cases} -x+3y=2 \\ 2x-6y=-12 \end{cases}$에서 $\begin{cases} y=\frac{1}{3}x+\frac{2}{3} \\ y=\frac{1}{3}x+2 \end{cases}$이므로 두 일차방정식의 그래프는 아래 그림과 같고 서로 평행하다.

따라서 두 직선의 교점이 없으므로 연립방정식의 해는 없다.

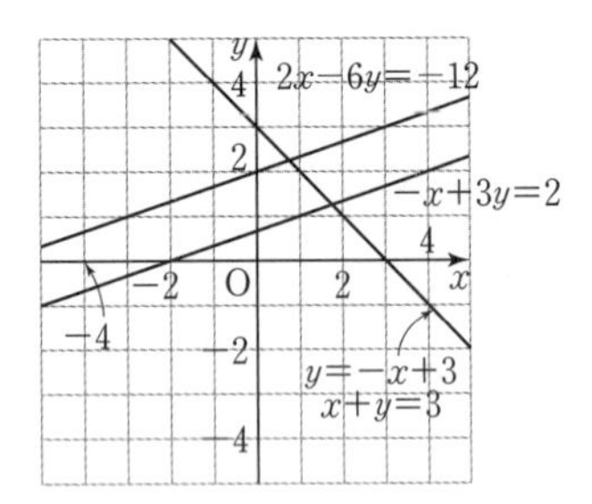

6-1 (1) $\begin{cases} x+2y=5 \\ 3x+6y=5 \end{cases}$에서 $\begin{cases} y=-\frac{1}{2}x+\frac{5}{2} \\ y=-\frac{1}{2}x+\frac{5}{6} \end{cases}$

$\therefore$ 해가 없다.

(2) $\begin{cases} 6x-2y=4 \\ 3x-y=2 \end{cases}$에서 $\begin{cases} y=3x-2 \\ y=3x-2 \end{cases}$

$\therefore$ 해가 무수히 많다.

(3) $\begin{cases} 5x-3y=7 \\ 2x+y=5 \end{cases}$에서 $\begin{cases} y=\frac{5}{3}x-\frac{7}{3} \\ y=-2x+5 \end{cases}$

$\therefore$ 해가 한 쌍이다.

6-2 ㉠ $\begin{cases} x+2y+3=0 \\ 2x+y-3=0 \end{cases}$에서 $\begin{cases} y=-\frac{1}{2}x-\frac{3}{2} \\ y=-2x+3 \end{cases}$

$\therefore$ 해가 한 쌍이다.

㉡ $\begin{cases} 4x-3y+1=0 \\ 4x-3y-1=0 \end{cases}$에서 $\begin{cases} y=\frac{4}{3}x+\frac{1}{3} \\ y=\frac{4}{3}x-\frac{1}{3} \end{cases}$

$\therefore$ 해가 없다.

㉢ $\begin{cases} 4x+2y+8=0 \\ 2x+y+4=0 \end{cases}$에서 $\begin{cases} y=-2x-4 \\ y=-2x-4 \end{cases}$

$\therefore$ 해가 무수히 많다.

㉣ $\begin{cases} x-y+1=0 \\ 3x-y=0 \end{cases}$에서 $\begin{cases} y=x+1 \\ y=3x \end{cases}$

$\therefore$ 해가 한 쌍이다.

STEP 2 기출 기초 테스트

본문 130~131쪽

1-1 3	1-2 $-\frac{8}{5}$
2-1 ⑤	2-2 0
3-1 -2	3-2 -1
4-1 3	4-2 12
5-1 -40	5-2 ①
6-1 (1) $(2, -1)$ (2) 8	6-2 3

1-1 $3x-2y+4=0$에서 y를 x의 식으로 나타내면

$y=\frac{3}{2}x+2$

따라서 기울기는 $\frac{3}{2}$, y절편은 2이므로 $m=\frac{3}{2}$, $n=2$

$\therefore mn=\frac{3}{2}\times 2=3$

1-2 $2x-5y+10=0$에서 y를 x의 식으로 나타내면

$y=\frac{2}{5}x+2$

따라서 $a=\frac{2}{5}$, $b=2$이므로 $a-b=\frac{2}{5}-2=-\frac{8}{5}$

2-2 주어진 그래프는 점 $(3, 0)$을 지나고 y축에 평행하므로 직선의 방정식은 $x=3$

이때 $2x-6=a$에서 $x=\frac{a+6}{2}$이므로

$\frac{a+6}{2}=3$, $a+6=6$ $\quad\therefore a=0$

3-1 x축에 수직인 직선은 y축에 평행하므로 직선 위의 모든 점의 x좌표가 같다. 즉 $2a-3=a-5$이므로 $a=-2$

3-2 직선이 x축에 평행하므로 직선 위의 모든 점의 y좌표가 같다. 즉 $-a+5=2a+8$이므로 $-3a=3$ $\quad\therefore a=-1$

4-1 두 직선의 교점의 좌표가 $(4, 2)$이므로 연립방정식의 해는 $x=4$, $y=2$이다.

$x+y=3b$에 $x=4$, $y=2$를 대입하면

$4+2=3b$, $3b=6$ $\quad\therefore b=2$

$2x-3y=2a$에 $x=4$, $y=2$를 대입하면

$2\times 4-3\times 2=2a$, $2a=2$ $\quad\therefore a=1$

$\therefore a+b=1+2=3$

4-2 두 직선의 교점의 좌표가 $(-2, 3)$이므로 연립방정식의 해는 $x=-2$, $y=3$이다.

$x+2y=a$에 $x=-2$, $y=3$을 대입하면

$-2+2\times3=a$ $\therefore a=4$

$bx+y=-3$에 $x=-2$, $y=3$을 대입하면

$-2b+3=-3$, $-2b=-6$ $\therefore b=3$

$\therefore ab=4\times3=12$

5-1 $\begin{cases}10x+2y=-6\\ax-5y=b\end{cases}$ ➡ $\begin{cases}y=-5x-3\\y=\frac{a}{5}x-\frac{b}{5}\end{cases}$

연립방정식의 해가 무수히 많으려면 두 직선 $y=-5x-3$, $y=\frac{a}{5}x-\frac{b}{5}$가 일치해야 하므로 기울기와 y절편이 각각 같아야 한다. 즉

$-5=\frac{a}{5}$에서 $a=-25$, $-3=-\frac{b}{5}$에서 $b=15$

$\therefore a-b=-25-15=-40$

5-2 $\begin{cases}3x-y=-2\\6x-2y=a\end{cases}$ ➡ $\begin{cases}y=3x+2\\y=3x-\frac{a}{2}\end{cases}$

연립방정식의 해가 없으려면 두 직선 $y=3x+2$, $y=3x-\frac{a}{2}$가 서로 평행해야 하므로 기울기가 같고 y절편이 달라야 한다.

즉 $2\neq-\frac{a}{2}$에서 $a\neq-4$

6-1 (1) 연립방정식 $\begin{cases}3x+y=5\\x-y=3\end{cases}$을 풀면 $x=2$, $y=-1$

따라서 두 직선의 교점의 좌표는 $(2, -1)$이다.

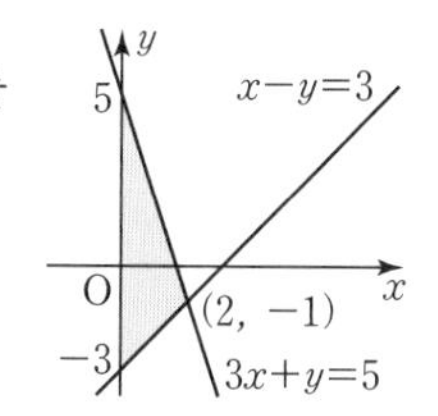

(2) $3x+y=5$에 $x=0$을 대입하면 $y=5$

$x-y=3$에 $x=0$을 대입하면 $y=-3$

즉 두 직선의 y절편이 각각 5, -3이므로 구하는 넓이는

$\frac{1}{2}\times\{5-(-3)\}\times2=8$

6-2 연립방정식 $\begin{cases}x+y-4=0\\x-5y+2=0\end{cases}$을 풀면 $x=3$, $y=1$

따라서 두 직선의 교점의 좌표는 $(3, 1)$이다.

$x+y-4=0$에 $y=0$을 대입하면 $x-4=0$ $\therefore x=4$

$x-5y+2=0$에 $y=0$을 대입하면 $x+2=0$ $\therefore x=-2$

즉 두 직선의 x절편이 각각 4, -2이므로 그래프를 그리면 오른쪽 그림과 같다.

따라서 구하는 넓이는

$\frac{1}{2}\times\{4-(-2)\}\times1=3$

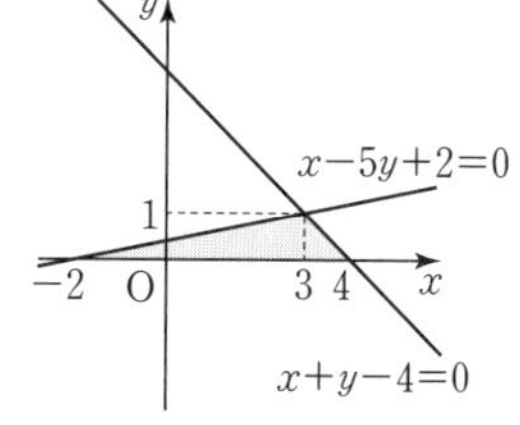

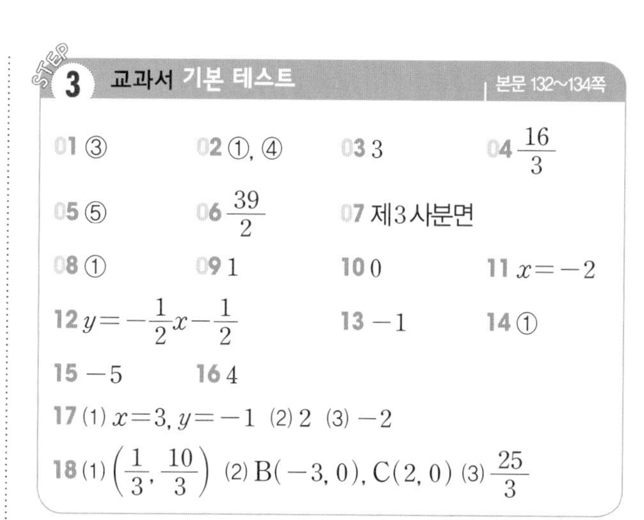

STEP 3 교과서 기본 테스트 | 본문 132~134쪽

01 ③ 02 ①, ④ 03 3 04 $\frac{16}{3}$

05 ⑤ 06 $\frac{39}{2}$ 07 제3사분면

08 ① 09 1 10 0 11 $x=-2$

12 $y=-\frac{1}{2}x-\frac{1}{2}$ 13 -1 14 ①

15 -5 16 4

17 (1) $x=3$, $y=-1$ (2) 2 (3) -2

18 (1) $\left(\frac{1}{3}, \frac{10}{3}\right)$ (2) $\mathrm{B}(-3, 0)$, $\mathrm{C}(2, 0)$ (3) $\frac{25}{3}$

01 $x-2y-1=0$에서 y를 x의 식으로 나타내면

$y=\frac{1}{2}x-\frac{1}{2}$

02 $2x-5y+4=0$에서 y를 x의 식으로 나타내면

$y=\frac{2}{5}x+\frac{4}{5}$

① $2x-5y+4=0$에 $x=3$, $y=2$를 대입하면

$2\times3-5\times2+4=0$

따라서 점 $(3, 2)$를 지난다.

② 기울기가 $\frac{2}{5}$로 양수이므로 오른쪽 위로 향하는 직선이다.

③ 일차방정식

$2x-5y+4=0$

의 그래프를 그리면 오른쪽 그림과 같으므로 제4사분면을 지나지 않는다.

⑤ 기울기가 $\frac{2}{5}$이므로 x의 값이 5만큼 증가할 때, y의 값은 2만큼 증가한다.

따라서 옳은 것은 ①, ④이다.

03 $4x+ay+1=0$에 $x=2$, $y=-3$을 대입하면

$4\times2-3a+1=0$, $-3a=-9$ $\therefore a=3$

04 $x+ay-b=0$의 그래프가 두 점 $(-4, 0)$, $(0, 3)$을 지나므로 $x+ay-b=0$에 $x=-4$, $y=0$을 대입하면

$-4-b=0$ $\therefore b=-4$

$x+ay-b=0$에 $x=0$, $y=3$을 대입하면

$3a-(-4)=0$, $3a=-4$ $\therefore a=-\frac{4}{3}$

$\therefore ab=-\frac{4}{3}\times(-4)=\frac{16}{3}$

06 $x-3=0$에서 $x=3$, $y+5=0$에서 $y=-5$
$x=0$은 y축, $x-y=0$에서 $y=x$
따라서 네 직선을 좌표평면 위에 나타내면 오른쪽 그림과 같으므로 구하는 넓이는

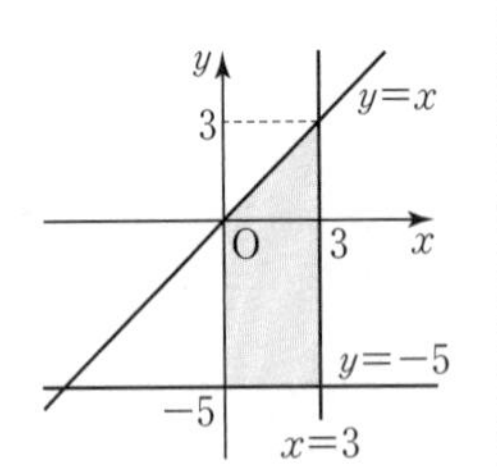

$\frac{1}{2}\times(5+8)\times3=\frac{39}{2}$

07 $x+ay+b=0$에서 y를 x의 식으로 나타내면
$y=-\frac{1}{a}x-\frac{b}{a}$
주어진 그래프가 오른쪽 위로 향하는 직선이고, y절편이 음수이므로 $-\frac{1}{a}>0$, $-\frac{b}{a}<0$
즉 $a<0$, $b<0$이므로 $y=bx-a$의 그래프에서
(기울기)$=b<0$, (y절편)$=-a>0$이다.
따라서 일차함수 $y=bx-a$의 그래프가 오른쪽 그림과 같으므로 이 그래프가 지나지 않는 사분면은 제3사분면이다.

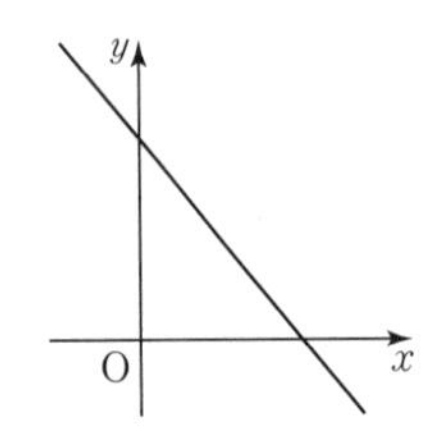

08 두 일차방정식의 그래프의 교점의 좌표가 $(-1, -1)$이므로 연립방정식의 해는 ① $x=-1$, $y=-1$이다.

09 두 직선의 교점의 좌표가 $(k, 2)$이므로 연립방정식의 해는 $x=k$, $y=2$이다.
$2x-3y=2$에 $x=k$, $y=2$를 대입하면
$2k-3\times2=2$, $2k=8$ $\quad\therefore k=4$
$ax+y=6$에 $x=4$, $y=2$를 대입하면
$4a+2=6$, $4a=4$ $\quad\therefore a=1$

10 두 직선의 교점의 좌표가 $(2, b)$이므로
$x-y=1$에 $x=2$, $y=b$를 대입하면
$2-b=1$ $\quad\therefore b=1$
$ax+y=3$에 $x=2$, $y=1$을 대입하면
$2a+1=3$, $2a=2$ $\quad\therefore a=1$
$\therefore a-b=1-1=0$

11 연립방정식 $\begin{cases}3x+y=-5\\x-2y=-4\end{cases}$를 풀면 $x=-2$, $y=1$
즉 두 직선의 교점의 좌표는 $(-2, 1)$이다.
따라서 점 $(-2, 1)$을 지나고 y축에 평행한 직선의 방정식은 $x=-2$

12 연립방정식 $\begin{cases}3x+2y=-7\\-x+y=4\end{cases}$를 풀면 $x=-3$, $y=1$
즉 두 일차방정식의 그래프의 교점의 좌표는 $(-3, 1)$이다. 그래프의 기울기가 $-\frac{1}{2}$이므로 구하는 일차함수의 식을 $y=-\frac{1}{2}x+b$로 놓으면 이 그래프가 점 $(-3, 1)$을 지나므로 $1=-\frac{1}{2}\times(-3)+b$ $\quad\therefore b=-\frac{1}{2}$
따라서 구하는 일차함수의 식은 $y=-\frac{1}{2}x-\frac{1}{2}$

13 연립방정식 $\begin{cases}2x-y=5\\x+2y=-5\end{cases}$를 풀면 $x=1$, $y=-3$
즉 세 직선의 교점의 좌표는 $(1, -3)$이므로
$ax-y=2$에 $x=1$, $y=-3$을 대입하면
$a-(-3)=2$ $\quad\therefore a=-1$

14 $\begin{cases}2x-4y=5\\-x+2y=a\end{cases}$ ➡ $\begin{cases}y=\frac{1}{2}x-\frac{5}{4}\\y=\frac{1}{2}x+\frac{a}{2}\end{cases}$
연립방정식의 해가 없으려면 두 직선 $y=\frac{1}{2}x-\frac{5}{4}$, $y=\frac{1}{2}x+\frac{a}{2}$가 평행해야 하므로 기울기가 같고 y절편이 달라야 한다. 즉 $-\frac{5}{4}\neq\frac{a}{2}$에서 $a\neq-\frac{5}{2}$

15 $3x+ay+3=0$에서 $y=-\frac{3}{a}x-\frac{3}{a}$
$6x+2y-b=0$에서 $y=-3x+\frac{b}{2}$
두 일차방정식의 그래프의 교점이 무수히 많으려면 두 직선 $y=-\frac{3}{a}x-\frac{3}{a}$, $y=-3x+\frac{b}{2}$가 일치해야 하므로 기울기와 y절편이 각각 같아야 한다. 즉
$-\frac{3}{a}=-3$에서 $a=1$
$-\frac{3}{a}=\frac{b}{2}$에서 $-3=\frac{b}{2}$ $\quad\therefore b=-6$
$\therefore a+b=1+(-6)=-5$

16 직선이 y축에 평행하므로 직선 위의 모든 점의 x좌표가 같다. 즉 $a-2=2a-6$이므로 …… ㉮
$-a=-4$ $\quad\therefore a=4$ …… ㉯

채점 기준	비율
㉮ y축에 평행한 직선은 직선 위의 모든 점의 x좌표가 같음을 알고 식을 제대로 세운 경우	60 %
㉯ a의 값을 제대로 구한 경우	40 %

17 (1) 두 일차방정식의 그래프의 교점의 좌표가 $(3, -1)$이므로 연립방정식의 해는 $x=3$, $y=-1$이다. …… ㉮

(2) $x+y=m$에 $x=3$, $y=-1$을 대입하면

$3+(-1)=m \quad \therefore m=2$ …… ㉯

(3) $nx+3y=-9$에 $x=3$, $y=-1$을 대입하면

$3n+3\times(-1)=-9$, $3n=-6$

$\therefore n=-2$ …… ㉰

채점 기준	비율
㉮ 연립방정식의 해를 제대로 구한 경우	40 %
㉯ m의 값을 제대로 구한 경우	30 %
㉰ n의 값을 제대로 구한 경우	30 %

18 (1) 연립방정식 $\begin{cases} x-y+3=0 \\ 2x+y-4=0 \end{cases}$을 풀면 $x=\frac{1}{3}$, $y=\frac{10}{3}$

따라서 점 A의 좌표는 $\left(\frac{1}{3}, \frac{10}{3}\right)$이다. …… ㉮

(2) $x-y+3=0$에 $y=0$을 대입하면

$x+3=0 \quad \therefore x=-3$, 즉 $B(-3, 0)$

$2x+y-4=0$에 $y=0$을 대입하면

$2x-4=0$, $2x=4 \quad \therefore x=2$, 즉 $C(2, 0)$ …… ㉯

(3) (삼각형 ABC의 넓이)$=\frac{1}{2}\times\{2-(-3)\}\times\frac{10}{3}$

$=\frac{25}{3}$ …… ㉰

채점 기준	비율
㉮ 점 A의 좌표를 제대로 구한 경우	40 %
㉯ 두 점 B, C의 좌표를 제대로 구한 경우	40 %
㉰ 삼각형 ABC의 넓이를 제대로 구한 경우	20 %

창의력 · 융합형 · 서술형 · 코딩

본문 135쪽

1 $(1, 1)$

2 (1) 총수입 그래프 : $y=45x$

총비용 그래프 : $y=40x+100$

(2) 20개월

1 두 일차방정식의 그래프의 교점은 연립방정식 $\begin{cases} x+y-2=0 \\ 2x-y=1 \end{cases}$의 해와 같다. 이때 연립방정식을 풀면 $x=1$, $y=1$이므로 보물의 위치는 $(1, 1)$인 지점이다.

2 (1) 총수입 그래프는 두 점 $(0, 0)$, $(30, 1350)$을 지나므로 총수입 그래프를 나타내는 직선의 방정식은

$y=\frac{1350}{30}x$, 즉 $y=45x$

총비용 그래프는 두 점 $(0, 100)$, $(30, 1300)$을 지나므로 총비용 그래프를 나타내는 직선의 방정식은

$y=\frac{1300-100}{30-0}x+100$, 즉 $y=40x+100$

(2) $\begin{cases} y=45x & \cdots\cdots ㉠ \\ y=40x+100 & \cdots\cdots ㉡ \end{cases}$에서 ㉠을 ㉡에 대입하면

$45x=40x+100$, $5x=100 \quad \therefore x=20$

따라서 총수입이 총비용 이상이 되려면 공장을 20개월 이상 운영해야 한다.

Memo.

교과서 다품

정답과 해설

중학 수학 2-1

넌 ♥
잘할거야

배움으로 행복한 내일을 꿈꾸는

천재교육 커뮤니티 안내

교재 안내부터 구매까지 한 번에!

천재교육 홈페이지

자사가 발행하는 참고서, 교과서에 대한 소개는 물론
도서 구매도 할 수 있습니다. 회원에게 지급되는 별을 모아
다양한 상품 응모에도 도전해 보세요!

다양한 교육 꿀팁에 깜짝 이벤트는 덤!

천재교육 인스타그램

천재교육의 새롭고 중요한 소식을 가장 먼저 접하고 싶다면?
천재교육 인스타그램 팔로우가 필수!
깜짝 이벤트도 수시로 진행되니 놓치지 마세요!

수업이 편리해지는

천재교육 ACA 사이트

오직 선생님만을 위한, 천재교육 모든 교재에 대한 정보가 담긴
아카 사이트에서는 다양한 수업자료 및 부가 자료는 물론
시험 출제에 필요한 문제도 다운로드하실 수 있습니다.

https://aca.chunjae.co.kr

천재교육을 사랑하는 샘들의 모임

천사샘

학원 강사, 공부방 선생님이시라면 누구나 가입할 수 있는 천사샘!
교재 개발 및 평가를 통해 교재 검토진으로 참여할 수 있는 기회는 물론
다양한 교사용 교재 증정 이벤트가 선생님을 기다립니다.

아이와 함께 성장하는 학부모들의 모임공간

튠맘 학습연구소

튠맘 학습연구소는 초·중등 학부모를 대상으로 다양한 이벤트와 함께
교재 리뷰 및 학습 정보를 제공하는 네이버 카페입니다.
초등학생, 중학생 자녀를 둔 학부모님이라면 튠맘 학습연구소로 오세요!